研修医になったら必ずこの手技を身につけてください。

改訂版

消毒、注射、穿刺、小外科、気道管理、鎮静、エコーなどの
方法を解剖とあわせて教えます

森本康裕／編

改訂版の序
～手技の習得と実践のための心構え～

医師に必要なのは医学についての知識と技術です．診療科によりバランスは異なりますが，このふたつが車の両輪となることで医療を実践することができます．

本書では，初期研修医に必要な技術・手技についてポイントを絞って解説しました．学生のうちは知識の習得がメインですので，患者相手に手技を行うというのはどうしても緊張します．さらに，ちょっとしたミスが患者や自分自身，さらに周囲の医療関係者に重篤な合併症を引き起こす可能性があります．**初期研修の２年間で本書に書かれている基本的な手技は確実に，さらに自信をもって実施できるように身につけておく必要があります**．そこでまず手技を実践するうえでの心構えについて述べたいと思います．

●準備

研修医はとにかく手技を実施するのが好きです．すぐに針を刺そうとしてしまいます．しかし，手技の習得と実施にはまず十分な準備が必要です．

〈基礎知識〉

まずは基礎知識です．解剖の知識は必須です．目に見える部分はもちろん，皮膚，その下の皮下組織，さらに筋肉，血管，神経などの位置関係を把握しておく必要があります．例えば内頸静脈からの中心静脈穿刺であれば，「静脈と動脈の位置関係」，気胸を避けるために「肺までの距離」など，まずは基本的な解剖を把握しておく必要があります．

次に，デバイスの知識です．針や注射器の選択はもちろん，穿刺に使う針やカテーテルなど自分の病院で使用されるデバイスの使い方を予習しておきましょう．超音波装置などの機器の操作に習熟しておくのも大事です．

そのうえで，本書のような手技の解説書で，手技の流れや予想される合併症，さらに対処法を予習しておきます．

〈シミュレーション〉

基礎知識を予習したらシミュレーションをします．使用するデバイスについては，不潔で使用できるものや穿刺できるシミュレーターなどであれば実際に，そうでなければ頭のなかで手順をシミュレーションします．成功するイメージつくりがこれからさらに高度な手技を行う際にも重要です．

●コミュニケーション

本書に書かれているような手技の実施については，まず指導医の指導のもとで行います．指導医と手順や注意点などをブリーフィングのうえで手技をはじめます．

処置を受ける患者は程度の差はあれ緊張しています．こちらも当然緊張しているハズです．どうしても初心者であることは患者にはわかってしまうと思います．まずは声を掛け，うまくコミュニケーションをとってお互いリラックスしたなかで手技が行えるように心がけましょう．

手技中は常に患者の状態に注意します．痛みを訴えているのに無理に進めてはいけません．単に痛みが強いだけでなく，合併症によるものかもしれません．痛みが強ければ，局所麻酔を追加するなど適切に対応していきましょう．

指導医だけでなく看護師など他の医療スタッフとの協力も必要です．自分だけの判断で突き進まないように心がけます．

●安全確保

特に心がけたいのは安全対策です．本人確認や患側の確認を施設の手順にしたがって行います．消毒や清潔操作も施設のガイドラインに従い，他の医療スタッフと確認しながら進めましょう．

〈患者〉

まず患者の安全を確保します．手技中に状態が急変することも考えられるので体位などには十分に注意します．必要に応じて血圧，心電図やパルスオキシメーターなどのモニターを装着します．急変時には周囲のスタッフに応援を依頼し，決して一人で対応してはいけません．

〈自分とスタッフ〉

自分の安全は自分で確保します．針刺しには特に注意しましょう．周囲のスタッフにも危険が及ばないように配慮します．針の処理法などはあらかじめ確認しておきます．

●振り返り

手技が終わったからといって安心は禁物です．詰めを大事にしましょう．例えば，静脈路確保では点滴回路に接続し滴下を確認，刺入部を固定するまでは気を抜いてはいけません．

手技の終了後は必ず患者に声を掛け，異常がないことを確認します．病棟での採血のように次回同じ手技をする可能性がある場合，次もこの先生がよいと思ってもらえれば成功です．逆に成功したと思っても，患者が涙ぐんでいたら反省点ありです．

失敗した場合は必ず指導医と原因についてディスカッションします．失敗には必ず原因があります．またうまくいったと思っても反省点はあるはずです．1例1例を大事にして，振り返る姿勢が皆さんを向上させます．診療録の記録はもちろん，個人的にノートなどに記録を残しておくのも重要です．

本書のほとんどは麻酔科と救急科の医師に執筆していただきました．基本的な技術を身につけるにはよい指導医の下で数をこなすのが1番であり，麻酔科や救急科での研修は非常に有用です．有意義な研修のために本書をぜひ活用してください．

2022年2月

森本康裕

執筆者一覧

※所属は執筆時のもの

編　集

森本　康裕　宇部興産中央病院麻酔科

執筆者（掲載順）

森本　康裕　宇部興産中央病院麻酔科

桑名　　司　日本大学医学部附属板橋病院救命救急センター

酒井　規広　総合大雄会病院麻酔科

属　絵理子　周南記念病院麻酔科

小野寺美子　旭川医科大学病院緩和ケア診療部・手術部

五代　幸平　鹿児島大学病院麻酔科

村田　寛明　長崎大学大学院麻酔集中治療医学

飯田　高史　いいだメンタルペインクリニック

松島　久雄　獨協医科大学埼玉医療センター救命救急センター

徳嶺　譲芳　杏林大学医学部麻酔科学教室

岡野　　弘　国立病院機構横浜医療センター救急・総合診療科

河村　宜克　山口労災病院救急科

高橋　　慧　獨協医科大学埼玉医療センター麻酔科

浅井　　隆　獨協医科大学埼玉医療センター麻酔科

中川　元文　愛育病院麻酔科

讃岐美智義　呉医療センター・中国がんセンター麻酔科

藤井　智子　昭和大学横浜市北部病院麻酔科

木村　哲朗　浜松医科大学麻酔・蘇生学講座

羽場　政法　ひだか病院麻酔科

二階　哲朗　島根大学医学部附属病院麻酔科集中治療部

新屋　苑恵　名古屋大学医学部附属病院麻酔科

駒澤　伸泰　大阪医科薬科大学医学部医学教育センター・麻酔科学教室

安宅　一晃　奈良県総合医療センター集中治療部

梅井　菜央　日本医科大学付属病院外科系集中治療科

鈴木　昭広　自治医科大学附属病院麻酔科

山田　直人　岩手医科大学附属病院麻酔科

菅　　重典　岩手医科大学附属病院救急医学講座

丹保亜希仁　旭川医科大学救急医学講座

南方　孝夫　昭和大学病院呼吸器外科

趙　　崇至　パナソニック健康保険組合松下記念病院麻酔科

古谷　健太　新潟大学医歯学総合病院麻酔科

大見千英高　宇部興産中央病院泌尿器科

研修医になったら必ずこの手技を身につけてください。 改訂版

消毒、注射、穿刺、小外科、気道管理、鎮静、エコーなどの方法を解剖とあわせて教えます

目次

第3章　鎮静のこれだけは身につけてください。

第4章　救急のこれだけは身につけてください。

第 1 章

注射、採血、穿刺のこれだけは身につけてください。

総論

採血・注射の基礎知識

森本康裕

- 注射器や針の扱いに慣れましょう
- 採血・注射に関する院内のガイドラインを確認しましょう
- 針差し事故に注意

はじめに

採血や注射は医師となった皆さんが，最初に行う手技の1つです．そしてどの診療科でも必要な手技になります．どんなに知識が頭にあっても，採血ができなければ血液検査はできません．末梢静脈路が確保できなければ救急の処置はできません．患者はいろいろです．よく血管が見える患者から末梢静脈が全くわからない患者まで，あらゆる状況ですみやかに注射や採血ができるのは，医師として最も基本的で必須の手技といえます．

もちろん，病棟にはベテランの看護師がいて，どんな患者でも採血してくれるかもしれません．しかし，他人任せにせず逆にどんどん達人のワザを吸収していきましょう．

1 採血・注射の適応

1）採血

採血の目的は，血液検査です．血糖測定であれば皮膚を少し切るだけで十分ですが，通常は静脈を穿刺して採血します．血液ガス測定などでは動脈血を採血する必要があります．

2）注射

薬剤投与が目的です．注射で薬剤を投与するには，皮下注射，筋肉内注射，静脈内注射があります．持続して静脈内に薬物投与あるいは点滴を行う場合は，静脈内に針を留置します．

2 器具

1) 注射針

注射針には，太さに応じたカラーコードが定められています．単位はG（ゲージ）で示され，細くなるにつれてGの値は大きくなります．注射針のカラーコードは国際標準化機構（ISO）規格で決まっています（表1）．

20 mL程度の薬液を吸うのにはピンク（18 G），1～2 mLの薬液を吸うのには緑（21 G），採血や注射には水色（23 G）などと覚えておきましょう（図1）．

静脈留置針のカラーコードは注射針とは異なります．これもよく使うのは濃紺（22 G）かピンク（20 G）ですので色で覚えておきましょう．ISOに準拠しているので，メーカーが異なっても同じカラーコードであれば同一の太さになります（図2）．

表1 カラーコード一覧

<注射針>

針外径（mm）	G	カラーコード
0.4	27	medium grey
0.45	26	brown
0.5	25	orange
0.55	24	medium purple
0.6	23	deep blue
0.7	22	black
0.8	21	deep green
0.9	20	yellow
1.1	19	cream
1.2	18	pink

<静脈留置針>

針外径（mm）	G	カラーコード
0.6	26	紫
0.7	24	黄色
0.8, 0.9	22	濃紺
1.0, 1.1	20	ピンク
1.2, 1.3	18	深緑
1.4, 1.5	17	白
1.6, 1.7, 1.8	16	灰色
1.9, 2.0, 2.1, 2.2	14	オレンジ

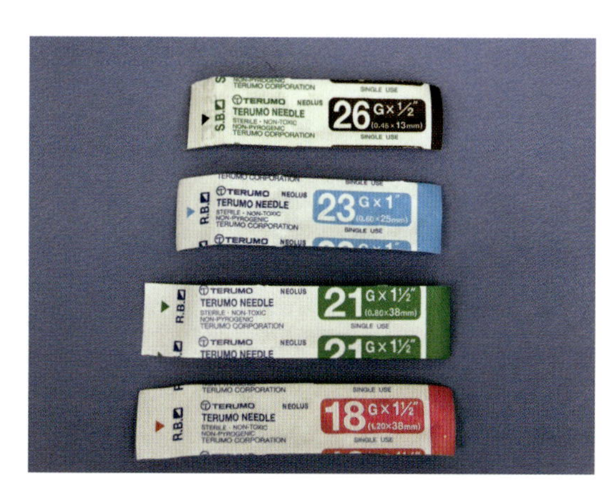

図1 よく使用する注射針
注射針の包装の色，ゲージ数を確認して使用する．ゲージの右の数字は針の長さを示す．

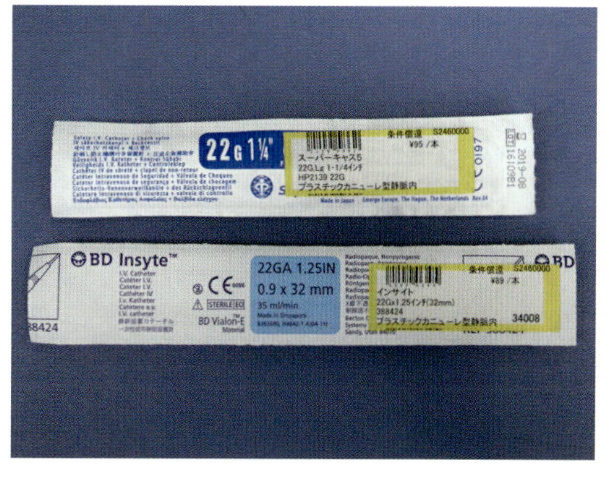

図2 静脈留置針
異なるメーカーであっても包装と注射針のカラーコードは同一である．

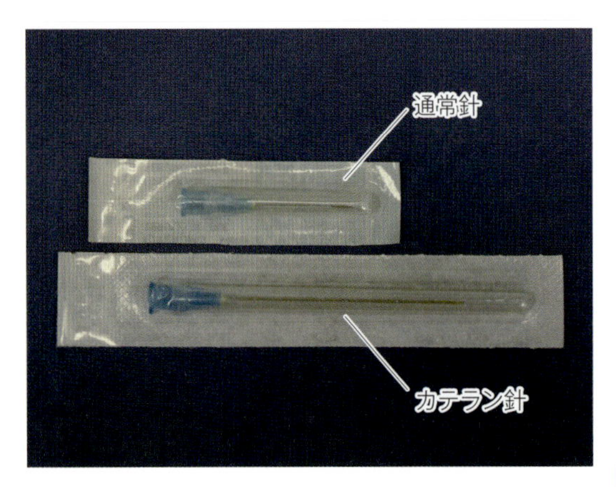

図3 カテラン針
通常の注射針（上）と比べて長く，深部への穿刺に使用する．

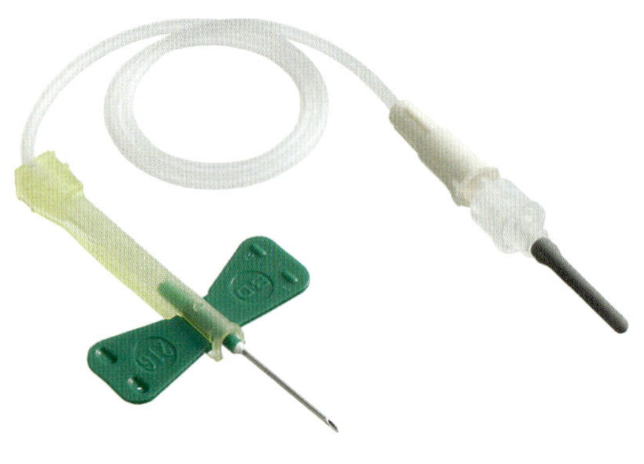

図4 翼状針（BD バキュテイナ® セーフティロック™ウィングコレクション）
翼の部分を持って穿刺する．通常の注射針よりも固定性がよく大量の採血や短時間の点滴静注に使用する．
写真提供：日本ベクトン・ディッキンソン株式会社

2) 注射針の選択

採血に使う注射針は21～23 Gです．これより細い注射針では，採血に時間がかかりますし吸引により溶血する可能性があります．静脈内へ注射する場合も同じ太さの注射針を使用します．

筋肉内注射や皮下注射ではより細めの23～26 Gを使用します．

同じ太さでも注射針の長さにもいくつか種類があります．深部への注射に使用する長めの注射針はカテラン針とよばれています（図3）．

採血や短時間の点滴静注では翼状針を用いることがあります（図4）．針に翼がついており，この部分を持って穿刺します．翼があるので通常の注射針よりは固定が容易です．しかし，静脈留置針と異なり，金属針を静脈内に留置しますのであくまで短時間の使用に限られます．

針先の形状にもいくつか種類があります．通常の注射に使用するのは，鋭針です．一方，腰椎穿刺や神経ブロックなどでは先端が鈍の針を用います．

3) シリンジ

現在使われているシリンジはほとんどがディスポーザブルのプラスチック製です．

1～50 mLまでいくつかの種類がありますので，使用する薬剤や採血量によって使い分けます（図5）．また，接続部にロックなしとロック付きのタイプがあります．ロック付きは接続が確実ですので，シリンジポンプで持続静注するときなどに使用します．

シリンジで注意したいのは，同じ容量のシリンジであってもメーカーにより外径が異なるということです．シリンジポンプを使用する際は，必ず指定のメーカーのシリンジを使用するか，ポンプの設定を変更する必要があります（図6）．

4) 針とシリンジの接続

針とシリンジを接続する際は，しっかりとねじるように接続し操作中に外れないようにします．接続を確実にするにはロック付きのシリンジを使います．外すときも同様にね

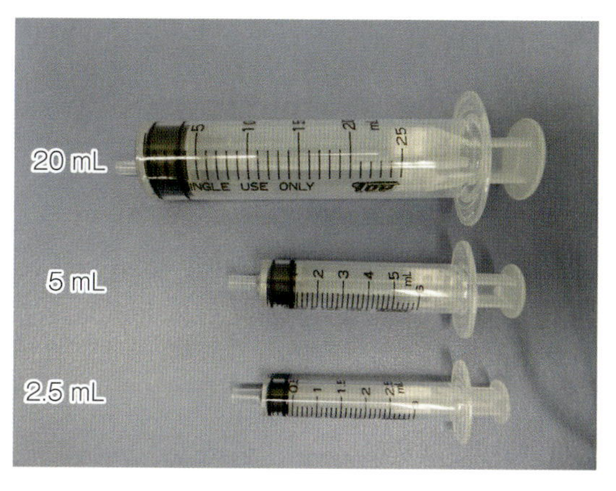

図5 シリンジ各種
下から2.5 mL，5 mL，20 mL

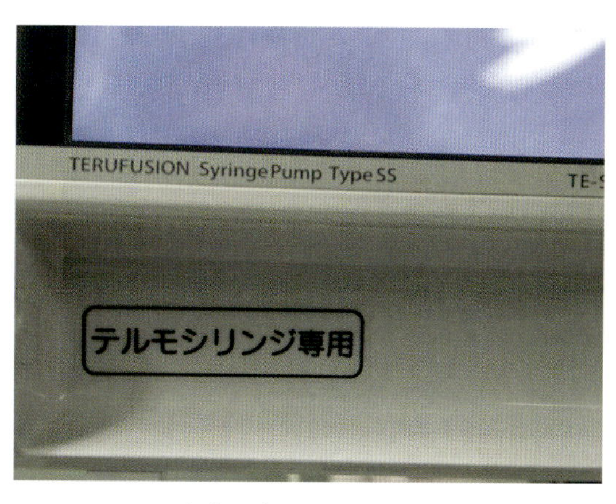

図6 シリンジポンプに示されたメーカー表示
指定のメーカーのシリンジを使用する．

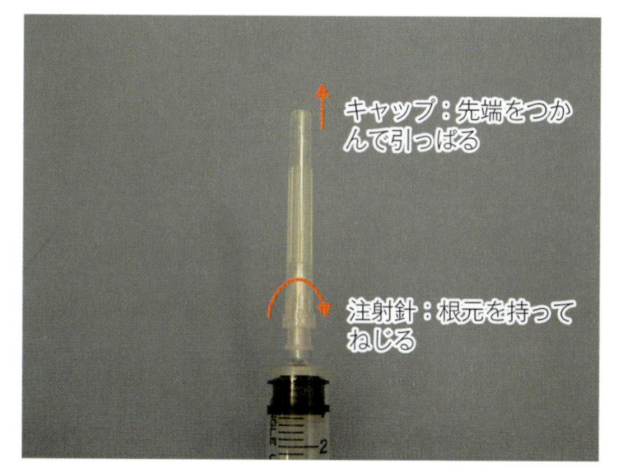

図7 注射針とシリンジ取り外し

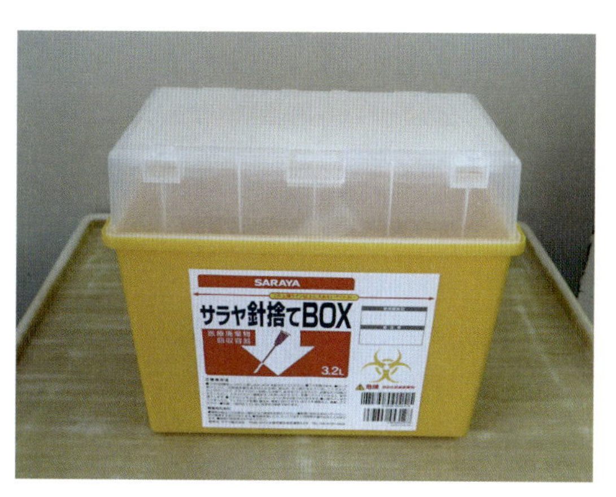

図8 針捨て容器
使用した注射針はすみやかに容器へ捨てる．

じって外します（図7）．

一方，接続した注射針のキャップを外すときはキャップ先端をつかんで引っ張ります（図7）．一度外したキャップをまた接続するリキャップは針刺しの原因になります．注射針を針捨て容器に捨てて新しい注射針を接続します．

5）針刺し事故の防止

注射針やシリンジを使用するうえで，針刺し事故の防止は重要です．自分の身は自分で守らなければいけません．

患者に注射針を穿刺する際は，まず穿刺の種類によって院内のルールに従い自分の準備をします．いわゆるスタンダードプリコーション（**第1章-1**参照）が大事です．患者の感染症の有無によっても対応が異なりますので院内のルールを確認しましょう．

そのうえで，物品を使いやすい位置に配置しましょう．特に注射針を捨てる針捨て容器は穿刺後すみやかに注射針が廃棄できる位置に置いておきます（図8）．安全に作業ができる環境を整えるのは重要なポイントです．針捨て容器は必ず開封して，容器の残量を確認します．容器から注射針がはみ出していたり，ほぼ一杯になっていれば危険ですので新

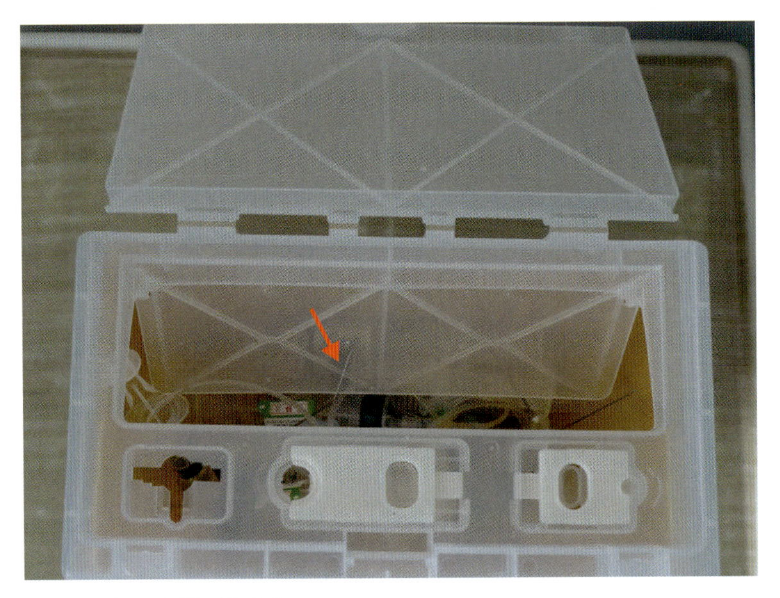

図9 針捨て容器の注意点
容器内が注射針が満杯であったり，上向きに注射針が入っている（→）場合は危険である．使用せずに新しい容器を準備する．

しい針捨て容器を準備します（図9）．注射針の廃棄は必ず手技の施行者が行います．注射針の受け渡しは危険ですので避けなければいけません．

静脈留置針や翼状針では針刺し防止機構がついているものがあります．穿刺前に使用するデバイスを選択することや安全な使い方を周知することも重要なポイントです．

6）針刺しを起こしたら

針刺しを起こした場合は，軽微だと自己判断せずに上級医あるいは部署の師長に報告して指示に従います．院内には必ず針刺し事故対応のマニュアルがありますので確認しておきましょう．

針刺しにも2種類あります．薬液を吸うのに使った注射針など原因器材に**血液汚染がない場合**は，傷の処置をして上級医あるいは師長に報告します．

問題は，採血後の注射針のように**血液などの汚染がある場合**です．患者の体液は基本的に血液に準じて対応します．この場合は以下の対応を行います．

● 対応

- すぐに傷口より血液を絞り出し，流水で洗い流す
- 責任者（上級医，師長など）に報告する
- 針刺し事故報告書に記入
- 血液検査で自分のHBs抗原，HBs抗体，HCV抗体，HIV抗体を確認

次に，患者の血液検査を行います．患者の感染症に対する情報を確認し，不明のものがあれば採血して検査します．採血にあたっては患者の承諾が必要になります．ここまでを事故発生後30分以内を目標に行います．

その後の対応は検査結果によりマニュアルに従って対応を進めます．

表2 手技とISO 80369-6（NRFit）の対応

手技		ISO 80369-6（NRFit）対応
腰椎穿刺 脊髄くも膜下麻酔	スパイナル針	○
神経ブロック	神経ブロック針	○
	注射針，カテラン針	×
局所浸潤麻酔	注射針	×

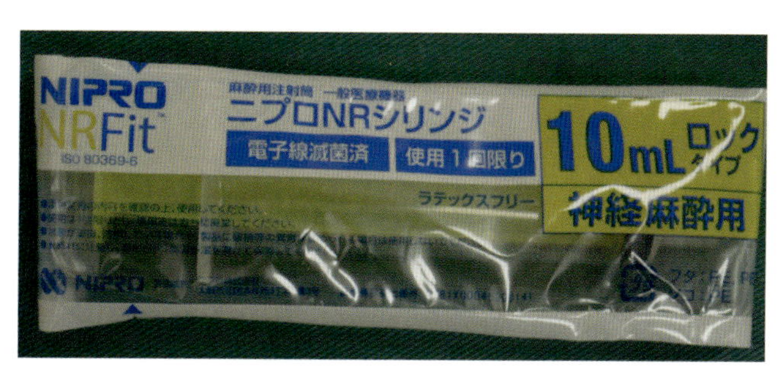

図10 NRFit対応の注射器
神経麻酔用の注射器や針にはNRFit（ISO 80369-6）の表記とイメージカラーの黄色が使用されている．

相互接続防止コネクタについて

これまで使用される注射器や針の接続コネクタはすべての目的で同じでした．このため経腸栄養剤を静脈内投与する，などの事故が起こったことから，目的別にコネクタの規格を変えることになりました（ISO 80369）．現在新規格が導入されたのは神経麻酔と経腸栄養の分野ですが，今後は四肢のカフ，泌尿器，呼吸器システムでも規格変更が予定されています．これらの領域では針や接続チューブのコネクタが変更され通常の規格の針や注射器とは接続できなくなります．

本書では腰椎穿刺（**第1章-10**参照）が該当します．腰椎穿刺には脊髄くも膜下麻酔用のスパイナル針を用いることが多いですが，この針の規格が変更されています（ISO 80369-6, NRFit：表2，図10）．この場合はスパイナル針，および接続する注射器や三方活栓，延長チューブは新規格対応のものしか使用できません．しかし，局所浸潤麻酔（**第1章-2**参照）に使用する針や注射器は従来のままですので注意してください．同様に，穿刺にカテラン針を用いれば従来の注射器を使用することになります．また，使用頻度の少ない病棟などでは旧規格の針が残っているかもしれません．しばらくは穿刺前に穿刺針や注射器を確認するようにしましょう．

おわりに

注射や採血は基本的な医療技術です．しかし，危険な手技でもあります．筆者が研修医の頃はC型肝炎ウイルスの検査技術が確立しておらず，慢性肝炎で苦しんでいる先輩は多くいらっしゃいました．技術的なことに目が向きがちですが，患者そして自分や周囲の医療スタッフの安全を確保するのが最も大事です．

1 消毒

桑名 司

- 消毒の必要性と滅菌との違いについて理解する！
- 実際の消毒法について対象と方法を理解する！
- 知っているようで知らない消毒薬の特徴について理解する！

はじめに

「消毒」と聞いても，学生時代にはあまり勉強する機会のないテーマかと思います．しかし，いざ研修医として病棟勤務をはじめると毎日のように何らかの消毒をしているのではないでしょうか．しかし，正しい消毒の方法，消毒薬の選び方ができている研修医は多くないと思います．なぜならば，正しい知識を学ぶ機会が少ないからです．私自身も研修医のときは上級医の見様見真似でやっており，今から考えれば正しくない方法を実施していたこともあったと反省しています．

消毒の理論・実践について，消毒法，消毒薬，注意点など，正しい知識を身につける一助となれば幸いです．

消毒の基本知識

1）なぜ，消毒をする必要があるのか？

患者さんはいろいろな理由で入院しますが，入院患者が原疾患の治療がうまくいって退院するまでの間，合併症との闘いになります．その合併症のうち，最も頻度が多く重症化し得るものといえば，感染症でしょう．感染合併症の最大の特徴は「予防」できるということです．この「予防」ということをわれわれ医療従事者は最大限に行う必要があります．例えば入院患者でカテーテル関連血流感染を起こすと入院日数が増え，医療コストも増えるという研究があります[1]．感染合併症は起こしてよいことは1つもないといえるでしょう．

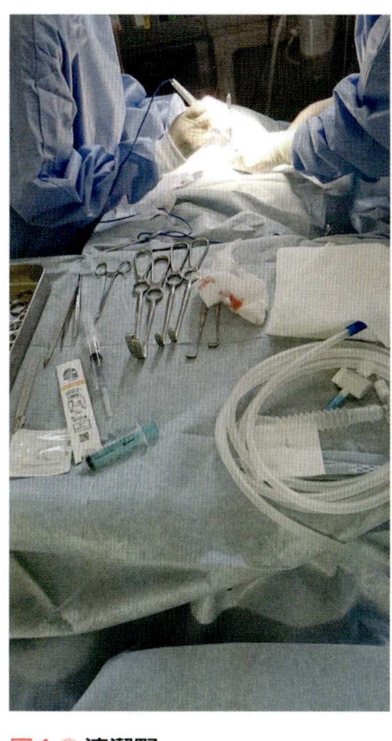

図1 清潔野

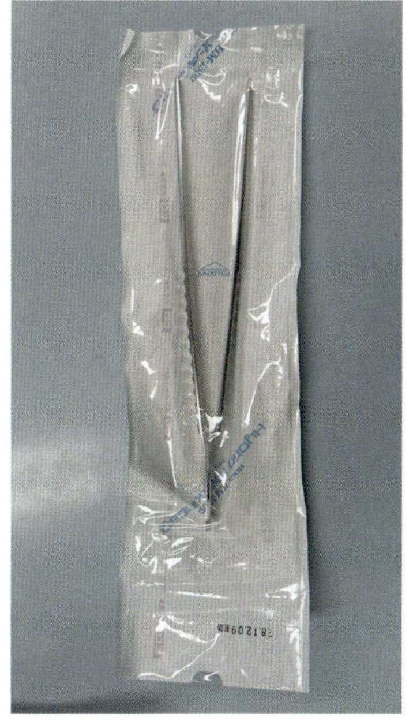

図2 鑷子

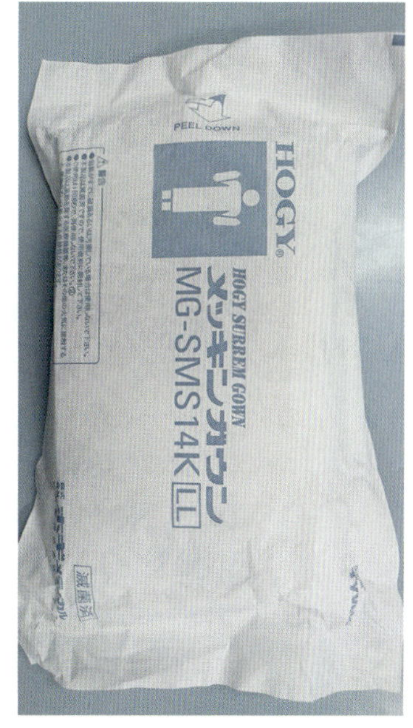

図3 ガウン

2）消毒と滅菌の違いは？

消毒とはその名の通り，「毒を消す」ことです．すなわち，微生物（主に細菌）の毒性を弱め，人体にとって無害なレベルまで減らすことです．微生物が減りますが，無菌をめざすものではありません．

滅菌とはその名の通り，「菌を滅する」ことです．すなわちすべての微生物を限りなく無菌に近く減らすことです．乾熱滅菌，高圧蒸気滅菌などの方法があります．人間の生体面ではなく，物品が対象となります．滅菌されているものは何か見分ける方法を簡単にいうと，清潔野（図1）で扱うすべての物品のうち，包装されているものです．例えば，鑷子（図2），ガウン（図3），メス，尿道カテーテルなどのカテーテル類，などです．これらは近年ではディスポーザブルとなり単回使用のものも多くなっています．

微生物の数でいえば，滅菌＜消毒であり，滅菌の方が微生物数は少ないです．それならすべて滅菌すればよいのではと思われるかもしれませんが，滅菌は熱したり乾かしたり強いガスを使用したりするので，生体面で行うと生体に被害が出てしまいます．そこで処置をする際に生体にとって無害なレベルまで**医療従事者側も患者側も**微生物を減らし，かつ生体に害が出ないように消毒をすることとなるわけです．

実際の臨床現場では，**医療従事者側**の消毒，が抜けることが多いため，注意が必要です．

3）処置の際に消毒する対象は？

処置の際，**医療従事者側も患者側も**消毒する必要があります．この2つの方法をみていきます．

● 医療従事者側

手技を行う手を消毒します．手指衛生といいます．目的としては，医療従事者の手に付着した菌を減らすことで手技そのものによる菌の伝播を防ぐことです．多くはアルコール手指消毒で十分ですが，ここがピットフォール（p21）で述べるようにアルコールが効かない病原体がおり，物理的に病原体を流して減らすための石鹸を用いた流水による手洗いが必要なので，効かないものを覚える必要があります．

効果的な手指衛生を達成するためには，①有効な手指消毒薬の使用，②十分な量の手指消毒薬の使用，③手指消毒の正しい方法，④手指衛生の正しい5つのタイミング，の4つのポイントがあります．端的にいえば，患者に接触する前後，処置をする前後で，アルコールによる手指消毒を行うことが基本となります．

手指衛生を含めた標準的な感染予防については，次ページのcolumn：「スタンダード」ができていますか，と表1（20ページ参照）を参照ください．さらに詳細に知りたい方は2007年の「CDCガイドライン」[2)]を参考にしてください．

手指衛生の正しい5つのタイミング

手指衛生の正しい5つのタイミングは次の通りです．

①患者に触れる前
②清潔/無菌操作の前
③体液曝露された可能性がある場合
④患者に触れた後
⑤患者周辺の物品に触れた後

このうち，特に意識して注意した方がいいものとしては①②の，何かをする**「前」**の部分です．当センターでの調査でも，医師，看護師ともに，①②の順守率が他に比べて低いことがわかりました．

前の順守率が悪い医療従事者の意識として，患者や患者環境が汚染されている，ということは意識しやすいですが，自分の手が汚染されている，ということは意識しにくいことが考えられます．患者や患者環境だけでなく，**自分の手「も」汚いもの**だ，という意識をもつと，前のタイミングでの手指衛生の順守につながるのではないでしょうか．

詳細は2007年の「CDCガイドライン」[2)]を参考にしてください．

● 患者側

処置を行う健常皮膚を消毒します．消毒薬の塗布方法としては図4を参照ください．基本的には，穿刺部や切開部を中心として中心から消毒を開始し，円を描くように外側へ塗布します．外側から中心には戻さないのがポイントです．これを2～3回くり返します．中心から開始することの是非や2回と3回のどちらがよいかについては明確なエビデンスはありませんが，多くの医療機関が理論的背景からこのように行っているようです．個人的には回数を多く行うよりも，隙間のないように2回しっかりと行うことをお勧めします．

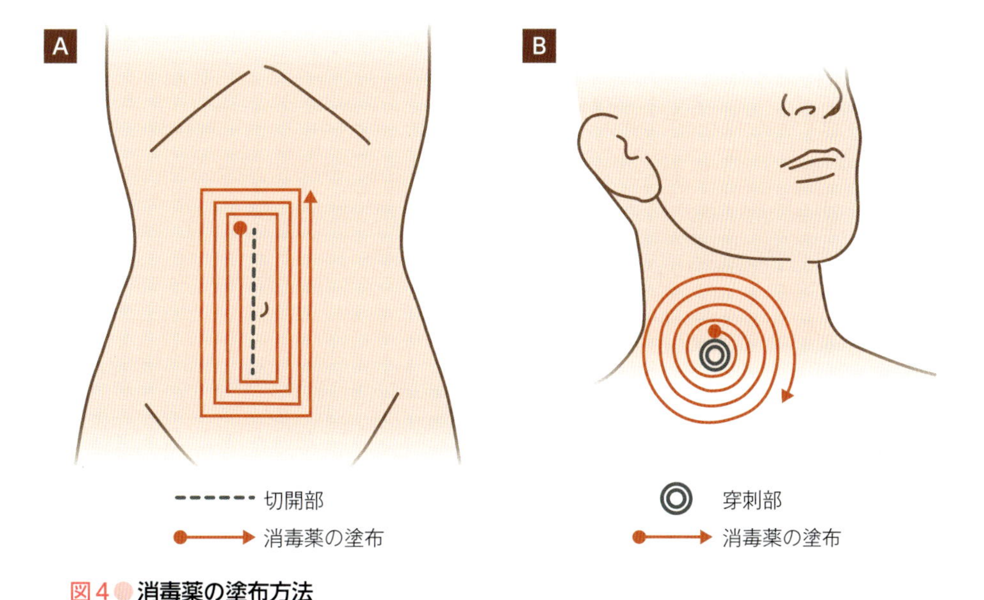

図4 **消毒薬の塗布方法**

「スタンダード」ができていますか？

手指衛生でも一部述べましたが，スタンダードプリコーション＝標準予防策というものがあります．予防策としてほかに，接触感染予防策，飛沫感染予防策，空気感染予防策があります．

前提としてスタンダードプリコーションとは，**すべての**患者（およびその周囲の環境）に対して**常に**行うものです．なぜかというと，**すべての人**は伝播する病原体をもっている，という前提があるからです．すべての人という点から患者だけでなく，医療従事者も含まれることがおわかりかと思います．そして，感染患者だけに行うものではないということもおわかりかと思います．スタンダードプリコーションのポイントを表1に示します．詳細は，2007年に「CDCガイドライン」[2)] が出版され世界的なガイドラインとなっているので，参考にしてください．

余談ですが，感染予防策のきっかけは今から150年以上も前に，Semmelweisという産婦人科医が行っているのです．微生物が発見される前に対策を講じたという点でとても素晴らしいと思います．興味があればSemmelweisについて少し調べてみてはいかがでしょうか．

4) 消毒薬の特徴は？

主に使用する消毒薬と特徴を図5，表2に示します．

それぞれ特徴がありますがポイントはどれも注意点，副作用があることです．

ポビドンヨードは「乾くまで」と習った人も多いかもしれませんが正確には，殺菌効果が出るまで**2分**程度かかることを理解します．手で仰いで早く乾かすなどは意味がなく，**2分**以内に穿刺や処置を行ってしまうと適切な消毒ができていないことになります．

アルコール含有製剤を手指消毒に使用したとき，手に小さな傷があるとすごく痛い思い

表1 スタンダードプリコーションのポイント

目的	病原体の感染・伝播リスクの減少	
対象	すべての患者および周囲の環境（ベッド柵，点滴，ベッド近くの机など）に触れる前・後	
方法	湿性物質〔血液，汗を除くすべての体液・分泌物・排泄物，健常でない皮膚（創など），粘膜〕に対して	
	①接触が予想される	個人防護具の使用，処置前後の手指衛生
	②接触が予想されない	処置前後の手指衛生
	↑いずれにしても，処置前後の手指衛生は必須！！	
	手指衛生の方法	
	①基本は手指消毒〔速乾性擦式手指消毒剤（アルコール）の手指への擦り込み〕	
	②湿性物質に触れた可能性がある場合は流水と石鹸による手洗い	
	↑②は手袋をしていたとしても！！（穴があると考える）	
	個人防護具について（可能性も含める）	
	①湿性物質に触れるとき	手袋
	②口・鼻の粘膜が汚染されそうなとき	マスク
	③衣服が汚れそうなとき	エプロン・ガウン
	④飛沫が目に入りそうなとき	アイシールド・ゴーグル
	↑話しながら処置をするときはマスク必須！！	

をしたことはありませんか．アルコールには刺激性があるため健常皮膚への使用が主で，特に患者の創部に使用してはいけません．後述のここがピットフォールで述べますが，引火性に注意することも重要です．

クロルヘキシジンは濃度が重要で，例えば創傷部位の消毒には0.05％が使用されますが，誤って0.5％を創傷に使用するとショックが起きることがあります．0.5％以上の濃度のものは健常皮膚への使用になります．また，中心静脈カテーテルを挿入する際は，0.5％より濃い濃度を使用することを「CDCガイドライン」では強く推奨しています[3]．中心静脈カテーテル挿入時の消毒薬で，2％クロルヘキシジンアルコール製剤とエタノール含有ポビドンヨードを比較し前者はカテーテル関連感染（CRBSI）発生率が少ないという研究[4]も

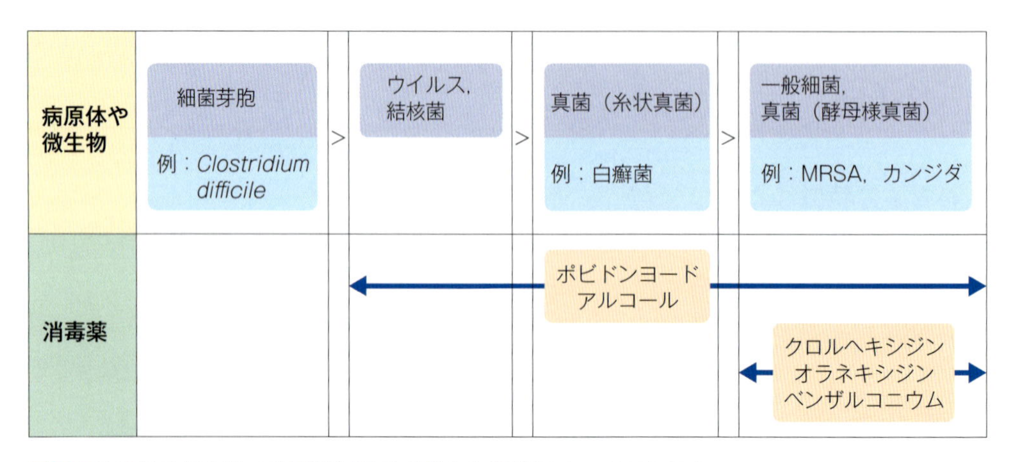

図5 病原体や微生物の消毒薬抵抗性の強さと消毒薬のスペクトラム

表2 主に使用する消毒薬と特徴

分類名	一般名	商品名（例）	特徴	注意点	副作用
ポビドンヨード	ポビドンヨード	・イソジン® ・ネグミン®	着色で消毒部がわかる	塗布後2分待つ必要あり	湿潤状態が長時間（30分以上）になると化学熱傷を起こす
	エタノール含有ポビドンヨード	・イソジン®フィールド ・ポピヨドン®フィールド			引火性あり，粘膜・損傷皮膚には刺激性あり禁忌
アルコール	消毒用エタノール	・消毒用エタノールIP	短時間（10秒）で効果あり，清拭で汚れ除去効果あり		引火性あり，粘膜・損傷皮膚には刺激性あり禁忌
	70%イソプロパノール	・70%イソプロ液			
	速乾性擦式手指消毒剤	・ウエルパス® ・ゴージョー®	手指消毒に使用		
クロルヘキシジン	クロルヘキシジン	・ヒビテン® ・ステリクロン®	使用濃度で用途が違う	長期・継ぎ足し使用で細菌汚染	眼，耳毒性あり，濃度の違いでショック・角膜障害あり
	エタノール含有クロルヘキシジン	・マスキン® ・ステリクロン®0.5%AL			眼，耳毒性あり，引火性あり
オラネキシジン	オラネキシジン	・オラネジン®	クロルヘキシジンより強い殺菌力，新しい	手術時のみ	眼，耳毒性あり
ベンザルコニウム	ベンザルコニウム	・オスバン® ・ザルコニン®		長期・継ぎ足し使用で細菌汚染	経口毒性高い（10%10 mL程度で致死量）→ 誤飲に注意

ありますが，消毒薬濃度や含有アルコールが本邦のものと異なる点に注意が必要です．CRBSI発生率に有意差はありませんでしたが，1％および0.5％クロルヘキシジンアルコール製剤がポビドンヨードよりも有意にカテーテルコロナイゼーション（菌汚染）が少ないという本邦の文献もあります[5]．近年，本邦でも1％クロルヘキシジン製剤が販売されました．クロルヘキシジンは濃度に注意して使用してください．

オラネキシジンは2015年に発売された新規の消毒薬で抗菌力も強く期待されていますが，現在は手術時のみの使用となります．

ここがピットフォール

アルコール製剤

消毒薬として利点の多いアルコール含有製剤のピットフォールを示します．

・アルコールが効かない！

芽胞形成菌である *Clostridium difficile* や，腸炎の原因となるノロウイルス，ロタウイルスは，アルコールが効きません．アルコール手指消毒は有効でないため，医療従事者側は石鹸を使用した流水による手洗いが必要です．接触感染予防も重要です．

・アルコールが危ない！

アルコールを含むということは「燃えやすい」ということであり，消毒野が「燃える」

リスクがあるということです．医療現場においてどんなときかというと，電気メスを使用するときです．実際に医療現場で熱傷，引火の事故も起こっていますので，アルコール含有製剤×電気メスの組合せには注意が必要です．

おわりに…手技は「盗む」

消毒は大切ですが，手技を行う際には**いかに1回で成功するか**，ということもとても重要です．感染など各手技の合併症は手技回数が少ない方が理論的にも文献的にも少ないです．中心静脈カテーテル挿入において3回以上穿刺すると1回で成功した場合の約6倍の合併症が起こるという文献[6]もあります．

今回のテーマである手技について，私が考える上達方法は，正しい方法を本で学ぶことと同時に，うまい先輩，同僚の手技を「盗む」ことです．ただ見ていても「盗む」ことはできません．一つひとつの手順について目を皿のようにして見ていれば，新しい発見があるはずです．発見しただけでなく，その発見を実践して自分のものにする，これが「盗む」ということだと思います．

少し慣れてきて自信もついてきた研修医には，次には自信からくる「合併症」や「事故」という落とし穴が待っている，これが医療だと思います．その落とし穴を回避するためにも，自信を過信にしないようにして，常に「盗む」姿勢を大切にしてほしいと思います．

文献

1）Blot SI, et al：Clinical and economic outcomes in critically ill patients with nosocomial catheter-related bloodstream infections. Clin Infect Dis, 41：1591-1598, 2005
▲ ICUでの中心静脈カテーテル血流感染症について，臨床的，コスト的にどうか検討している文献です．

2）Siegel JD, et al：2007 Guideline for Isolation Precautions: Preventing Transmission of Infectious Agents in Health Care Settings. Am J Infect Control, 35：S65-164, 2007
▲ 現在の感染対策の基本となっているCDCガイドラインです．必読！

3）O'Grady NP, et al：Guidelines for the prevention of intravascular catheter-related infections. Clin Infect Dis, 52：e162-193, 2011
▲ 中心静脈カテーテル挿入時の予防についてのガイドラインです．

4）Mimoz O, et al：Skin antisepsis with chlorhexidine-alcohol versus povidone iodine-alcohol, with and without skin scrubbing, for prevention of intravascular-catheter-related infection（CLEAN）：an open-label, multicentre, randomised, controlled, two-by-two factorial trial. Lancet, 386：2069-2077, 2015
▲ 中心静脈カテーテル感染をクロルヘキシジンとポビドンヨードのどちらが予防できるかというRCTです．

5）Yasuda H, et al：Comparison of the efficacy of three topical antiseptic solutions for the prevention of catheter colonization：a multicenter randomized controlled study. Crit Care, 21：320, 2017
▲ 中心静脈カテーテルコロナイゼーション（菌汚染）が，1％および0.5％クロルヘキシジンアルコールの方がポビドンヨードよりも少ないというRCTです．

6）Mansfield PF, et al：Complications and failures of subclavian-vein catheterization. N Engl J Med, 331：1735-1738, 1994
▲ 中心静脈カテーテル挿入時の合併症を検討した文献です．

2 局所浸潤麻酔

酒井規広

- 慌てずにゆっくり穿刺・局所麻酔薬注入
- 局所浸潤麻酔も麻酔の1つ，甘くみるな，緊急処置はいつでも準備せよ
- 効くまで待て

はじめに

局所浸潤麻酔は，創の縫合や腫瘤の摘出，排膿切開などの小外科治療のほか，動脈・中心静脈カテーテルの挿入や，腰椎穿刺など，手術室，集中治療室，救急室における全身管理，検査にも広く用いられる，基本的な手技です．

本項では，適切な局所浸潤麻酔を行って，安全で確実な処置を行うための手技の習得を目標とします．

1 手技の基本手順

安全な局所浸潤麻酔を行うために，必要な準備を確認していきましょう．

1）局所麻酔薬の選択（表1）[1]

- リドカイン（キシロカイン®），メピバカイン（カルボカイン®）が一般的に使用されます
- リドカインは組織浸透性の高さ，作用発現性の早さ，60分程度の持続効果を期待できるため，第一選択です
- メピバカインはリドカインに類似し，局所の血管収縮作用があります
- ブピバカイン（マーカイン®），ロピバカイン（アナペイン®），レボブピバカイン（ポプスカイン®）は長時間効果を発揮しますが，作用発現までに時間がかかるため，外来処置では用いられません
- 局所麻酔薬に対するアナフィラキシーや異常な反応の既往がある場合などは，使用禁忌

表1 局所麻酔薬のそれぞれの特徴

	一般名	商品名	作用発現時間	作用持続時間	pKa（作用発現時間に影響）	脂溶性（作用強度に影響）	タンパク結合率（作用持続時間に影響）
エステル型	プロカイン	塩酸プロカインなど	2〜5分	1時間	9.1	0.6	6
アミド型	リドカイン	キシロカイン®	2〜3分	1〜1.5時間	7.8	2.9	64
	メピバカイン	カルボカイン®	2〜5分	1〜2時間	7.7	1	77
	ブピバカイン	マーカイン®	3〜5分	3〜5時間	8.2	30	96
	ロピバカイン	アナペイン®	3〜6分	3〜5時間	8.2	2.8	94
	レボブピバカイン	ポプスカイン®	3〜7分	3〜5時間	8.2	30	93

文献1より引用.

です

- 血管収縮薬（アドレナリン）添加局所麻酔薬は，局所麻酔薬の血中への吸収を遅延させ，作用時間延長，中毒予防，局所出血予防に効果的です〔29ページ ③ **アドレナリン（エピネフリン）添加局所麻酔薬とは参照**〕

2）実際の手技の流れ〜準備と消毒

切創に対する皮膚縫合を想定し，実際の準備をみていきましょう．

● 準備

以下のものを準備しましょう．

- 消毒液（ポビドンヨードもしくはクロルヘキシジン：**第1章-1**参照）
- シリンジ（5 mLもしくは10 mL）
- 注射針（23 Gもしくは25 G）
- 局所麻酔薬（1％リドカイン10 mLをシリンジに引く）
- 清潔覆布
- 縫合に必要な道具（針，縫合糸，持針器など）
- 救急処置セット一式（蘇生・気道確保の道具，静脈路確保の準備など）
- 滅菌手袋の装着
- **飛沫飛散防止のため，マスクは必須**

● 消毒

- 創部を中心にやや広めに消毒します
- 創部が汚染されている場合は事前に十分に生理食塩液で洗浄します

◆ 局所浸潤麻酔（図1）

❶ 患者をリラックスさせる

看護師にそばについてもらうなどの工夫をしましょう．

❷ 患者に局所麻酔を行うことを伝え，穿刺を開始する（図1③，図2）

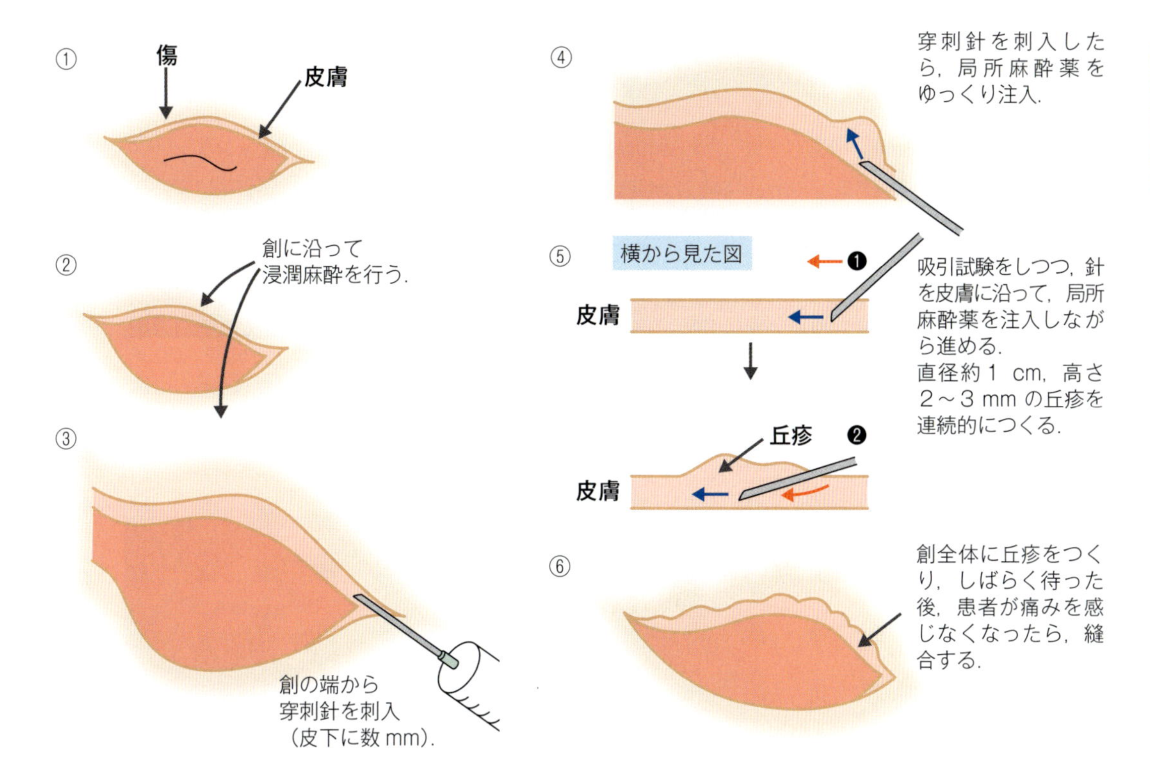

図１ 局所浸潤麻酔の手順

❸ 皮膚への刺入はすみやかに，スッと入れる

力は入れません.

❹ 局所麻酔薬注入前に，吸引試験を行う

針が血管内に入っていないことを確かめるため

❺ 創部の皮内に直径約１ cmの丘疹をつくるようにゆっくり薬液を注入する

ゆっくり注入する方が痛みが少ないです（図１④，図３）.

❻ 丘疹を，連続的に針を進めながらつくっていく（図１⑤，図４）

❼ ときどき吸引試験を行い，血液の逆流がないことを確かめる

❽ 針の方向を変えるときは，いったん針を手前に戻す

❾ 異常知覚や放散痛を患者が訴えたときは，針を引く

神経を穿刺している可能性があります.

❿ 重要！ 局所麻酔薬の効果が現れるまで，しばらく待つ

30秒～１分程度（column参照）.

⓫ 穿刺針を刺入し，患者が痛みをまだ感じる場合は，さらに少量の局所麻酔薬を追加し，痛みがなくなるのを待つ

⓬ 穿刺針を刺入しても痛みを感じなくなったら，縫合を開始する（図１⑥）

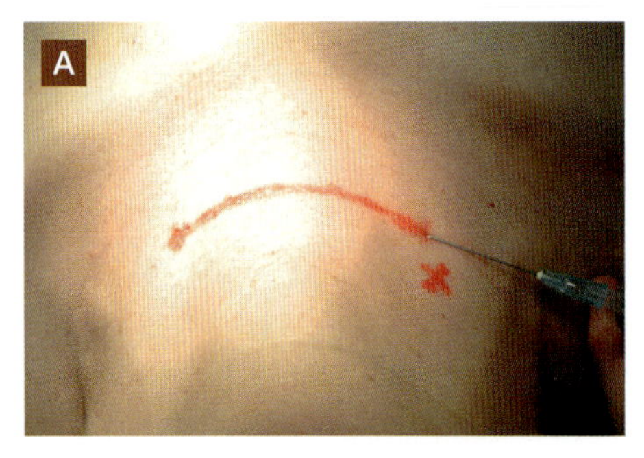

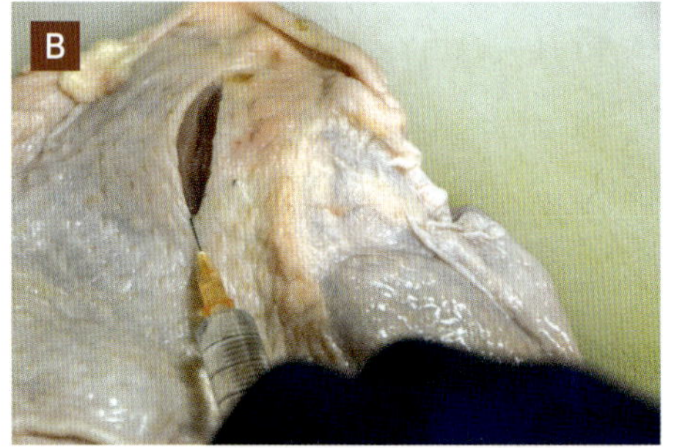

図2 ● 皮膚へ穿刺針を刺入する様子
A：ヒトでの様子，B：鶏肉での様子（図4まで同様）．
穿刺時は患者にその旨を伝えた後，穿刺針を一気に数mmだけ刺入する．局所麻酔薬の注入はまだしない．

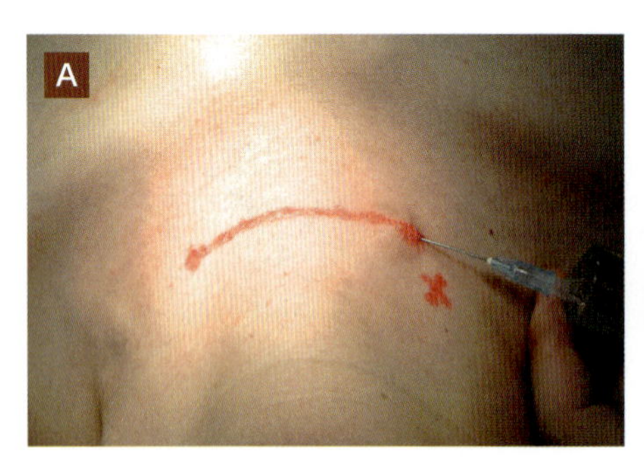

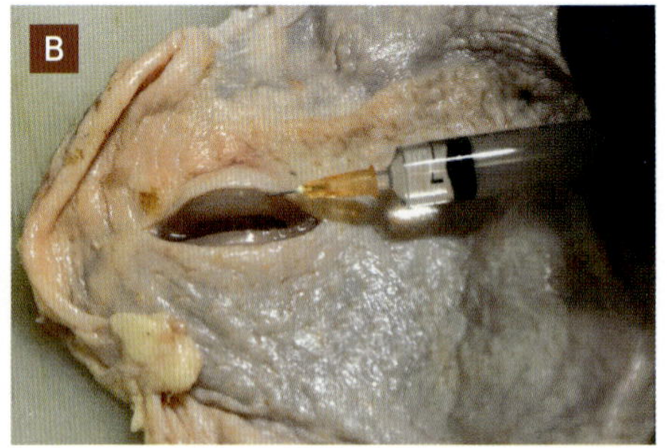

図3 ● 丘疹をつくる様子
血液の逆流の有無を確認後，ゆっくり局所麻酔薬を注入し，直径1 cmほどの丘疹をつくる．

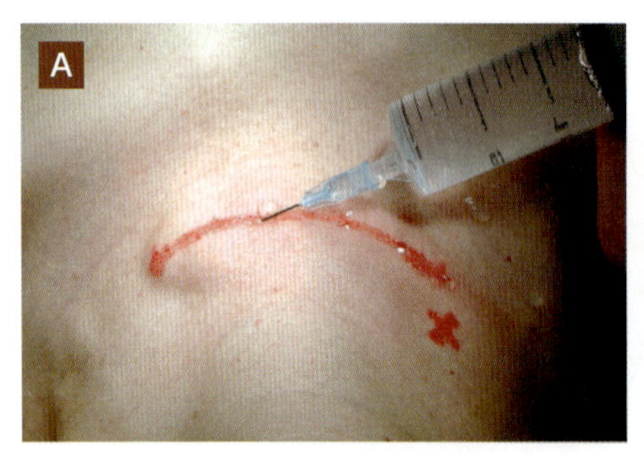

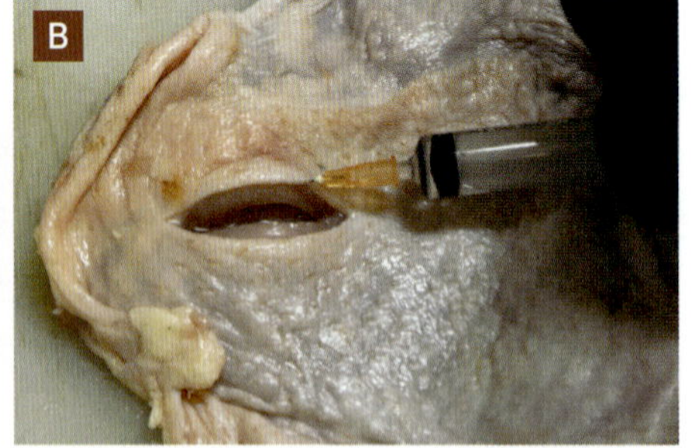

図4 ● 連続的に丘疹をつくる様子
ゆっくり針を進めながら局所麻酔薬を注入する．丘疹を連続的につくっていく．

2 よくあるトラブルと対処法

古（いにしえ）より，「小手術あっても小麻酔なし」と先人たちは伝えてきました．いかなるアクシデントが起こっても対応できるように事前の準備をしましょう．

1）血管内注入して局所麻酔薬中毒を起こした

血管内への薬液投与によって局所麻酔薬中毒を起こした場合は，以下のような症状を呈します．

即時型

血管内への直接注入や大量投与による急速吸収で，注入直後にいきなり痙攣，中枢神経系の抑制が起こります．

遅延型

局所麻酔薬注入5～30分後に症状が発現します．めまい，不安，興奮，多弁となり，悪心，嘔吐をきたすこともあります．ついで，血圧上昇，呼吸促迫をきたし，四肢と顔面の震えを起こします．最終的に全身痙攣に移行します．痙攣が継続すると呼吸運動が阻害され，チアノーゼを起こします．さらに，中枢神経系の抑制により意識・反射喪失，呼吸停止，ショックに至ります．

予防

パルスオキシメーター，血圧計を装着して，バイタルサインを常に確認する

局所麻酔薬の使用量を把握し，過量投与にならないように努める

顔面や粘膜など，血流が多い場所は局所麻酔薬が吸収されやすいため，注意を要する

肝機能障害の患者には注意する

局所麻酔薬の代謝スピードが低下するため．

対策と処置[2～5)]

1 不穏に陥ったら，局所麻酔薬の投与を中止し，すぐに応援を呼ぶ

静脈路の確保，バイタルサインの確認，高濃度酸素投与の開始を行います．

2 痙攣が起きたら，ベンゾジアゼピンの分割静脈内投与〔ミダゾラム（ドルミカム®）0.1 mg/kg〕を行う

3 意識障害の遷延，呼吸抑制が起こったら，気道確保，換気を行う

また循環抑制が起こったら，静脈路より輸液，昇圧薬を用いてショックに対する治療を開始します．

4 循環停止が起こったら，すぐに心肺蘇生を開始する

5 痙攣，意識障害，呼吸・循環抑制，心肺停止が見られるときは，上記の治療に並行して，脂肪乳剤（イントラリポス®）の投与をすみやかに行う

下記投与量は体重70 kgの成人を目安としています．

脂肪乳剤の投与法

- 20％イントラリポス®100 mLを1分間ですみやかに静注します
- 20％イントラリポス®を0.25 mL/kg/分で点滴静注を開始します
- 心拍再開しない場合は，20％イントラリポス®100 mLを5分ごとに2回追加静注します
- **2回追加静注して5分たっても心拍再開しない場合は，20％イントラリポス®の点滴静注を0. 5 mL/kg/分に増量します**
- **心拍再開まで点滴静注を継続します**

＊プロポフォールは脂肪乳剤を含みますが，心抑制を起こすので，**脂肪乳剤の「代用」としては用いてはいけません．**

2）アナフィラキシーショックを起こした

リドカインなどのアミド型局所麻酔薬では，アレルギー反応は滅多に起こりません．一方，エステル型局所麻酔薬であるプロカインなどに稀に見られます（最近は使うことが珍しくなりました）．

アレルギー反応は注射後短時間で，浮腫，呼吸困難，著明な皮膚発赤，低血圧をきたします．循環虚脱状態になるとアナフィラキシーショックとなります．

◆予防

●**薬剤に対する既往歴，家族歴を聴取する**

●**皮内テストを考慮する**

◆発生時の対策[6)]

❶局所麻酔薬の投与を中止し，すぐに応援を呼ぶ

静脈路の確保，バイタルサインの確認，高濃度酸素の投与を開始します．

❷呼吸症状：喘鳴，嗄声が発生した場合

呼吸症状が現れた際は，以下の対応を順に行っていきます．

- アドレナリン１回0.3 mg皮下注もしくは筋注をくり返します（5～10分ごと，症状が回復するまで）．小児の場合は0.01 mg/kgずつ注入します（最大0.3 mg）．
- 酸素投与を継続します（マスク６～８ L）．
- ステロイド点滴静注：ヒドロコルチゾン１回100～200 mg（小児：5 mg/kg）またはメチルプレドニゾロン１回40 mg（小児：1 mg/kg）を６～８時間間隔で投与します．
- 抗ヒスタミン薬：ジフェンヒドラミン（H_1受容体拮抗薬）1～2 mg/kg 点滴静注を行います．
- β刺激薬の吸入（サルブタモール）を行います．
- 呼吸不全が進行した場合は躊躇なく気管挿管もしくは気管切開をします．

❸循環器症状：動悸，冷感，血圧低下，意識障害を起こした場合，❷に加えて

- 急速輸液を行います．生理食塩液５～10 mL/kg点滴静注を５分継続の後，リンゲル液に変更して大量投与します（年齢，体格に応じて適宜調整）．収縮期血圧90 mmHg以上を目標にします．
- ５～30分間隔でアドレナリン筋注１回0.3～0.5 mgを行います．もしくは0.1 mg/mLを５分かけて緩徐に静注します．
- ドパミン製剤２～20 μg/kg/分で投与開始を考慮します．
  ※β遮断薬内服時，アドレナリンの代わりにグルカゴン１回１～５ mg（20～30 μg/kg，５分以上）静注を行います．以後，５～15 μg/分で持続点滴します．

3）患者が不安，不穏に陥った（局所麻酔薬中毒ではない場合）

処置や注射に対する不安，恐怖により，反射的に蒼白や冷感などを起こすことがあります．

◆予防

●できるだけ処置を仰臥位で行う

応急処置がとりやすいため．

●前投薬を行う（ミダゾラム1回1～2 mg静注，もしくはヒドロキシジン投与）

外来処置の場合，患者を帰宅させる必要があるため，使用量に注意しましょう．年齢，体格によって調整します．

●患者の不安を取り除く工夫をする

顔面や頭頸部の処置は，覆布を顔にかけて，患者の視界を妨げるため，特に恐怖感を感じやすいです．看護師などほかの医療スタッフが患者に寄り添うだけでも，患者の不安感は軽減します．

3 アドレナリン（エピネフリン）添加局所麻酔薬とは

局所麻酔薬のなかでもアドレナリン（エピネフリン：epinephrine）が添加されているものについて詳しく説明します．

市販されているリドカインのなかに，「1％E」と書かれているバイアルを見かけます（図5）．リドカイン（キシロカイン®）にはアドレナリンが添加されている薬剤が市販されています．0.5％Eおよび1％Eリドカイン製剤は，溶液1 mLあたり，アドレナリン0.01 mgが添加されています（溶液1 mL = 1 g = 1,000 mgですから，0.01 mg/1,000 mg = 1/100,000．すなわち10万倍希釈になります）．2％Eリドカイン製剤は8万倍希釈です．

1）アドレナリン添加局所麻酔薬のメリット

・局所血管の収縮による止血効果
・局所麻酔薬の血中への移行遅延による効果の延長・使用量上限の増加・局所麻酔薬中毒の予防

最も有効なアドレナリン添加量は溶液1 mLあたり0.5 mg（20万倍希釈）と言われています[4)]が，市販のアドレナリン添加剤には20万倍希釈の製剤はありません．そこで，1％Eリドカイン製剤10 mL（図5）と非添加1％リドカイン10 mL（図6）を混合すると，ちょうど20万倍希釈となります．

2）アドレナリン添加局所麻酔薬使用時の注意

- アドレナリン投与が患者の疾患を悪化させる可能性がある場合，使用には注意が必要です（禁忌ではない）．特に不整脈，高血圧，糖尿病，甲状腺機能亢進症，動脈硬化病変が著明な高齢者への使用は，注意を要します．

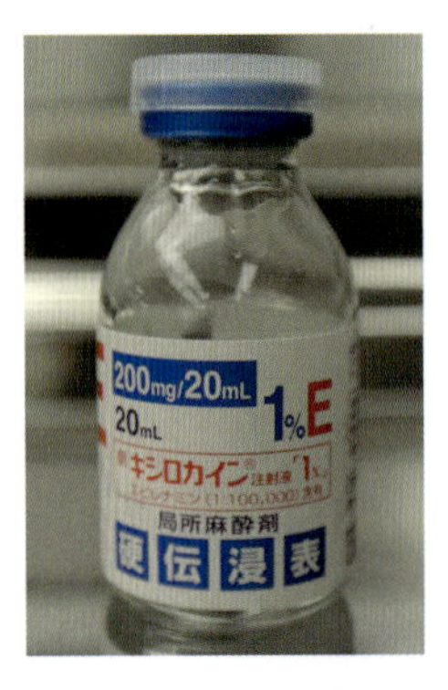

図5 アドレナリン添加1％リドカイン製剤（1％Eキシロカイン®）

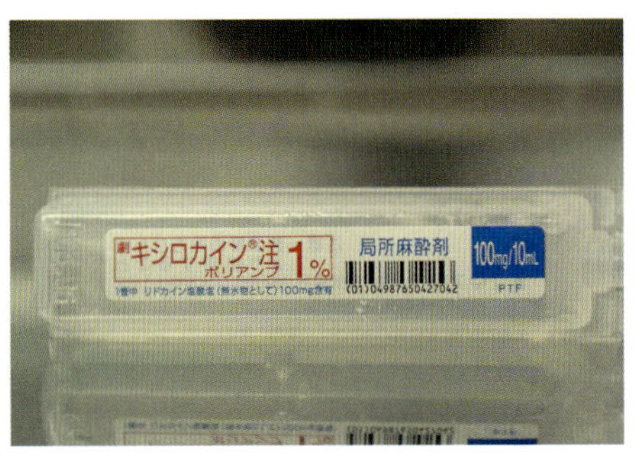

図6 アドレナリン未添加1％リドカイン製剤（1％キシロカイン®）

- **終末動脈をもつ身体部位には使ってはいけません（絶対禁忌）．**特に手指，足趾，鼻尖，耳介，陰茎へ使用してはいけません．使用した場合，血管収縮によって血流が阻害され，組織壊死を起こす可能性があります．

3）アドレナリン添加局所麻酔薬を血管内注入した場合の鑑別と対策

- 頻脈，血圧上昇，胸部不快感，冷感，不整脈，発汗，呼吸促迫，振戦をきたします．局所麻酔薬中毒と似ているため，鑑別を要します．
- 循環器系のモニタリング（心電図，血圧計）を行うことで，血管内注入を早期察知できます．疑った場合には，局所麻酔薬中毒と同様，静脈路を確保し，酸素投与を行いながら，すみやかに応援を呼びます．ほとんどの場合，経過観察のみで症状は落ち着きます．

局所浸潤麻酔は効くまで待つ！

私は麻酔科医なので，脊髄くも膜下穿刺（腰椎穿刺），硬膜外穿刺，末梢神経ブロック，中心静脈カテーテル挿入を日常的に行っており，日々局所浸潤麻酔のお世話になっています．局所浸潤麻酔を行うときには忘れがちですが，局所浸潤麻酔は，薬液を注入した瞬間に鎮痛が得られるわけではありません．

私は局所浸潤麻酔の針を皮膚に穿刺するときに「ちょっとチクっとします」と伝えます．刺入しても，すぐには薬液を注入しません．患者に「今からお薬が入るのでちょっとしみますね」と伝え，ゆっくりと局所麻酔薬を注入します．注入が終わった後，穿刺部位を軽く押さえ，心電図モニターの音を聞きながら「1，2，3…」と数え，30秒以上待ちます．そうすると，処置のときに，患者が全く痛がりません．そう，局所浸潤麻酔が効くのには，時間がかかるのです．局所浸潤麻酔をして，効果が発現されるまでの間，スマートな手技をイメージトレーニングするとよいでしょう．心穏やかにイメージトレーニングしながら待つ姿は，ベテランの風格を漂わせるから不思議です．

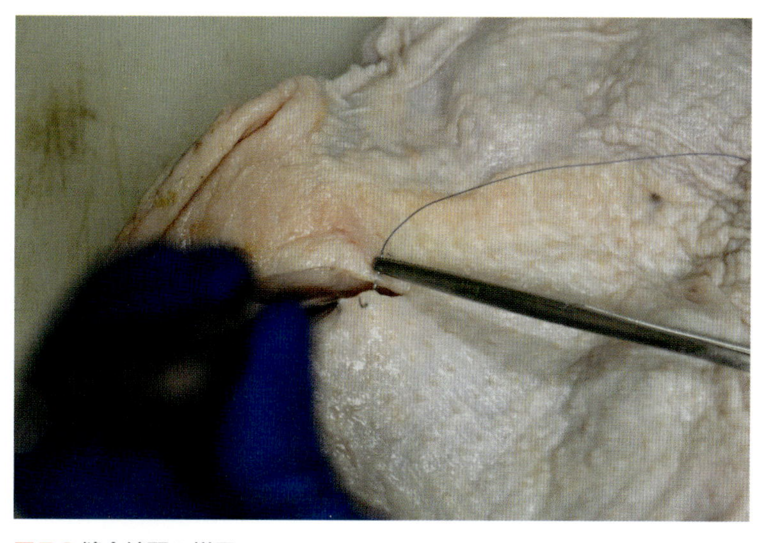

図7 縫合練習の様子
鶏肉は，縫合練習の後，美味しくいただきました．

文献

1）酒井規広：長時間作用型局所麻酔薬の使い方．LiSA, 19, 678-684, 2012
2）「Neural Blockade 4th edition」（Cousins MJ, et al, eds），pp1268-1274, Lippincott Williams & Wilkins, 2009
3）AAGBI Safety Guideline：Management of Severe Local Anaesthetic Toxicity.
http://www.aagbi.org/sites/default/files/la_toxicity_2010_0.pdf
4）山本 健：局所麻酔・脊髄くも膜下麻酔の実際．外科治療，101, 220-227, 2009
5）Safety Committee of Japanese Society of Anesthesiologists：Practical guide for the management of systemic toxicity caused by local anesthetics. J Anesth, 33：1-8, 2019
（日本語訳：https://anesth.or.jp/files/pdf/practical_localanesthesia.pdf）
6）厚生労働省：重篤副作用疾患別対応マニュアル．アナフィラキシー．
http://www.info.pmda.go.jp/juutoku/file/jfm0803003.pdf

3 輸液回路

属　絵理子

- 輸液回路を使い分けて，無駄をなくそう
- 輸液回路をスマートに組立てよう
- 配合変化を起こす薬剤があることを確認しよう

はじめに

点滴ルートを確保して，輸液回路を接続すれば，輸液開始です．日常診療において輸液回路の準備は欠かせませんが，きちんと教えてもらう機会がなく，見様見真似で組立てていることもあるかもしれません．基本を確認してみましょう．

1 手技の基本手順

1）輸液回路

輸液回路は，1 mLあたりの滴数が20滴と60滴の2種類に統一されています．20滴/mLのものが一般用（成人用），60滴/mLのものが微量用（小児用）として使い分けられます．成人でも24時間持続点滴する場合や，薬剤投与ルートとして利用する場合は，滴下調整がしやすい微量用を使用します（図1）．

● 輸液セット各部の名称

〈導入針〉

輸液製剤との接続部に刺します．清潔操作で無菌状態を保つ必要があります（図2）．

〈点滴口，点滴筒（ドリップチャンバー）〉

薬液をいったん溜めることでチューブ内への空気混入を防いでいます．滴下の様子を観察する部分でもあります．

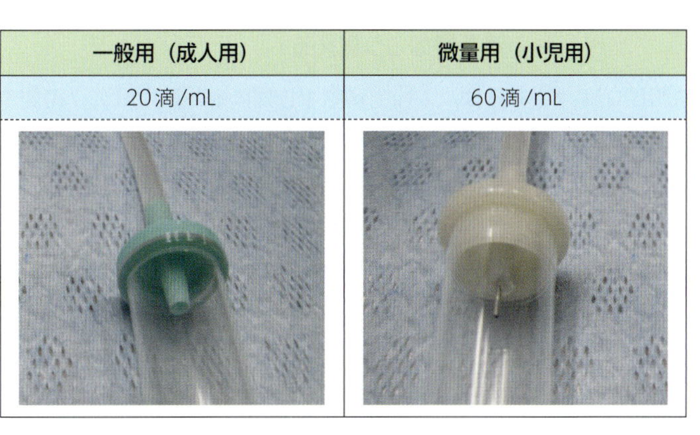

図1 ● 一般用と微量用の点滴口の違い
一般用では，ドリップチャンバー内の点滴口は，微量用に比べて3～4倍大きくなっています．

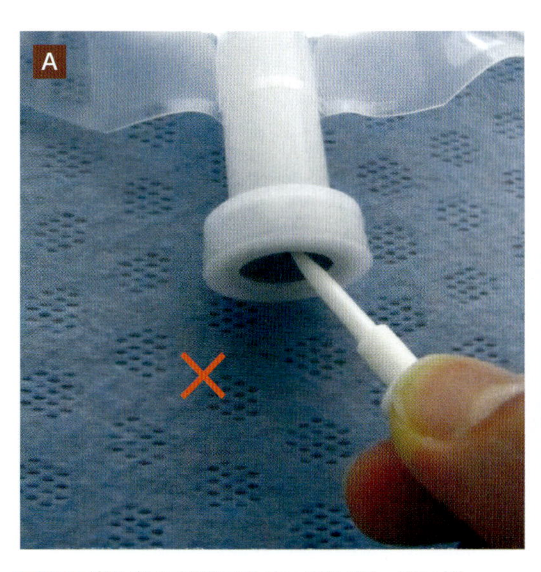

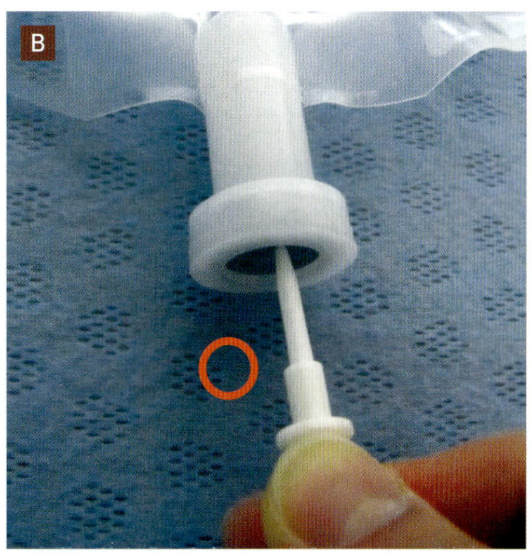

図2 ● 導入針の接続の仕方：悪い例，良い例
接続の際は容器のゴム栓が破片となって薬液へ混入（コアリング）しないように，導入針を垂直に差し込みましょう．

〈クレンメ〉

ローラーを動かすことでチューブ内への輸液の流入を調節する部分です．

> **1分あたりの滴下数の計算方法**
>
> $$\frac{\text{総輸液量（mL）× 輸液セットの 1 mL あたりの滴下数}}{\text{指定時（時）× 60（分）}}$$
>
> この計算式にあてはめると…
>
> ・**一般用20滴/mLの輸液セット**：総輸液量（mL）÷3÷指定時間（時）
>
> ・**微量用60滴/mLの輸液セット**：総輸液量（mL）÷指定時間（時）
>
> で，計算できます．

ここがポイント　滴下量はこう覚える！

「一般用20滴/mLならば，1秒1滴で1分間に60滴3 mL，1時間180 mL」
「微量用60滴/mLならば，1秒1滴で1分間に60滴1 mL，1時間60 mL」

と覚えておけば，簡単に滴下を調節できます．例えば，1時間60 mLを輸液するならば，一般用では3秒に1滴の滴下，微量用では1秒に1滴の滴下です．より正確なスピードが必要な場合は輸液ポンプ（後述）を使用しますが，専用の輸液セットが必要となります．

〈三方活栓〉

薬液の流路を調節する部分です．単体製品や2～5個の連結型があります．接続外れを防ぐため，可能な限りロック式を使用した方が安全です．

三方活栓の構造と使い方，注意点

コックの羽根が1本のものと3本のもの，羽根が180°回転するL型と360°回転するR型があります．コックの位置を回転させることによって薬液の流れる方向を調節したりすることができます（図3）．

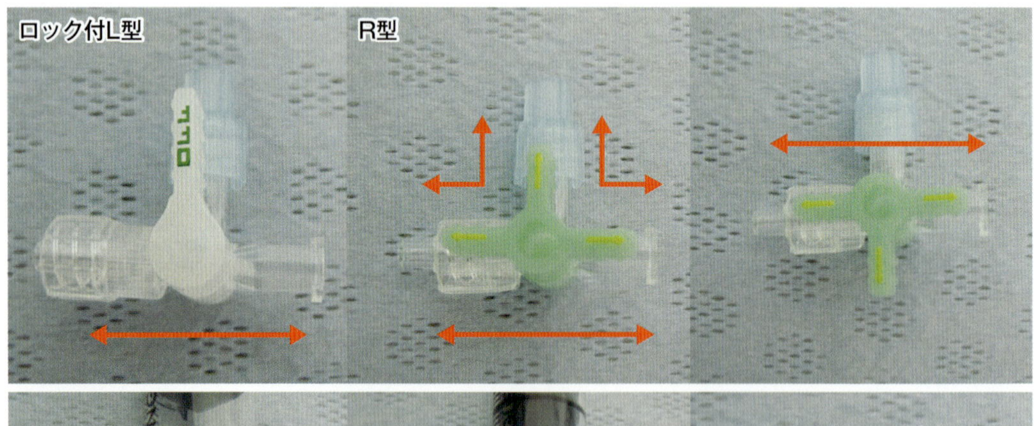

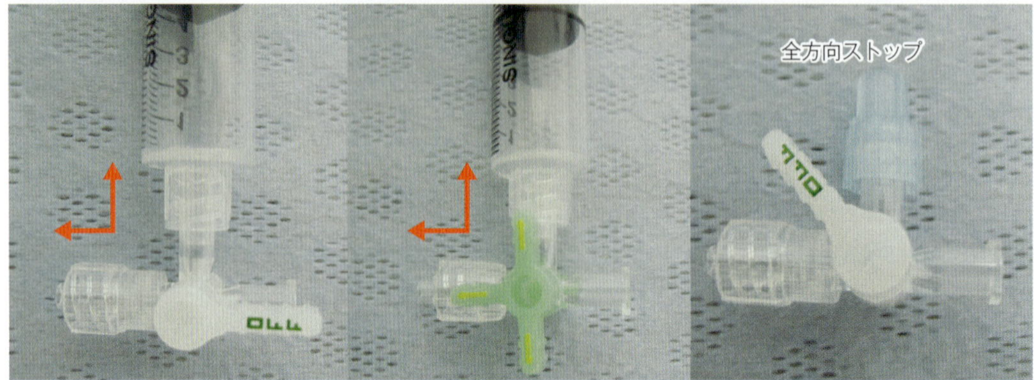

図3　三方活栓による流路調節
→は，薬液の流れる方向を示します．
コックの羽根が1本：羽根の向く方向はロックされ，薬液が流れません．
コックの羽根が3本：羽根のない方向がロックされます．
いずれの三方活栓においても，羽を45°の位置におくことで，すべての方向への流れがストップします．

ここがピットフォール　接続口は清潔に！

接続部が増えることで感染のリスクが増えます．また，輸液・薬液の残液がコック内に溜まると，コック内の消毒が困難なために細菌が増殖する可能性があります．感染のリスクを考慮し，接続口を不潔にしないように，清潔操作を心がけましょう．

● 閉鎖式輸液システム（クローズドシステム）

輸液セットの接続部からの感染（カテーテル関連血流感染）を防ぐため，必要な部品を一体化した閉鎖式の輸液セットが，各メーカーから発売されています．また，感染対策の面から三方活栓は使用しない傾向にあり，閉鎖状態を保ったまま，薬剤を注入できる製品が各種出回っています．針を使用するタイプと，必要としないニードルレスコネクターがあります．また，内部構造の違いから，スプリットセプタムとメカニカルバルブに分けられます．針あるいは専用のデバイスを使用するタイプ〔セイフアクセス™輸液セット（コヴィディエン ジャパン株式会社）など〕は，閉鎖性が高く保たれる点や死腔が少ない点で有利です．最近ではBD Qサイト™（日本ベクトン・ディッキンソン株式会社）やプラネクタ®（株式会社ジェイ・エム・エス），セフィオフロー®輸液セット（株式会社トップ），シュアプラグ®（テルモ株式会社）のように，専用デバイスを必要とせず，汎用のシリンジが接続可能なものが出てきています（図4）．

● PVCフリー，DEHPフリーの輸液回路

輸液回路の使用では，「溶出」「吸着」「収着」が問題となることがあります．輸液回路に使用されているポリ塩化ビニル（polyvinyl chloride：PVC）には，柔軟性をもたせるために可塑剤が配合されており，フタル酸ジ-2-エチルヘキシル（diethylhexyl phthalate：DEHP）もその1つです．水に難溶性の薬剤には各種可溶化剤（界面活性剤や溶解補助剤）が添加されていますが，可溶化剤が添加された薬剤が輸液回路と接触することでDEHPが「溶出」することがあります．パクリタキセル（タキソール®注射液），タクロリムス（プログラフ®注射液），アミオダロン塩酸塩（アンカロン®注），高カロリー輸液用総合ビタミン剤（ビタジェクト®注キット），脂肪乳剤（イントラリポス®輸液），フルルビプロ

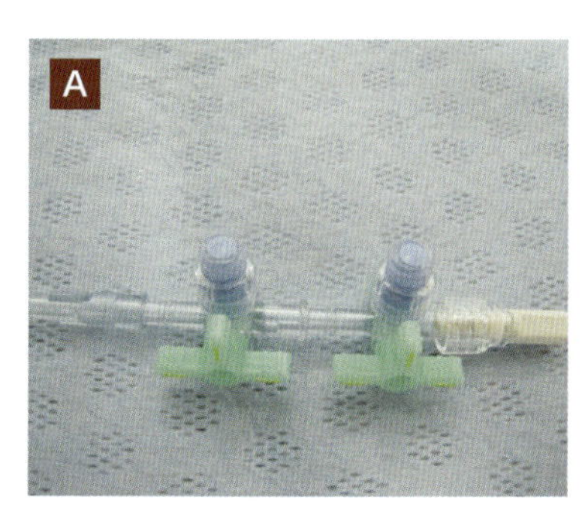

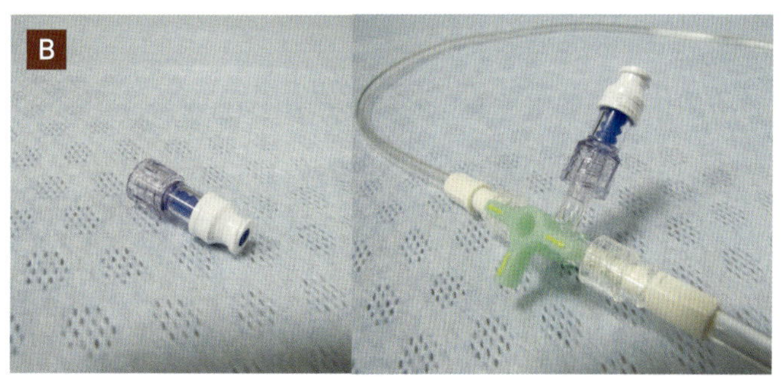

図4 ● クローズドシステム
A：セフィオフロー®輸液セット（株式会社トップ），B：シュアプラグ®（テルモ株式会社）．
何も差し込まれていない状態ではしっかりと閉じられていますが，弁のスリットにシリンジなどを挿入すると，弁が押し開かれます（スプリットセプタム型）．薬剤の注入に針や専用デバイスを必要とせず，汎用のシリンジで接続可能です．

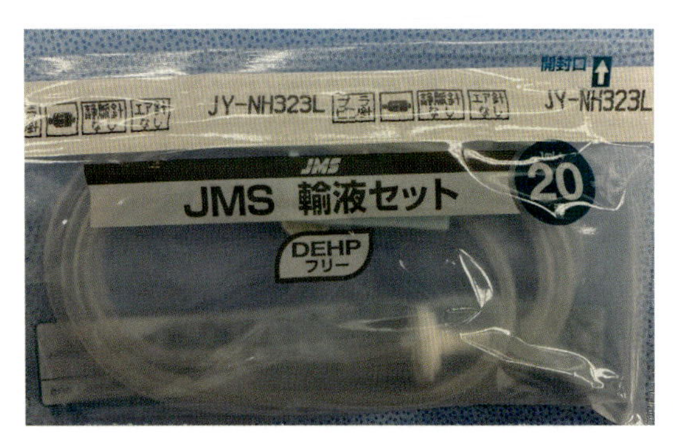

図5 DEHPフリーの輸液セット

フェンアキセチル（ロピオン®静注），プロポフォール（1％ディプリバン®注）などがその例です．げっ歯類ではDEHPの精巣毒性が確認されていることから，可能であればDEHPの曝露量を減らす配慮が必要です．

「吸着」とはPVCを用いた輸液回路の表面に薬剤がとりさられることで，経時的に含量が低下していきます．インスリン製剤（ヒューマリン®R注）などがその例です．また，「収着」とは輸液回路の内部に薬剤がとりさられることで，DEHPが関与しているといわれています．ニトログリセリン（ミリスロール®注），硝酸イソソルビド（ニトロール®注），ミダゾラム（ドルミカム®注射液）などがその例です．これらの薬剤を投与する場合は，DEHPフリーもしくはPVCフリーの輸液回路を使用するほうがよいでしょう（図5）．

● 輸液ポンプを使用する場合

輸液ポンプを使用する際は，ポンプ専用の輸液回路を使用します．通常の回路を使用できない輸液ポンプに通常の回路を用いると，チューブの太さが適合しないため，気泡アラームが鳴り輸液が行えません．輸液ポンプを使用する場合に問題となるのが「フリーフロー」です．輸液ポンプから輸液回路を外す際，クレンメの閉じ忘れにより，輸液製剤が大量投与されるリスクがあります．これを防止するため，各メーカーからアンチフリーフロー機能が備わった輸液ポンプがラインナップされています．アンチフリーフロー機能はポンプから輸液回路を外す際，自動的にチューブをクランプしフリーフローを防ぐしくみで，アンチフリーフロークリップ付きの輸液回路が必要となります（図6）．

2）回路の組立て方

1. **輸液セットを開封し，まずクレンメを閉める（図7）**
2. **輸液製剤のゴム栓部分の保護フィルムをはがして，アルコール綿で消毒する**
3. **輸液セットの導入針をゴム栓部分に垂直に刺入する**
4. **ドリップチャンバーを指で挟んでモミモミ押し，手を離すとチャンバー内に液溜めができる（図8）**
5. **クレンメをゆっくり開いて，輸液セット（回路）の先端まで液を満たす**
6. **回路の先端まで輸液が流れたら，クレンメを閉じて準備は完了**

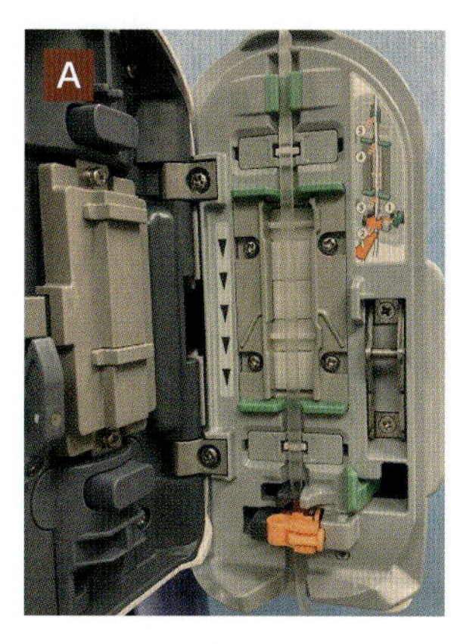

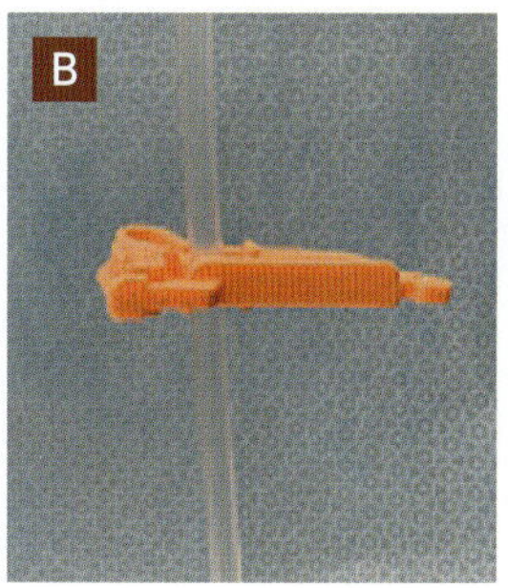

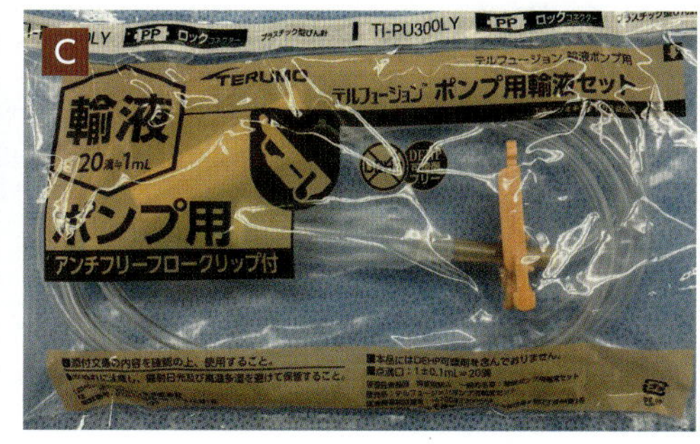

図6 アンチフリーフロー機能（ATT）付き輸液ポンプ（A）と，ATTクリップ（B）付き輸液回路（C）

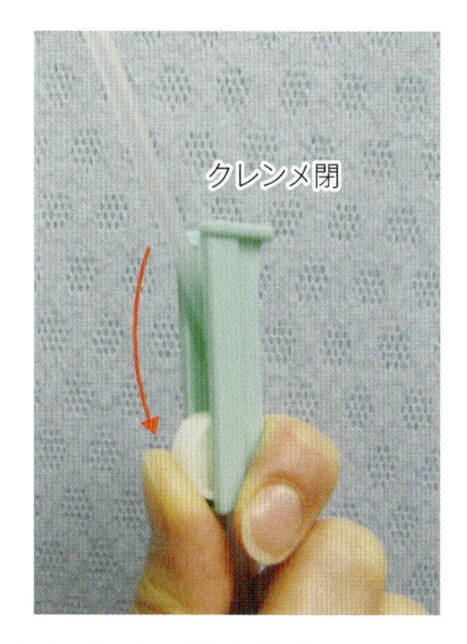

図7 クレンメの閉め方
輸液セットの開封時，クレンメは全開です．全開のままで輸液セットを輸液製剤に接続すると，回路内を一気に輸液製剤が流れていってしまいます．しっかりローラーを下まで動かし，クレンメを閉めましょう．

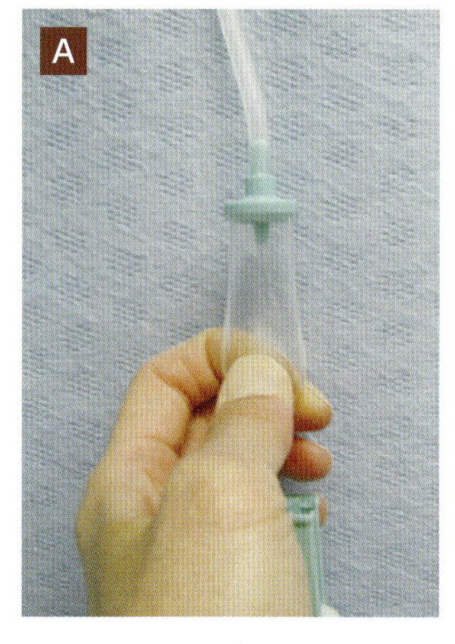

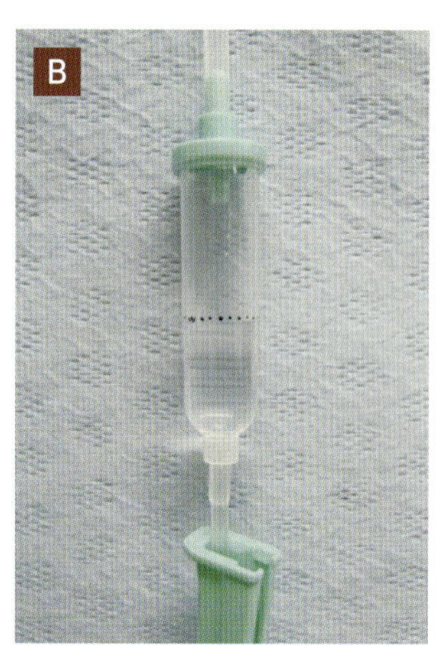

図8 ドリップチャンバーでの薬液の溜め方
A：ドリップチャンバーを指で押し，液溜めをつくります．
A，B：ドリップチャンバー内に満たす薬液が少ないと，滴下するしずくによって空気が混入しやすくなります．反対に多く満たしすぎると滴下の調節が難しくなります．ドリップチャンバーの1/2〜1/3ほど溜めましょう．

ここがピットフォール　クレンメは，ゆっくり開放！

輸液を回路内に満たす際，急にクレンメを開いて一気に流してしまうと，回路内に気泡が生じやすくなるので，**ゆっくり**開放しましょう．

2 よくあるトラブルと解決法

1）輸液が空になっていて，回路内に空気が入ってしまった！

少量の空気が静脈内に入っても，肺でトラップされるため問題にはなりませんが，多量の空気が入ると，肺でトラップしきれなかった空気が空気塞栓として，脳梗塞などを起こす可能性があります（解決方法：図9）．

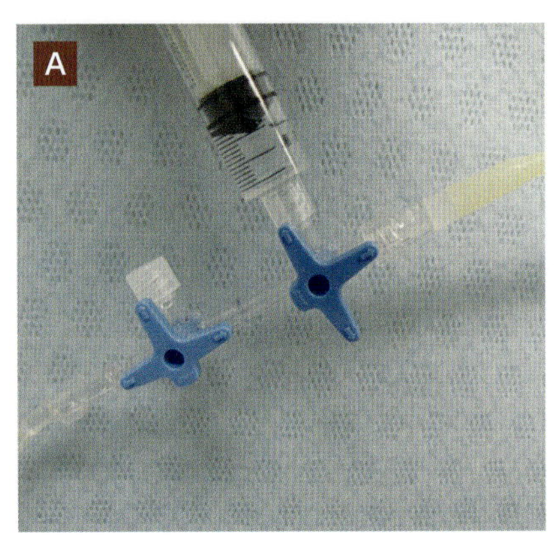

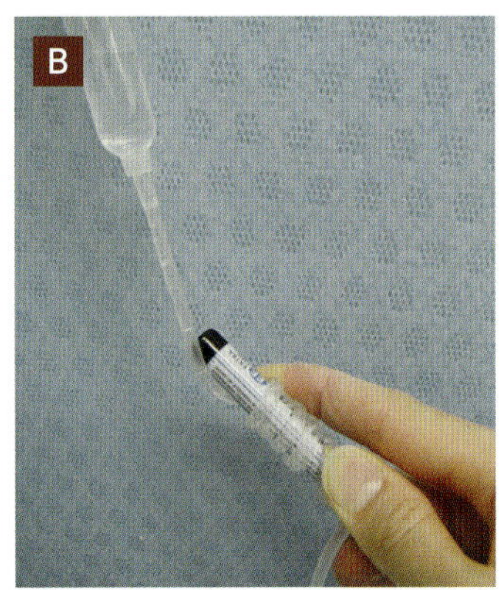

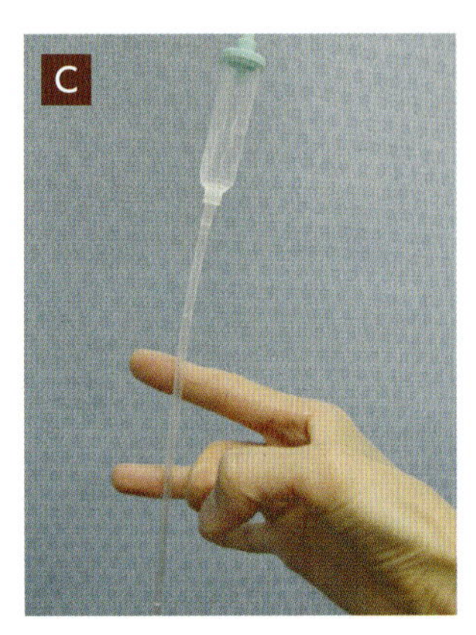

図9 回路内に空気が入ってしまったときの解決方法
方法A：三方活栓にシリンジをつけ，空気を周囲の薬液ごと吸引します．
方法B：ラインをペンなどで絞って，空気をドリップチャンバー内まで追い出します．
方法C：空気が少量でドリップチャンバーの近くであれば，チューブを指ではじきながらチャンバー内に送り込むこともできます．

2）点滴が滴下されなくなった or 滴下速度が変わった（漏れている？ 詰まっている？）

患者さんの体位によって，輸液製剤と刺入部の高さの差が変化すると，滴下速度が変化します．腕の位置や関節の角度が変わったり，刺入部位の状態（固定が緩んでいたり）で速度が変わることもあります．三方活栓のコックが正しくない方向に向いてしまっている可能性もあります．

注入されている薬剤によっては，滴下速度が速まることによって，心不全や不整脈の出現などの副作用が現れる場合があります．カテコラミンやカリウム製剤，抗悪性腫瘍薬などが投与されている場合は，要注意です．また，輸液ポンプを使用している場合，血管外に薬液が漏れてしまっていてもそのまま強制的に注入され続けてしまいます．刺入部の定期的な観察が必要です．

3）三方活栓から薬剤を投与したら混濁させてしまった！

薬剤は単独で使用することを前提に製剤化されていますが，実際は複数の注射剤を混合したり，1つの点滴ルートから同時に複数の薬剤を投与しています．その際に注意しなければならないのが，配合変化です．薬液成分が変化し，期待する効果が得られないばかりか，生体への悪影響も懸念されます．外観で確認できる場合（沈殿，混濁，結晶析出，変色など）と，確認できない場合（光分解，加水分解，吸着など）があります．

配合変化の原因はさまざまですが，酸塩基反応，溶解度の減少，化学的変化の大きく3つがあげられます．注射剤には安定性や溶解性を補助，改善する目的からpHが酸性またはアルカリ性に傾いているものが多数あります．このような薬剤では，ほかの薬剤との混合や希釈によってpHが変化し，それに伴って溶解度も変化し，混濁・沈殿を生じることがあります（表1）．また，非水溶性溶剤で可溶化された注射剤では，親水性溶剤が使用されている製剤との混合により非水溶性溶剤が希釈されて溶解度が減少し，主薬が析出することにより混濁する場合があります（表2）．

カルシウムやマグネシウムを含む製剤は，セフトリアキソンナトリウム水和物（ロセフィ

表1 配合変化を起こしやすい主な酸性注射剤，アルカリ性注射剤

pH	一般名	商品名
酸性	ミダゾラム	ドルミカム® 注射液
	ブロムヘキシン塩酸塩	ビソルボン® 注
	メトクロプラミド	プリンペラン® 注射液
	オキシトシン	アトニン® −O 注
	モルヒネ塩酸塩	モルヒネ塩酸塩注射液
	アドレナリン	ボスミン® 注
	ノルアドレナリン	ノルアドリナリン® 注
	ドパミン塩酸塩	イノバン® 注
	ロクロニウム臭化物	エスラックス® 静注

pH	一般名	商品名
アルカリ性	チオペンタールナトリウム	ラボナール® 注射用
	フェニトインナトリウム	アレビアチン® 注
	フロセミド	ラシックス® 注
	アミノフィリン	ネオフィリン® 注
	オメプラゾールナトリウム	オメプラール® 注用
	メチルプレドニゾロンコハク酸エステルナトリウム	ソル・メドロール® 静注用
	炭酸水素ナトリウム	メイロン® 静注

pHが小さく変化するだけで析出しやすい．

表2 非水溶性溶剤が使用されている注射剤

注射剤	投与方法
ジアゼパム (セルシン® 注射液 / ホリゾン® 注射液)	他の注射剤と混合，希釈して使用しない
フェニトインナトリウム (アレビアチン® 注)	希釈する際は1 Aを生理食塩液50 mL以下に溶解する
フェノバルビタール (フェノバール® 注射液)	皮下，筋注のみ

ン® 静注用)，炭酸水素ナトリウム（メイロン® 静注）などと反応して，難溶性の塩を生じることがあり配合禁忌となっています．

外観で確認できない変化の場合として，ビタミン製剤やカリウム製剤は光分解を受けるため，遮光による防止が必要です．ガベキサートメシル酸塩（注射用エフオーワイ®），ナファモスタットメシル酸塩（注射用フサン®），カルペリチド（ハンプ® 注射用）などは配合変化を起こす薬剤が数多くあり，単独ラインでの投与が望ましいとされています．特に亜硫酸塩を添加物として含む注射剤と混合すると主成分が分解を受けて力価低下を起こします．

薬剤の配合変化を回避する方法

各薬剤の添付文書に，配合変化についての記載がされています．薬剤を投与する際には，確認をしましょう．

・複数の薬剤を混合して投与する必要がある場合

pHの近い注射剤から順番に混合します．直接混合すると配合変化が起こる場合でも，1薬品ずつ別々に輸液に混合すると配合可能な場合もあります（希釈効果）．

・側管から投与する場合

配合変化を起こしやすい薬剤は，単独ルートでの投与が望ましいですが，側管から投与する必要がある場合は，投与前後に生理食塩液または5％ブドウ糖液など配合変化を起こさない輸液でラインをフラッシュします．

・粉末状になっている注射剤を溶解する場合

一般に溶解液は生理食塩液，5％ブドウ糖液ですが，カルペリチド（ハンプ®注）など電解質との混合により変化を起こす薬剤の場合は，注射用水を用いて溶解し，その後生理食塩液やブドウ糖液で希釈します．

三方活栓がロックされていたら…

側管から薬剤を持続投与する際，投与開始してしばらく経ってから，三方活栓がロックされていたことに気づいてしまったことはないでしょうか？ そんなとき，そのまま三方活栓のロックを解除してしまうのは，危険です．

注入されずに溜まっていた薬液が一気に注入するため，血管作動薬やオピオイドなどでは特に注意が必要です．一度，三方活栓との接続を外し，溜まっていた薬液を捨ててしまってから，再度接続して三方活栓のロックを解除しましょう．

おわりに

輸液回路の使い分けや，回路の組立て方などは，施設や病棟ごとに作法があったり，看護師や先輩医師それぞれのスタイルがあったりします．基本を押さえたうえで，自分にあった方法を見つけていきましょう．

文献

1）「ナースビーンズ smart nurse ご指名ナースが教える！ 注射・点滴・採血まるわかりブック」（陣田泰子，他／監，聖マリアンナ医科大学病院看護部／編著），メディカ出版，2007

2）「根拠からよくわかる注射薬・輸液の配合変化 Ver.2」（赤瀬朋秀，他／編），羊土社，2017

3）「注射薬調剤監査マニュアル2021」（石井伊都子／監，注射薬調剤監査マニュアル編集委員会／編），エルゼビアジャパン，2020

4）「今これだけは知っておきたい！ 注射薬配合変化Q＆A 第2版」（東海林 徹，他／監，阿南節子／編著），じほう，2013

4 静脈採血

小野寺美子

- 採血がうまくいくかどうかは刺入前に8割決まる
- 血は採れたけど，手がしびれるでは訴訟になる可能性も
- 血液は感染源!!

はじめに

医師となった皆さんが，一番多く目にする検査結果はダントツで採血結果です．重症患者さんの結果はすぐ知りたいですね．でもそんな患者さんほど難しい．ほら看護師さんの「せんせーい，採血お願いします」という声が聞こえてきました．

1 基本手技

麻酔科に伝わる格言に**「準備8割，腕2割」**というものがあります．実際の穿刺技術よりも事前準備の方が重要ということです．では採血の手順を一つひとつ見ていきましょう．

1) 必要物品の確認（表1）

必要なものはすべて揃っていますか？ 一度も使ったことがない道具がある場合には先輩医師に相談して使い方を学びましょう．

2) 採血オーダー・採血管の確認，採血の説明，患者確認

採血の目的と項目は明らかですか？ 目的に応じて採血管を選択します（44ページ **10**）

表1 採血必要物品をチェック

	針		駆血帯		消毒薬・酒精綿		手袋
	鋭利器材廃棄容器		採血用椅子・台		採血用腕枕		採血管
	ガーゼ		絆創膏・テープ		速乾性手指消毒薬		

参照）．なぜ採血するのか，どういった検査項目を調べるのかを説明しながら患者さんの確認です．早朝，深夜などは思いもよらない間違いが起こりやすいので要注意です．

3）必要事項の確認

毎回，採血してはいけない腕がないか，アルコールやラテックスに対するアレルギーはないか，今まで採血の際に具合が悪くなったことがないかを確認します．

ここがポイント　医学的な理由で採血（駆血）をしてはいけない場合

- 透析患者の内シャント側→シャント閉塞が起こってしまったら一大事です．
- 乳がんなどで腋窩リンパ節郭清後→リンパうっ滞が起こるとリンパ浮腫の原因となります．
- 麻痺がある→絶対禁忌ではありませんが，麻痺側は静脈が発達していないことが多いので避けた方が無難です．

4）手袋の装着

慣れるまでは，手袋が邪魔に思えます．しかし，針刺し事故が起きた場合，手袋着用で血液に曝露する量が**46～86％減少**するとされています[1]．あなたを守るためです．必ず着用しましょう．

5）血管の選択

駆血帯を巻く前にどこを穿刺するか大体の見当をつけましょう．万が一，合併症が起こってしまった後の影響や，採血後の行動の支障にならないように，利き腕ではない方の腕がfirst choiceとなります．

狙うべきは肘窩部の**橈側皮静脈，正中皮静脈**です．困ったときは尺側皮静脈も候補に入りますが正中神経がその付近を走行しているので要注意です[2]（図1）．合併症を避けるために気をつけるのは**正中神経，外側前腕皮神経，上腕動脈**です．

6）駆血

駆血帯にもいろいろな種類があります（図2）．駆血帯を巻くときの基本（図3）は以下の通りです．

◆駆血のコツ

❶静脈圧より高い圧で，動脈圧よりは低い圧で巻く

最初やりがちなミスは力の限り駆血して腕が紫色に…これでは静脈が怒張しません．

❷片手操作で外すことができるような巻き方をする

針を刺す前には後のことをなかなか考えられないものです．無事に採血が終われば抜針前に片手で駆血帯を外さなくてはなりません．クリップ式やバックル式のものは外しやすいですが，駆血圧の調整が難しく感じることもあります．

❸採血する場所に駆血帯が触れない

駆血帯は体格のよい方にも適応できるように十分な長さがとられています．これが災いして駆血帯を巻いて消毒したあとに，駆血帯の端が刺入部に触ってしまい不潔となること

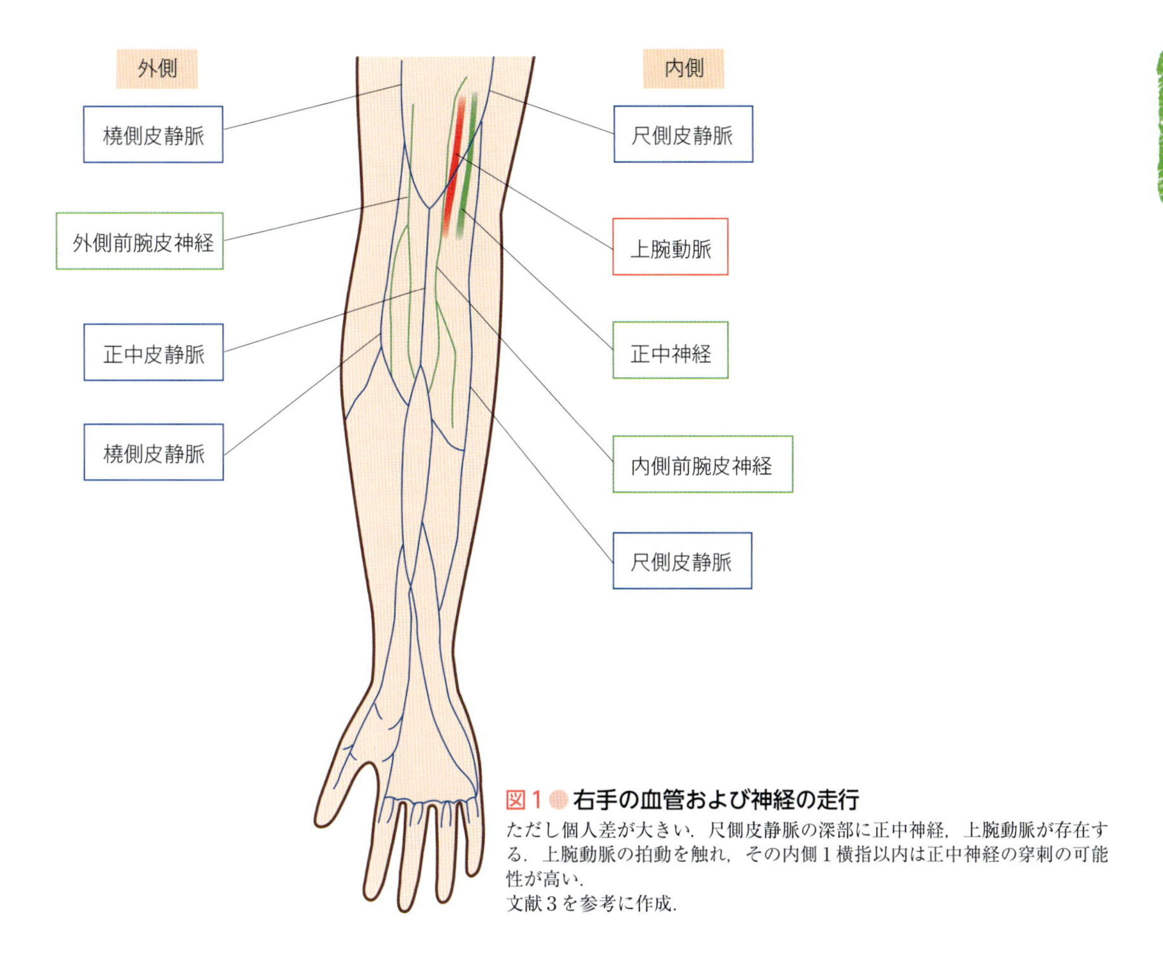

図1 右手の血管および神経の走行

ただし個人差が大きい．尺側皮静脈の深部に正中神経，上腕動脈が存在する．上腕動脈の拍動を触れ，その内側1横指以内は正中神経の穿刺の可能性が高い．
文献3を参考に作成．

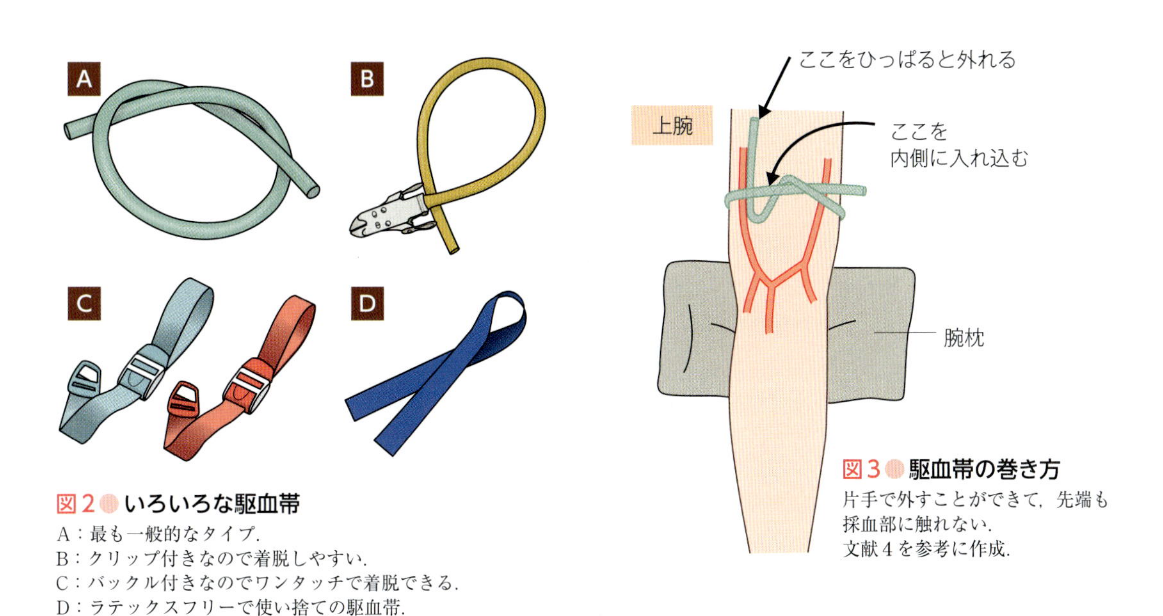

図2 いろいろな駆血帯

A：最も一般的なタイプ．
B：クリップ付きなので着脱しやすい．
C：バックル付きなのでワンタッチで着脱できる．
D：ラテックスフリーで使い捨ての駆血帯．

図3 駆血帯の巻き方

片手で外すことができて，先端も採血部に触れない．
文献4を参考に作成．

もありますので気をつけましょう.

7）穿刺血管の選択

弾力のあるプニプニした静脈を触れますか？ わからなければ自分の腕を駆血してもらって確認してみてください.

8）消毒

消毒用酒精綿で穿刺部を中心に外側に向かって拭くという方法が一般的です（**第1章-1**参照）. アルコールアレルギーがある患者さんには**ポビドンヨード（イソジン®）**や**グルコン酸クロルヘキシジン**などを使います.

9）採血針の刺入

もうどこに針を刺すかは決まっていますね. ではどの針を使いましょうか？ 一般的に使用される注射針は太さが21～23 Gの ① 真空採血管用の両方向針（長さ38 mm），② 注射針（長さ32～38 mm程度），③ 翼状針（長さ16～19 mm）の3種類となっています. ①の真空採血管では血液の逆流が目視で確認しづらいので，血管を貫く感触を頼りにします.

1つ注意するのは，**深く刺し過ぎない**ということです. 神経障害にせよ動脈穿刺にせよ，深く刺入して起こることが多いので，血管に当たらないからといってどんどん深く行くのは危険行為です. **通常皮膚を穿刺してから1 cm以内で血管に当たり**，当たった後で針のベベルがすべて血管内に入り，針先が多少ずれてもいいように**2～3 mm進めます**.

ここがポイント　針の刺入はこうする！

- 左手（針を持っていない手）の親指でしっかり皮膚にテンションをかけます.
- 皮下をゆっくりと針が進むと，静脈が逃げやすいので，皮膚を貫いたらある程度のスピードで針を進めます.
- ただし，採血針はむやみに1 cm以上進めないようにします.

10）採血管の差し込み

●採血管の選択

針が血管に当たればこっちのもの，ではなく，実際に検査ができてはじめて採血成功です. 通常，真空採血管が使われますが，検査に適した採血管を使いましょう. 検査をしたい項目によって使用する抗凝固薬が変わるため，採血管を変える必要があります. 特に凝固系や血沈を測定するための採血管はクエン酸ナトリウムが入っており，適切な採血量を守らないと正しい計測値を得られません.

以前勤めていた施設では日中と時間外では生化学を測定する採血管が異なっていました. 適切ではない採血管を使用したために，採血をし直して患者さんに負担をかけてしまうこともしばしばあります. 血糖値測定も通常の生化学検査と同じ採血管では測定できません. 別に採血をする意義があるかどうかを今一度考えて採血をオーダーしましょう.

そのほか自分たちの施設では測定できずに，外部組織に委託する場合（いわゆる外注）の場合など，特別な採血管が必要となることも多いので，採血を実施する前に必ず必要な採血管を確認してください．

●針を保持する手をしっかり固定する

採血中に最も気をつけるのは**針先を動かさないこと**です．そのためには針を保持する手（通常利き手）をしっかりと患者さんの前腕に固定します（図4）．そして空いた反対の手で採血管の抜き差しを行います．ここで針先が静脈を貫いてしまっては，採血ができないどころか腫脹・血腫の原因になります．

真空採血管はホルダーから外した状態で刺入し，針先が血管内に入ってから採血管をホルダーに差し込みます．

11）採血管の抜去→駆血帯の解除

真空採血管を使用した場合，採血管の中から，患者さんへの血液逆流を予防するために，**駆血帯を外す前に採血管をホルダーから外します**．

12）採血針の抜去・止血

針を抜きながら圧迫してしまうと注射針の先端で傷をつくってしまうことがあるので**引き抜ききると同時に圧迫します**．また抜いた針は非常に危険な感染源となりますのでいち早く廃棄Boxに入れましょう（図5）．**リキャップは針刺し事故の原因です**．針刺し事故による医療従事者のウイルス感染は今も実際に起きています[5]．

以上の項目をすべて完璧に終えてはじめて採血が完了します．なかなか奥が深いものですね．

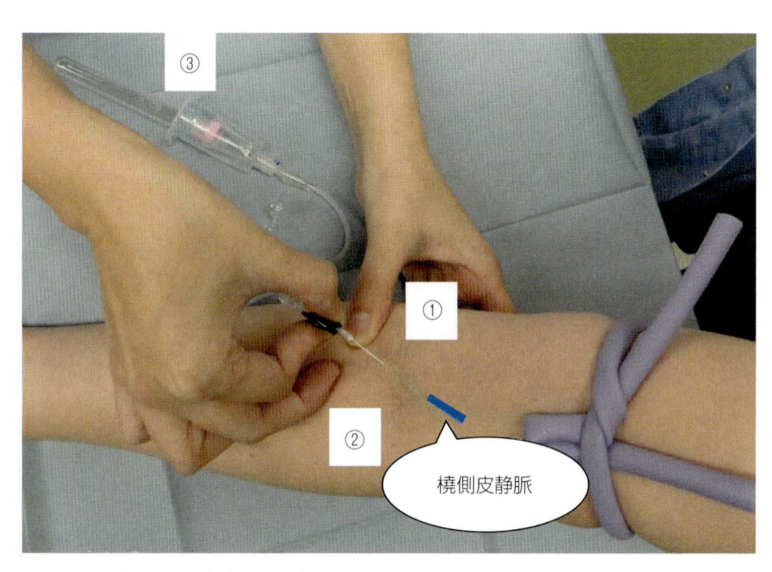

図4 採血風景と真空採血管

① 採血実施者の左手親指でしっかり皮膚にテンションをかける．
② 採血実施者の右手中指，薬指が患者さんの前腕にしっかり固定されていて，刺入後も固定し続けられる．
③ 真空採血管はホルダーから外した状態で刺入し，針先が血管内に入ってから採血管をホルダーに差し込む．
※ 穿刺時には手袋を装着しましょう．

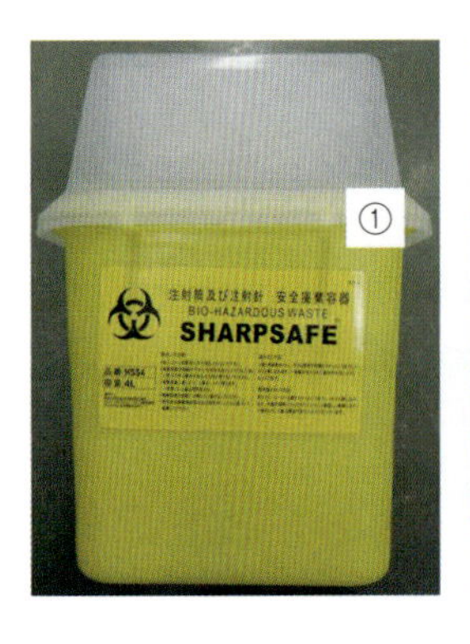

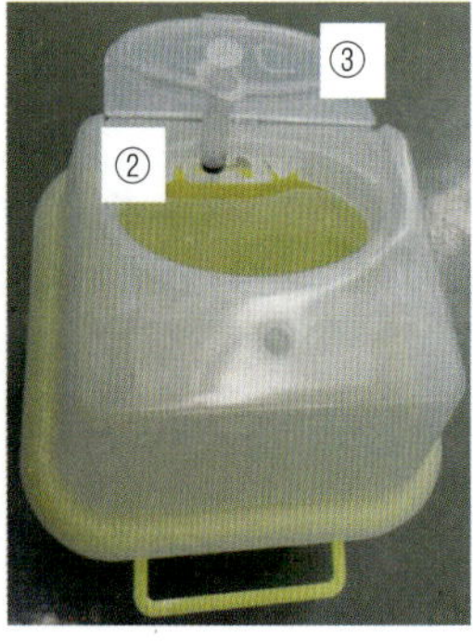

図5 針廃棄Boxの一例（Sharpsafe®：スミスメディカル・ジャパン株式会社）
① 容器と蓋は外れないようになっている．
② 使用した針先に触らず，針をシリンジから外すことができる．リキャップの必要がない．
③ 容器が8割程度埋まったらこの蓋を閉める．一度閉めると，開かない構造になっている．

2 よくあるトラブル

1）血管がない!!

本当によくあります．前もって難しいとわかっていれば，採血前の待ち時間にホットタオルで腕を温めてもらいましょう．駆血帯を巻いてみたけれど，全く血管が見えない患者さんの場合は肘窩部を中心に慎重に触知します．見えなくても触れることができたら，軽くタッピングしたり手を握ったり開いたりしてもらいます（あまり強くやりすぎるとカリウムやCK上昇の原因になります）．これでもダメなら手首の方から肘窩部に向かって軽くこすります．これで静脈が還流してくれれば静脈を触れるはずです．それでもダメなら，反対側，前腕，手背など別の部位を探しますが，手背からでは十分な血液量が確保できないことが多いです．

2）針を刺したら患者さんの顔が真っ青になった

痛み刺激が引き金で**迷走神経反射**が起こったと考えられます．まずはすぐに採血を中止します．意識，気道，循環といったバイタルサインを確認して，必要であれば休憩できるベッドを探します．通常であれば横になって休むとすぐに回復しますが，検査を見送ることが可能なら後日に回しましょう．

3）穿刺したら，激痛またはしびれが出たと患者さんに言われた

それ以上針を進めることは絶対にしないでください．慎重に針を抜きます．

ここで痛みやしびれが消失すればまずは一安心ですが，慎重な観察が必要です．抜針後にも疼痛が続く場合は**神経障害を疑います**．痛みが消失した後でも同じ部位からの刺入はやめましょう．

採血行為による神経障害を0にすることは不可能とされていますので，もし神経障害が発生してしまったらその後，適切に対応することが重要です[2)]．静脈穿刺後の神経障害は通常6カ月以内に回復することが多いのですが，稀に複合性局所疼痛症候群（complex regional pain syndrome：CRPS）などに発展し重篤な後遺症が残ることもあります（重篤なものは150万人に1人くらい[6)]）．神経障害が疑われた場合は上級医師に相談のうえ，ペインクリニックや神経内科などへの受診が必要です．

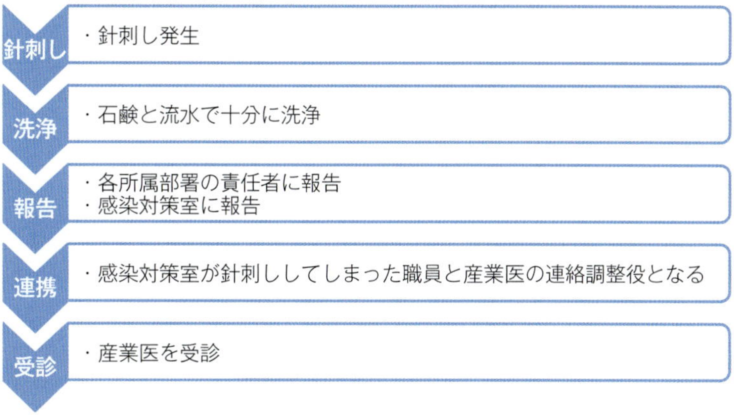

針刺し	・針刺し発生
洗浄	・石鹸と流水で十分に洗浄
報告	・各所属部署の責任者に報告 ・感染対策室に報告
連携	・感染対策室が針刺ししてしまった職員と産業医の連絡調整役となる
受診	・産業医を受診

図6 フローチャート：針刺し後の対応

3 先輩医師のコツ

触れるけど見えない．そんな静脈の場合は患者さんに一言断って静脈に沿ってマジックで印をつけます．そこに静脈があるイメージが鮮明になるので，たとえ触知しながら刺入しなくても成功率は上がります．片手は皮膚にテンションをかけなくてはならないので，手を離すと針先がずれて難易度が上がります．

真空採血管は血液の逆流が見えづらいので，翼状針を使用した方が簡単なこともあります．

針刺し事故への対応

市立旭川病院では針刺ししてしまったあとの対応が決められています（図6）．皆さんの施設にも決められたルールがあるはずですので，必ず確認しておきましょう．

〈針刺し後早急に対応が必要となるのは「HBV」と「HIV」〉

① HBV（hepatitis B virus：B型肝炎ウイルス）→予防的にワクチンで免疫を獲得しておくことが重要．HBs抗体陰性者がHBs抗原陽性血に曝露した場合は24時間以内にHBIG（hepatitis B immune globulin：抗HBs免疫グロブリン）を投与する．

② HIV→HIV抗体陽性血に曝露した場合は2時間以内に抗HIV薬の内服を開始する．

＊HCV（hepatitis C virus：C型肝炎ウイルス）やHTLV-1（human T-cell leukemia virus type 1：ヒトT細胞白血病ウイルス1型）は発症予防策がないので一定期間経過観察．

＊梅毒血清反応陽性血液の針刺しで感染した事例はない．

＊針刺しによって感染する確率はHBV：30％，HCV：3％，HIV：0.3％と言われている．

おわりに

たかが採血，されど採血です．担当患者さんとの信頼関係を築くためにも，得意になりたい手技ですね．

実際に患者さんの目の前に行くまでに，“できること”，“やっておかなくてはならないこと”が山のようにあるはずです．

そこまでやってはじめて患者さんに針を刺すことができるのです．

文献

1）Mast ST, et al：Efficacy of gloves in reducing blood volumes transferred during simulated needlestick injury. J Infect Dis, 168：1589-1592, 1993

2）加藤 実：静脈穿刺時の末梢神経障害．麻酔，59：1357-1363, 2010

3）「ネッター解剖学アトラス 原書第6版」（Frank H. Netter／著），南江堂，2016

4）「すぐに役立つ臨床基本手技・処置スタンダード―レジデントのためのイラスト徹底解説講座」（上田裕一／著），文光堂，2006

5）高橋並子，有福保恵：針刺し・切創の現状と対策．共済医報，58：264-266, 2009

6）Horowitz SH：Venipuncture-induced neuropathic pain：the clinical syndrome, with comparisons to experimental nerve injury models. Pain, 94：225-229, 2001

もっと学びたい人のために

1）「標準採血法ガイドライン―GP4-A3」，日本臨床検査標準協議会，2019

▲ 日本臨床検査標準協議会から出されているガイドラインです．採血をする立場の方は必読です．

2）五味敏昭：安全・確実な静脈採血（肘窩）に必要な解剖学の知識．Medical technology, 38：14-20, 2010

▲ 採血に必要な解剖が非常に細かく日本語でまとまっています．

3）田邉 豊：医原性末梢神経損傷のメカニズムと治療．臨床病理，55：241-250, 2007

▲ 神経障害のメカニズムとその後の対策について非常によくまとまっています．

5 動脈採血

五代幸平

- 穿刺する前に体勢と準備を整えよう
- 無理せず超音波診断装置を使おう
- 大腿動脈からの採血では鼠径部の消毒を念入りに，穿刺角度は90°で
- 適切な圧迫止血法を身につけよう

はじめに

正確な血液ガス分析（特に酸素分圧測定）には動脈採血が不可欠です．動脈採血の基本手順とよくあるトラブルについてみていきましょう．

1 手技の基本手順

1）動脈採血の適応

動脈採血の適応には，主に酸塩基平衡異常（呼吸性，代謝性，混合性），人工呼吸器使用や一酸化炭素中毒などがあげられます[1)]．**動脈血と静脈血で大きく異なるのは酸素分圧と二酸化炭素分圧です**．特に呼吸不全の患者では動脈血の酸素分圧と二酸化炭素分圧の評価が不可欠です．また，一酸化炭素中毒患者では吸光度の問題でSpO_2が過大評価されてしまいます．そのためにパルスオキシメーターが利用できないので，一酸化炭素中毒患者においても動脈血酸素分圧測定が必要です．逆に動脈血と静脈血で測定値が大きく異ならないのはpH，重炭酸，base excess（BE：塩基過剰）です．しかし，ショックや混合性酸塩基平衡異常の患者では，これらの値も変化する可能性があるので注意しましょう[2)]．

2）採血部位の選択法

動脈採血に用いられる部位は，大腿動脈や橈骨動脈が一般的です．動脈採血の部位とそれぞれの特徴を示します（表1）．動脈採血の禁忌は，側副血行が不十分な場合や穿刺部

表1 動脈採血の部位と特徴

採血部位	利点	欠点
橈骨動脈	・アプローチが容易 ・圧迫止血が容易	・細い ・痛い
大腿動脈	・太い ・触知しやすい	・側副血行が不十分 ・感染しやすい
上腕動脈	・太い	・穿刺が困難 ・圧迫止血が困難 ・側副血行が不十分
足背動脈	・アプローチが容易 ・圧迫止血が容易	・細い ・痛い

穿刺可能な部位を観察し，最適な採血部位を選択しましょう．

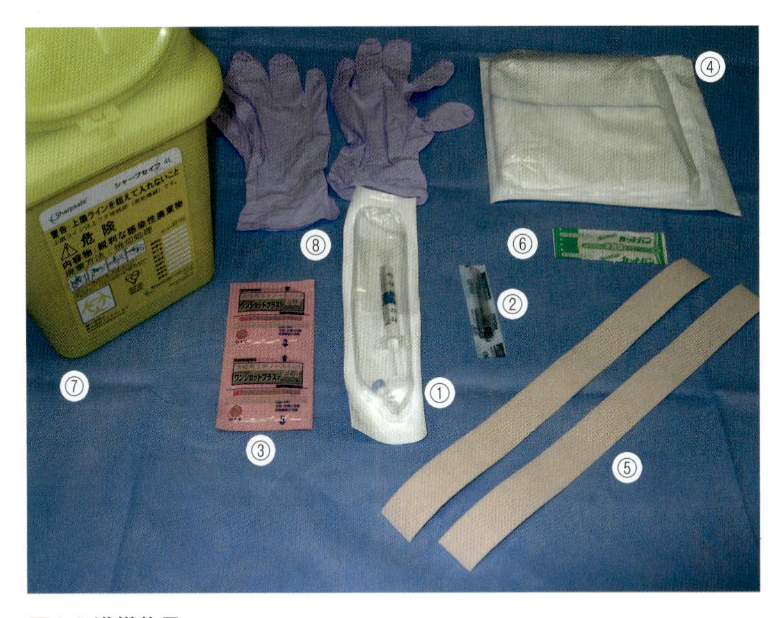

図1 準備物品
①血液ガス測定用シリンジ，②22 G穿刺針，③消毒用アルコール綿，④滅菌ガーゼ，⑤伸縮性テープ，⑥絆創膏，⑦針捨て容器，⑧手袋．

位の感染がある場合です．救急外来などで緊迫した状況では，穿刺が容易な大腿動脈を選択することが多いと思います．そこで本項では主に大腿動脈からの採血法について説明します．

3) 動脈採血の準備

まず，穿刺をする前に以下の物を準備します（図1）．

> ①血液ガス測定用シリンジ，②22 G穿刺針，③消毒用アルコール綿，④滅菌ガーゼ，⑤伸縮性テープ，⑥絆創膏，⑦針捨て容器，⑧手袋

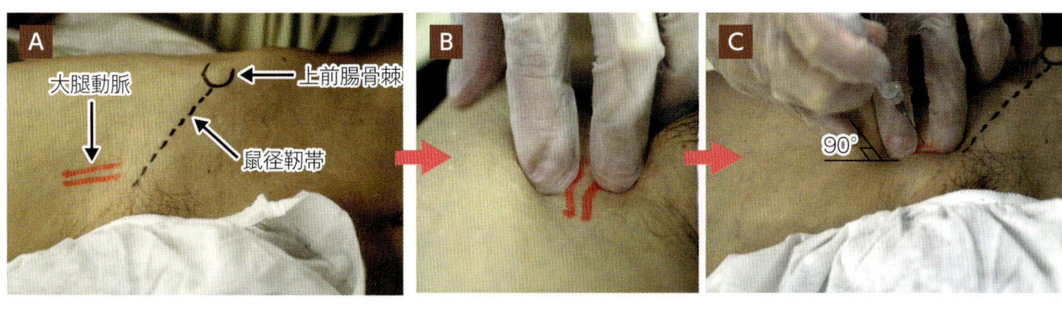

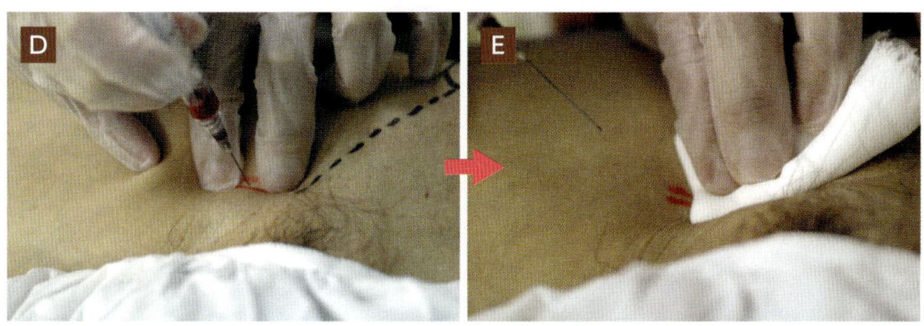

図2 大腿動脈穿刺
文献3より改変して転載.

動脈採血の手順（大腿動脈の場合）（図2）

❶ 患者を仰臥位として下肢を軽度外転させる

手技を行う人が右利きの場合は患者の右側に立ち，左利きの場合は左側に立ちます．このときに採血するためのスペースを確保し，準備物品の確認を行います．採血者が自然な体勢で手技を行うことができるように環境を整えます．

❷ 鼠径部は不潔になりやすいので，念入りに消毒する

❸ 鼠径靭帯の1～2 cm末梢で大腿動脈の拍動を触知する

❹ 非利き手の第2，3指で動脈を挟む（図2B）

❺ 穿刺針のベベルを中枢側へ向けて，皮膚に対し垂直に穿刺する（図2C）

ここで角度をつけて穿刺をしてしまうと腹腔内穿刺となり，**腹腔内臓器損傷や腹腔内・後腹膜腔血腫**をきたす可能性がありますので注意しましょう．

❻ 針先が動脈壁へ接すると，針先に拍動を感じる

さらに針を進めるとプツンとした抵抗消失とともにシリンジ内へ動脈血が流入してきます（図2D）．

❼ 予定量の動脈血が得られたら，穿刺針を抜いて滅菌ガーゼで5分間ほど圧迫止血をする（図2E）

圧迫止血で重要なのは皮膚の穿刺部位ではなく，**動脈壁を貫いた部位を圧迫する**ということです（図3）．また圧迫止血時には血流を遮断するほど強く圧迫する必要はありません．

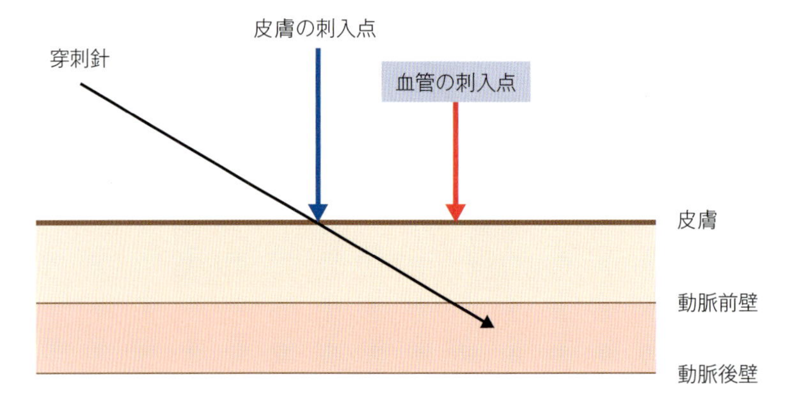

図3 圧迫止血の位置
皮膚の刺入点ではなく，血管の刺入点を圧迫します.

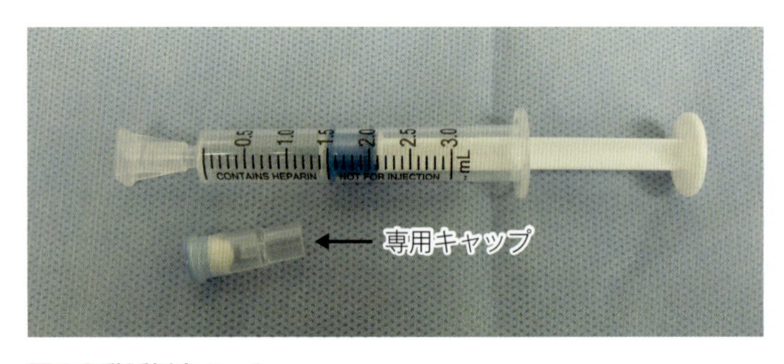

図4 動脈採血キット
測定誤差を最小限に抑えるために，乾燥ヘパリンが封入されています.

⑧ 穿刺針を針捨て容器へ捨ててシリンジに専用キャップをつけたのち，空気をシリンジから押し出す

すみやかに検体を検査に回します.

⑨ 止血を確認後，滅菌ガーゼを丸めて伸縮性テープで穿刺部位を圧迫する

ガーゼは1時間程度で除去し，絆創膏を貼ります.

4）動脈採血キット

動脈採血を行う場合は，可能な限り専用キット（図4）を使いましょう．抗凝固薬である液体ヘパリンで湿らせたシリンジを使用した場合，動脈血が希釈されることによって測定値に誤差を生じる危険性があります．専用キットのシリンジは抗凝固薬として乾燥ヘパリンを封入してあり，測定誤差を最小限に抑えることができるようになっています．またシリンジ内に気泡があると，気泡中の酸素が動脈血内に拡散し測定誤差を生じます．そのため動脈採血時には気泡を最小限にして，シリンジには必ず専用キャップをつけましょう．

2 よくあるトラブルと解決法

1）動脈の拍動がわからない

最もよくあるトラブルは動脈の拍動がわからないことだと思います．特に救急外来で診るような重症患者では，低血圧で全く拍動を触れないことも珍しくありません．そんなときには**超音波装置を活用**しましょう．プローブを鼠径靭帯の末梢側に当ててみます．すると大腿の内側からFV－FA－FN（FV：大腿静脈，FA：大腿動脈，FN：大腿神経）の順に並んでいます（図5）．さらに，押して潰れるのが静脈，潰れないのが動脈です．動脈の位置と深さを確認したら皮膚にマーキングをして穿刺します．困難な場合は超音波ガイド下に穿刺します（文献4をあわせて参照）．

2）黒い血液が引けてきた

動脈には多くの場合，静脈が伴走しています．誤って静脈を穿刺した場合は，黒い血液が拍動せずにゆっくりとシリンジ内に流入してきます．しかし重度の低酸素血症の場合は，動脈血でも黒い血液が引けることがあるので注意が必要です．静脈血と判断した場合には，穿刺針を抜いてしばらく圧迫止血したのちに穿刺し直します．鼠径靭帯上では約30％，鼠径靭帯から2 cm末梢では約75％の患者で大腿動静脈の重なりがあると報告されています[5]．**1度でも採血に失敗した場合には，超音波装置で血管の走行と位置関係を確認する**ことをお勧めします．

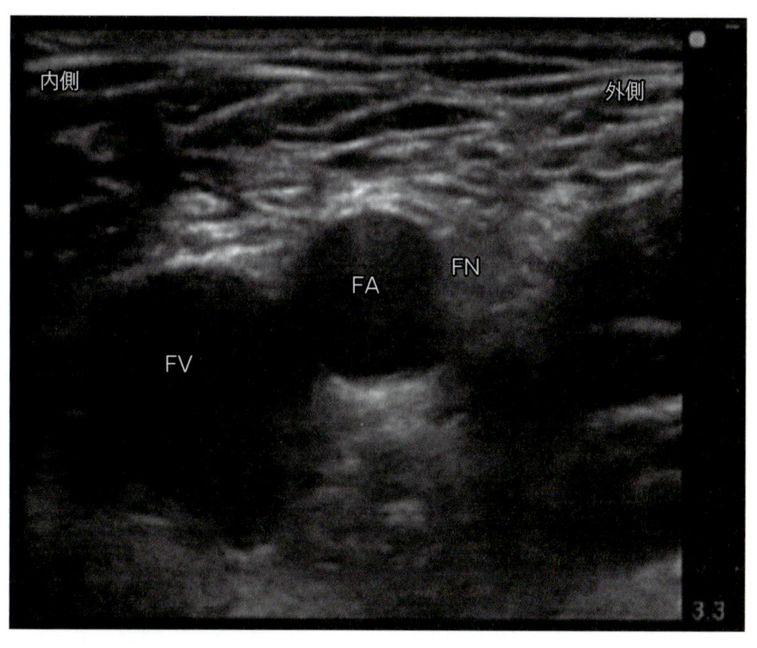

図5 大腿動静脈の位置関係
大腿の内側から大腿静脈（femoral vein：FV），大腿動脈（femoral artery：FA），大腿神経（femoral nerve：FN）の順に並んでいる．

3）圧迫止血をしているのに腫れてきた

初心者が圧迫止血をする際に間違えやすいのが，血管の刺入点ではなく皮膚の刺入点を圧迫してしまうことです（図3）．橈骨動脈や足背動脈穿刺では，皮膚と血管の刺入点は離れていきます．穿刺針の角度と深さから，**血管の刺入点を推定して圧迫**します．特に凝固機能障害の患者では血腫をつくってしまうと止血が難しくなるため，最初の圧迫止血が重要です．

4）採血してから検査までに時間がかかる

病棟では血液ガス分析装置が遠くて，検査までに時間がかかってしまうことがあります．しかし採血した後もシリンジの中で白血球は代謝によって酸素を消費していきます．代謝を抑制するためには，氷上でシリンジを冷やさなければなりません．さらにプラスチックのシリンジは気体を通すため，たとえ0～4℃に冷やしていても30分で酸素分圧が12 mmHgほど上昇してしまいます[6]．そのため少なくとも，**採血後30分以内に血液ガス分析**を行います．また前述したとおり，専用キットを使って**シリンジ内の気泡にも注意**しましょう．これらの点に注意することで，測定誤差を最小限に抑えることができます．

3 先輩医師のコツ

1）準備が大切

動脈採血は研修医として必ず身につけなければならない手技です．コツというほどのものではありませんが，筆者が注意していることは採血を行う際に十分なスペースを確保することです．採血者が最も楽な体勢で手技を行うことのできるように，患者の体位や物品の位置を調整しておくことが大切です．研修医の皆さんは手技に集中するあまり，準備を怠ってしまうことがあります．準備はとても大切です．**準備の段階で動脈採血が成功するかどうかは決まっているのです**．

2）無理せず超音波診断装置を使おう

そのほかに筆者が注意していることは，**超音波診断装置を積極的に利用すること**です．1度でも失敗したら，超音波診断装置で血管の走行と位置関係を確認しましょう．筆者ははじめから超音波診断装置を使って血管の走行や動静脈の関係を確認しながら穿刺することが多いです．なぜなら前述したとおり，大腿動静脈は重なっていることが少なくないからです．毎回超音波診断装置を使って血管を確認していると，血管の走行もイメージしやすくなります．普段からどんどん超音波診断装置を使いましょう．

column

Allen's test

Allen's testは橈骨動脈の側副血行を評価する方法です．橈骨動脈および尺骨動脈を圧迫した状態で手を握る・手を開く動作を数回くり返し，手掌が蒼白になったことを確認後に尺骨動脈の圧迫を解除します．5秒以内に色調が戻れば正常です．しかし，Allen's testでは虚血のリスクは評価できないと報告されています[7]（第1章-7のcolumnも参照）．そのため，著者は穿刺前にAllen's testを行っていません．ただし，末梢循環不全がある場合には合併症のリスクが高くなるので手掌の色調のチェックは怠らないようにします．循環不全が疑われる場合には超音波装置で橈骨動脈および尺骨動脈の内径を評価しましょう.

心肺蘇生中の動脈採血

救急外来では心肺蘇生を行いながら，動脈採血を行うことも少なくありません．心肺蘇生中の動脈採血で筆者が行っている方法をお示しします．心肺蘇生中は通常の動脈採血と違って，動脈の拍動は触知しません．また採血操作中も針先がずれやすくなり，針刺しの危険性も高くなってしまいます．そこで心肺蘇生中に動脈採血を行う場合は超音波装置で動脈の走行を確認したのち，非利き手では動脈を触れずに穿刺します．非利き手を使わないことで，針刺しを防止します．また心肺蘇生中は動脈圧が低く，動脈に当たっても血液が逆流しません．そのため必ずシリンジをつけて，吸引しながら採血をします．図2Dで右第5指を患者の身体につけているように，穿刺時には利き手の一部を患者の身体につけて針先を安定させます．シリンジを吸引しながらの穿刺時には利き手で患者に触れることが難しいので，非利き手を介して利き手の一部を患者の身体につけて針先を安定させましょう．心肺蘇生など慌ててしまいそうなときほど，準備が大切です．図1の準備物品に加えて，10～20 mLシリンジと超音波装置が必要です．血液ガス分析以外の採血必要量に応じて10 mLと20 mLのシリンジを使い分けましょう．普段からシミュレータなどを利用して，非利き手を使わない動脈採血方法も練習しておきましょう．

おわりに

動脈採血は医師として基本的な手技です．どのような状況でも安全・確実に行うことができるように，普段から準備しておきましょう．また，無理せず超音波装置を活用しましょう．

文献

1）Dev SP, et al：Videos in clinical medicine. Arterial puncture for blood gas analysis. N Engl J Med, 364：e7, 2011
▲ 動脈採血の基本について解説してあります．ウェブサイトには動画もついていて，勉強になります．

2）Kelly AM：Review article：Can venous blood gas analysis replace arterial in emergency medical care. Emerg Med Australas, 22：493-498, 2010
▲ 動脈血と静脈血の血液ガス分析における違いを調べた文献です．

3）大江克憲，鈴木尚志：§1採血の実際，1-6動脈採血．「ビジュアル基本手技シリーズ 写真とイラストでよくわかる！注射・採血法 改訂版」（菅野敬之／編），pp63-70，羊土社，2012

4）下出典子：大腿をブスブス刺さずにエコーで見よう．レジデントノート，14：1324-1329, 2012

5）Hughes P, et al：Ultrasonography of the femoral vessels in the groin：Implication for vascular access. Anaesthesia, 55：1198-1202, 2000
▲ 鼠径部における動脈と静脈の位置関係を調べた文献です．

6）Knowles TP, et al：Effects of syringe material, sample storage time, and temperature on blood gases and oxygen saturation in arterialized human blood samples. Respir Care, 51：732-736, 2006
▲ シリンジ内での動脈採血の酸素飽和度の変化を調べた文献です．

7）Valgimigli M, et al：Transradial coronary catheterization and intervention across the whole spectrum of Allen test results. J Am Coll Cardiol, 63：1833-1841, 2014
▲ 橈骨動脈から冠動脈造影を行った患者において，Allen's testが正常でも異常でも手指虚血のリスクは変わらないことを示した文献です．

6 末梢静脈路確保

村田寛明

- 適切な静脈を選択し，しっかり怒張させる
- 刺入角度は皮膚に平行に近い角度で！
- 皮膚の適度な「張り」を保つ左手が重要
- ビリッときたらすぐに針を抜く

はじめに

「点滴をとる」ことは，若手の皆さんが行う頻度の高い医療行為の1つです．これが上手にできるだけで，患者の信頼を得られ，看護師からも一目おかれる存在となります．逆に，何回も失敗していると…自分自身もストレスですよね．本項では末梢静脈路確保の基本をしっかりマスターしましょう．

1 手技の基本手順

◆穿刺部位の決定

末梢静脈路は基本的に前腕か手背に確保します．患者の利便性を考慮するなら利き手と反対側がよいでしょう．乳がん術後患者ではリンパ節郭清を行っている可能性があるため術側を，血液透析患者ではシャントを傷つけないようにするためシャント側を避けます．可動性の高い関節部分は長期留置には不向きです．適度な太さがあり，見えやすくかつ直線的に走行している静脈を探します．橈側皮静脈はこれらの条件を満たすのですが（図1），神経損傷のリスクが問題となります（p9 column参照）．

◆具体的な穿刺の手順

❶駆血する

穿刺部位の中枢側に駆血帯を巻きます（図2）．**動脈血流を妨げず，静脈血流のみを遮**

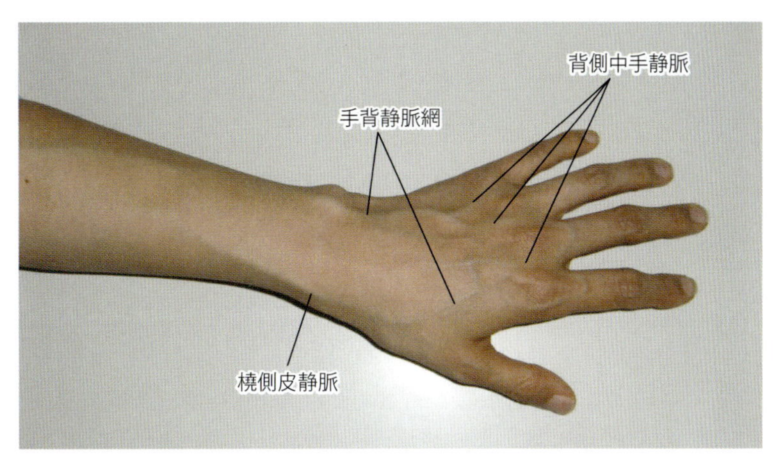

図1 末梢静脈路確保によく使われる手背および前腕の皮静脈

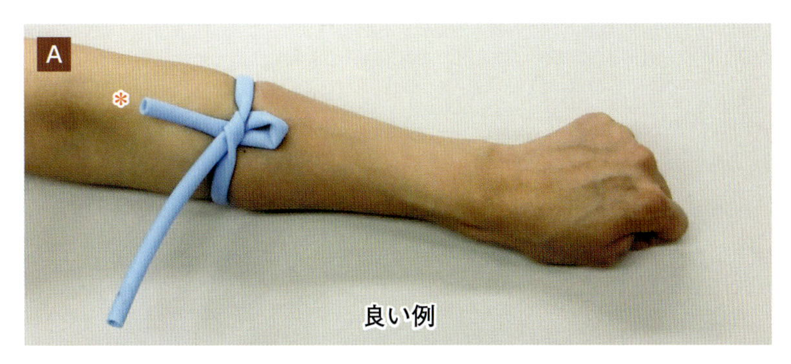

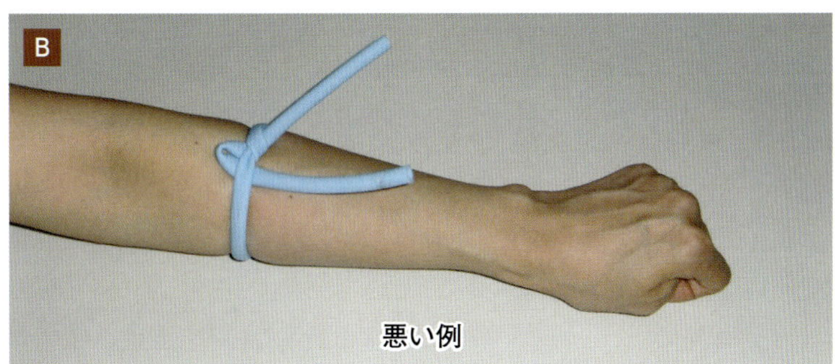

図2 駆血帯の巻き方

A：駆血帯の両端が穿刺部位と反対側（中枢側）に向くように巻く．
B：逆にすると穿刺部と駆血帯の端が近く，清潔な操作の妨げとなる．
駆血帯を解除するときは＊を手前上方にゆっくりと引っ張る．

断して静脈をうっ滞させるのが理想です．駆血帯の締めすぎに注意しましょう．静脈の見える部位で皮膚を軽くタップしたりアルコール綿で軽く擦ったりすると静脈が怒張します．また，温めることも効果があります．バシバシ叩いたり，ゴシゴシ擦ったりしてはいけません（61ページ **2**-**1**）参照）．

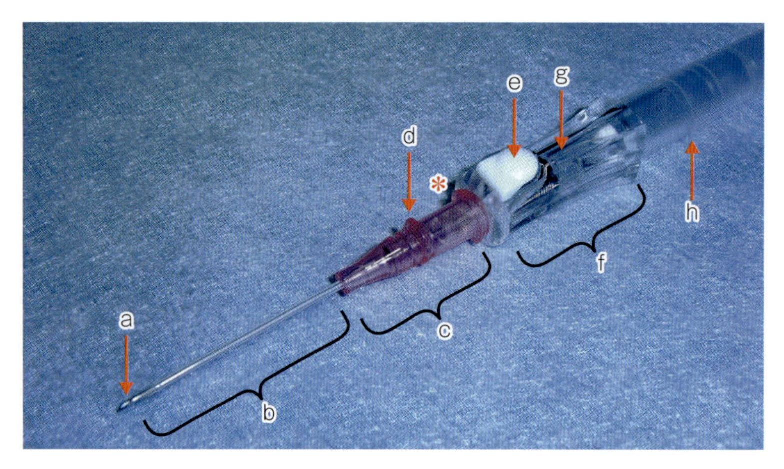

図3 針刺し損傷防止機構付き静脈留置カテーテル（BDインサイト™オートガード™：日本ベクトン・ディッキンソン株式会社）

a：内針（先端），b：カテーテル，c：カテーテルハブ（*はハブ後端），d：プッシュオフタブ，e：安全装置作動ボタン，f：針基，g：フラッシュバックチャンバー，h：セーフティバレル．
※24 G/22 G/20 Gの製品には内針に側溝がついているので，フラッシュバックチャンバーへの血液の逆流を待たずにカテーテルと内針の間への血液の逆流で血管を穿刺したことを確認できる．

ここがポイント

適切な駆血が成功への第一歩．

❷消毒する

穿刺予定部位を中心に，アルコール綿で広く消毒します．

❸静脈穿刺を行う

BDインサイト™オートガード™（図3）を用いた手技について示します[1, 2]．使用する静脈留置針によっては手技が少し異なる可能性があります．

内針の切り口を上に向け，右手（利き手）の母指と示指（中指を添えてもよい）で針基の左右を保持します．患者の皮膚，あるいは患者の腕を保持している自分の左手に穿刺針（以下，針）の保持に使っていない環指や小指を添えて右手を安定させます（図4 A）．針基の上下を持つとフラッシュバックチャンバー内への血液の逆流が確認できないだけでなく，針と患者皮膚との間に自分の示指が介在することで穿刺時に皮膚と針の角度を小さくすることができません（図4 C，62ページ❸参照）．

ここがポイント

針の持ち方にこだわりを．

皮膚表面に浮き出ている静脈を穿刺するのに，角度をつけて穿刺する必要はありません．**皮膚に平行な状態から針の後端をわずかに浮かせる程度で十分です**（図4 A）．静脈の真上の皮膚を，静脈の走行に沿って思いきりよく貫いてください（ただし刺入長が長くなり

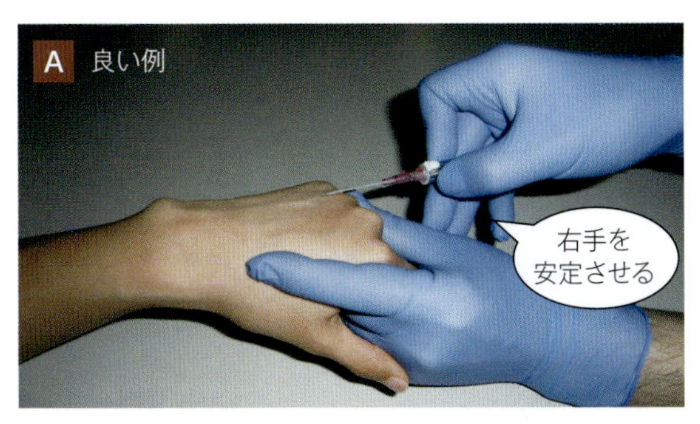

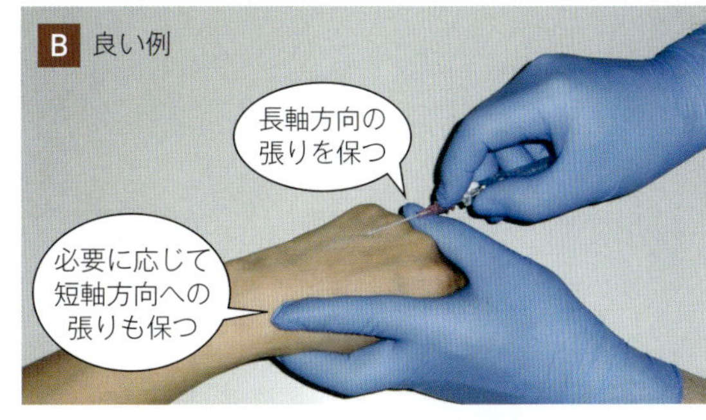

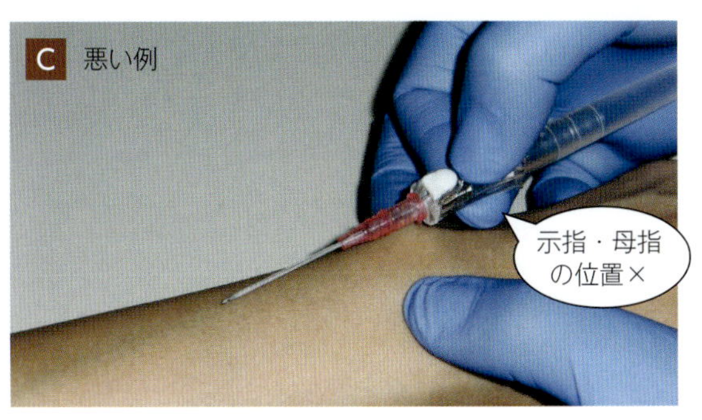

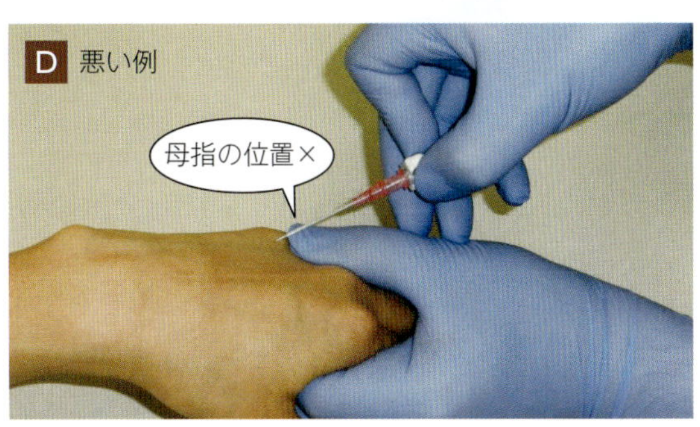

図4 穿刺時の両手の使い方
A：良い例（穿刺前），B：良い例（カテーテル挿入時）．
C：悪い例（針基の持ち方が悪い），D：悪い例（左手母指の位置が悪い）．

過ぎないように）．「慎重にしなければ」と針をゆっくり進めるとなかなか皮膚を貫けません．これでは患者に何度も痛い思いをさせるだけでなく（61ページ **2-2)** 参照），皮膚を貫いたとしても今度は静脈が逃げてしまいます．

ここがポイント

針はできるだけ皮膚に平行に近い角度で！

❹カテーテルを留置する

フラッシュバックチャンバー内に血液の逆流を認めたら（図5 A），針全体を皮膚に対してさらに平行になるように倒しながら2～3 mm進め，**内針だけでなくカテーテル先端が血管内に入っている状態とします**（図5 B）．「**❸ 静脈穿刺を行う**」では母指と示指で行っていた針基の保持を母指と中指に変更し，カテーテルハブのプッシュオフタブに右手示指をかけて，カテーテルを血管内に送り込みます（図4 B，図5 C，D）．カテーテルハブの後端部分（図3 ＊）は点滴回路と接続されるので清潔に保ちたい部分です．不潔にしてしまう可能性があるので，この部分に指をかけてカテーテルを進めるのは避けましょう．うまく進んでいればフラッシュバックチャンバー内への血液の逆流は継続します（61ページ **2-3)** 参照）．カテーテルが進みにくい場合は，いったんカテーテルのみを少し進めたのち，内針を補強材としてカテーテルを含めた穿刺針全体を進めます[1]．

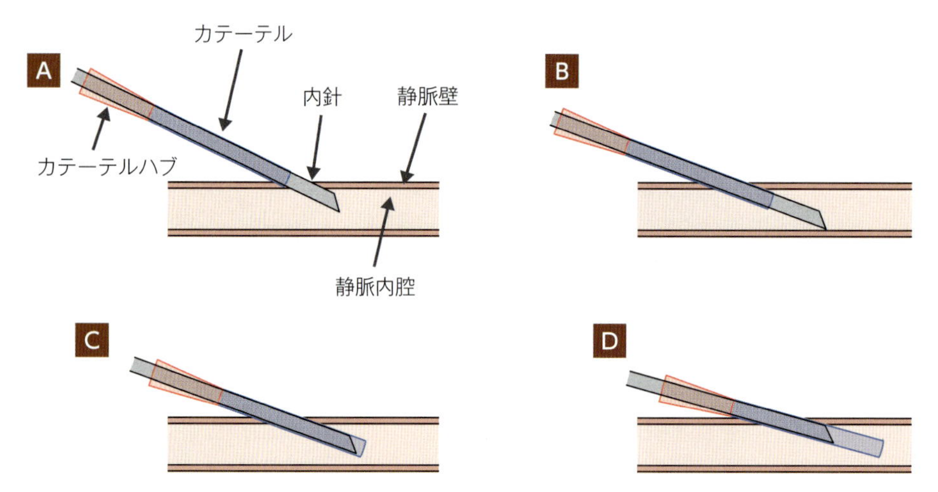

図5 カテーテル留置時の内針とカテーテルの位置関係
A：内針の先端が静脈内腔に到達した状態（血液の逆流がはじまる）.
B：さらに2～3 mm針全体を進めるとカテーテル先端も静脈内腔に入る.
C：カテーテルのみを進める（必要に応じて内針ごと進める）.
D：さらにカテーテルを根元まで進める.

ここがポイント

内針とカテーテル先端の位置関係を強く意識して‼

❺内筒を引き抜き，廃棄する

カテーテルを留置し終えたら，左手で駆血帯を外し，同じく左手でカテーテル先端付近の皮膚を圧迫します．内針の先端がカテーテル内にある状態で右手の示指を用いて安全装置作動ボタンを押し，内針をセーフティバレル内に収めます．

セーフティバレルは，各施設のルールにしたがって適切に廃棄します．

❻点滴セットを接続，固定する

右手で点滴回路の先端をカテーテルハブに差し込みます．母指と中指で点滴回路を保持し，示指をプッシュオフタブにかけ，しっかりと接続します．左手での圧迫を解除してから点滴セットのクレンメを開放し，スムーズに滴下すること，刺入部が腫脹してこないことを確認したのちにカテーテルを皮膚に固定します．

ここがポイント

プッシュオフタブを上手に活用して清潔に点滴回路を接続！

2 よくあるトラブルと解決法

1）静脈が見えない

肥満患者などで駆血しても静脈が見えない場合は「触れる」ことで静脈の位置を確認できます．しかし，静脈を見つけようと指で強く押さえ過ぎると静脈は容易に虚脱します．普段から目に見えている静脈に触れるなどして，「静脈に触れる」感覚を身につけましょう．iPadなどのタッチパネルに慣れ親しんでいる若手の皆さんは指先での繊細なタッチが得意かもしれませんね（笑）．触れた静脈に穿刺する際は，静脈が皮膚表面に見えている場合より，皮膚に対する針の角度を若干大きくします．「難しい」と感じたらためらわずに上級医に相談する勇気も大切です．救命処置など緊急の場合は別として，「とりあえず刺して」みてはいけません．

2）患者が痛がって穿刺できない

何度も末梢静脈路確保を受けた経験をもつ患者や小児などは，「痛いのは嫌だ」と強く訴える場合もあります．そこで穿刺予定時刻の30分前に貼付用局所麻酔剤（ペンレス®テープ18mg）を貼付すると穿刺時の痛みを緩和できます．貼付が長時間に及ぶと皮膚がふやけてしまい，穿刺が難しくなるので要注意です．ペンレス®テープ18mgには年齢に応じて使用枚数制限があります（3歳以下で1回2枚，4～5歳で1回3枚まで，など）が，失敗したときに備えて複数箇所に貼付しておくこともできます．

3）カテーテルを内針と一緒に進めたら，逆流が止まった！

内針が静脈をとらえ，フラッシュバックチャンバー内に血液の逆流を認めました．「よし，あと2，3 mm進めて…」と順調に手技を進めていたら，フラッシュバックチャンバー内への血液の逆流が止まってしまいました（汗）．内針が静脈壁を貫いて血管外へ出てしまったことが考えられます．この時点で，カテーテル先端の位置は

① **内針同様に静脈壁を貫通してしまった**（図6 A）
② **静脈内にとどまっている**（図6 B）
③ **まだ静脈内に到達していない**（図6 C）

のいずれかです．

①の状況は動脈カテーテル留置では「貫通法」として意図的に行う場合もありますが，末梢静脈ではこの貫通法の成功率は低く，意図的に行う手技ではありません．内針のみを少し引き抜き，針全体の先端をカテーテルとした状態（図6 D）から，さらに針全体を引き抜くと，理論的には図6 Eの状態になりますが，動脈のようにはうまくいきません．

②の状況の場合，やはり内針だけを引き抜くと針の先端がカテーテルとなった時点で再びチャンバー内への逆流がはじまります（図6 E）．その時点で慎重にカテーテルのみを進められればリカバリー成功です（図6 F）．①よりはリカバリーできる確率は高いでしょう．

③の状況もあり得ます（図6 C）．狙った静脈が非常に細かったか，静脈の中心からずれた部分を針が「かすった」状態です．いずれにしてもリカバリーは困難です．①～③いずれの状況でも深追いしてはいけません．無理だと判断したら潔く針を抜きましょう．

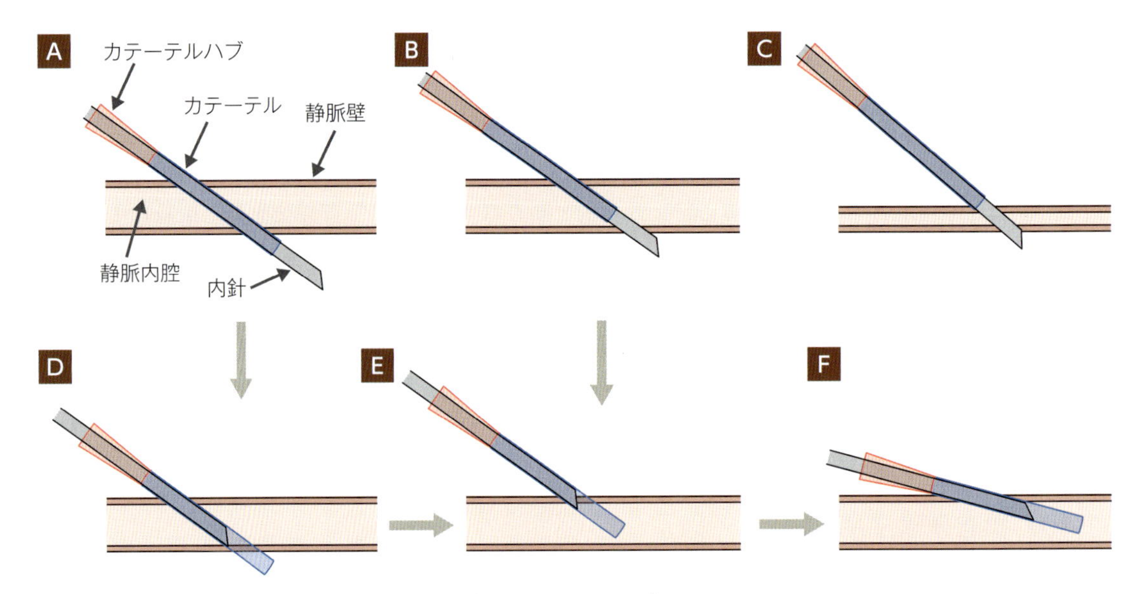

図6 内針が静脈外に逸脱したときのトラブルシューティング

A：内針，カテーテルともに静脈を貫通.
B：内針は静脈を貫通，カテーテル先端は静脈内.
C：内針は静脈を貫通，カテーテル先端は静脈に到達していない（狙った静脈が非常に細かった場合）.
D：Aの状態から内針のみ抜いてきた状態.
E：Bの状態から内針のみ抜いてきた状態/Dの状態から針全体を引き戻しカテーテル先端が静脈内にある状態.
F：Eの状態から針全体を静脈内に進めた状態.

結果的に患者の苦痛は少なくてすむことが多いと思います.

3 先輩医師のコツ

◆静脈路確保は右手と左手の共同作業

末梢静脈路確保の際は，針を持つ右手（利き手）の操作はとても大切です．それと同じぐらい左手（非利き手）も大切です．「右手だけで点滴をとってみろ」と言われると，これは至難の業です．**左手を上手に使う**ことができると末梢静脈路確保の成功率は格段に上昇します.

そういう視点で，図4をもう一度見直してみてください．皮膚がたるんでいると，穿刺しようとしても静脈は逃げやすくなります．皮膚は静脈走行の長軸方向に張りをもたせることが重要ですが，場合によっては短軸方向への張りも必要です．例えば，手背の場合，左手の母指を患者の指にかけ長軸方向の張りを保ちます．さらに必要であれば，示指を使って，手背の皮膚を静脈の短軸方向に引っ張ります（図4 A，B）．このとき，母指が手背にかかると穿刺角度が制限されてしまいます（図4 D）.

初心者のころは「血液の逆流を確認した後に，右手で穿刺針を保持しながら同じ右手でカテーテルを進めるのが難しい」と感じることがあるかもしれません．確かに右手は針の保持に専念して左手でカテーテルを進める方法もありますが，皮膚の張りを得るための左手の役割が大きい場合（手背など）は，左手を離すことで皮膚の位置が大きくずれ，内針が静脈外に逸脱してしまいかねません．状況に応じて両手を上手に使い分けられるように研鑽を積んでください．

末梢静脈路確保に伴う神経損傷

末梢静脈路確保による神経損傷は非常に稀ですが起こり得ます．手関節に近い部位での橈側皮静脈は橈骨神経浅枝を損傷し得る[3]ので可能な限り避けましょう．文献的には橈骨茎状突起から12 cm以上中枢側で穿刺するように推奨されています[4]．しかし，神経損傷はどこでも起こり得ます．大切なことは，

① 穿刺時に患者が電撃痛を訴えたら直ちに抜針し，穿刺部位を変更する

② 複数回の穿刺を避ける

③ 静脈路確保に失敗したときには，血腫ができないようにしっかり圧迫止血する

ことです[5]．意識レベルの低下した患者などでは電撃痛の訴えがないので特に注意が必要です．

ここがポイント

穿刺時の電撃痛，複数回の穿刺，穿刺後の血腫形成は危険信号！

おわりに

末梢静脈路確保は基本手技の1つです．一方で，患者の体に針を刺すという侵襲的手技でもあります．本項では技術的なことのみを解説しましたが，患者に前もってこれから行う手技について説明をする，手技中も適切に声をかけるなどといった「話術」も大切な要素です．必要な知識と技術を身につけて，患者だけでなく自分自身を含めた医療従事者にとっても安全かつストレスの少ない医療を実践しましょう．

文献

1）BDインサイト™ オートガード™針刺し損傷防止機構付き静脈留置カテーテル
http://www.bdj.co.jp/ms/products/insyte_autoguard.html#block_top2
▲ Becton, Dickinson and Company社の日本国内向けサイト．BDインサイト™ オートガード™ の使用上の注意や留置方法に関するPDFファイルを入手できる．

2）鈴木利保：静脈留置カテーテルの歴史とその評価．臨床麻酔，28：45-55, 2004
▲ 静脈留置カテーテルの歴史から，針やカテーテルの構造や安全機構まで，静脈留置カテーテルについての一歩踏み込んだ解説．

3）Stahl S, et al：Neuroma of the superficial branch of the radial nerve after intravenous cannulation. Anesth Analg, 83：180-182, 1996
▲ 橈骨茎状突起付近での静脈路確保後に橈骨神経浅枝に神経損傷を生じたとする症例報告．

4）Vialle R, et al：Anatomic relations between the cephalic vein and the sensory branches of the radial nerve：How can nerve lesions during vein puncture be prevented？ Anesth Analg, 93：1058-1061, 2001
▲ 解剖体を用いた研究結果を踏まえ，橈側皮静脈の穿刺は橈骨茎状突起より12 cm以上中枢側で行うのが安全と示唆する論文．

5）境 徹也，他：質疑応答 橈骨皮静脈での留置針刺入について．臨床麻酔，29：735-736, 2005
▲ 橈骨（側）皮静脈での静脈路確保の是非に関する文献や判例に基づいた解説．

7 動脈確保

飯田高史

- 穿刺する前に体勢を整えよう（準備８割，腕２割）
- 血管と留置針の位置関係を常に意識しよう
- 刺入点と血管穿刺点の位置関係を意識しよう
- 困ったときは超音波診断装置を使おう

はじめに

動脈確保は，主に救急や麻酔科研修の現場で行う手技であり，末梢静脈路確保ができるようになった研修医が次にぶつかる壁かもしれません．スムーズに動脈確保ができることは，一刻を争う現場で患者の循環動態を維持するための武器になります．本項では動脈確保の基本とトラブルシューティングについて学びましょう．

1 動脈確保の適応

動脈確保は，観血的動脈圧測定のために行われます．適応は麻酔管理をするうえで厳密な循環動態の管理が必要と考えられる症例，術中大量出血が予想される症例です．さらに低心機能，敗血症，出血などにより麻酔導入により著しい低血圧をきたし得る症例では導入前の確保が望まれます．また，呼吸機能の低下や電解質異常があり頻回の採血が必要となる症例も動脈確保の適応となります．

2 手技の基本手順

1）穿刺部位の決定法

臨床的に動脈確保として最も多く用いられる部位は**橈骨動脈**です（図1）．しかし，刺入部位の感染がある場合や両側乳がん術後，Allen's test（p66 column参照）によって側副

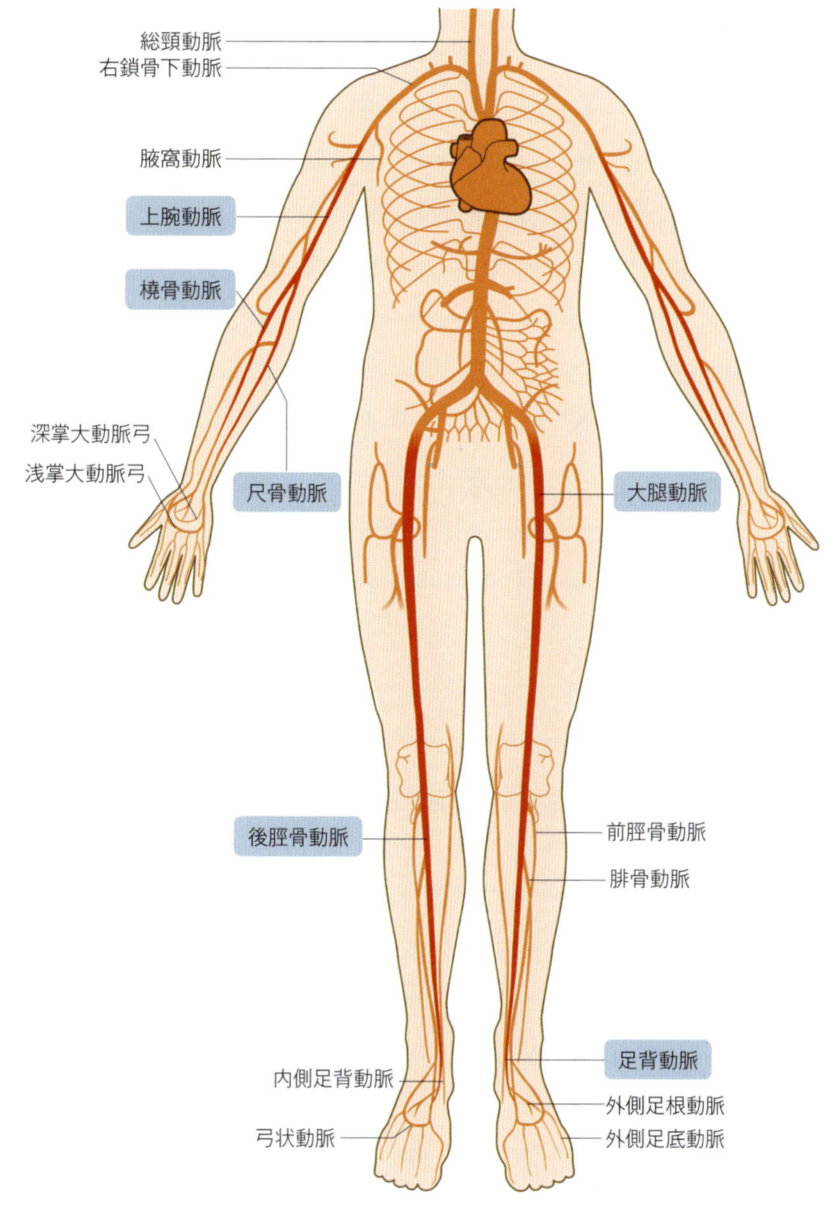

図1 動脈確保のために多く用いられる血管
該当の血管を で示す.

血行路が発達していない場合などでは穿刺部位を変更する必要があります．その場合，尺骨動脈や足背動脈，後脛骨動脈が穿刺部位となります．緊急時このような末梢部位で確保が困難な場合には，上腕動脈や大腿動脈でカニュレーションせざるをえない場合もありますが，広範囲の血流障害をさけるためにできるだけ末梢からの確保が望まれます．本項では，橈骨動脈確保について説明していきます．

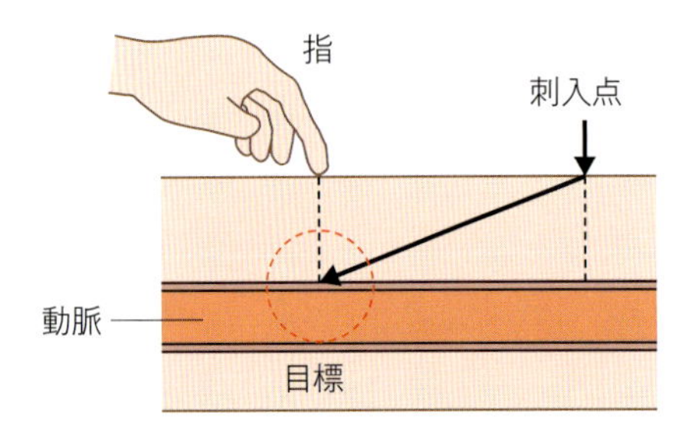

図2 拍動の触知と刺入点の決定

Allen's test

Allen's testは橈骨動脈穿刺の施行による虚血の発生を予測する方法として広く用いられてきました（**第1章-5**参照）．まず患者の橈骨動脈と尺骨動脈を用手的に圧迫します．次に手を握らせ虚血により末梢が蒼白になることを確認します．ここで尺骨動脈の圧迫のみを解除し，母指が先端まで5秒以内に赤みが戻れば仮に橈骨動脈を損傷しても尺骨動脈から十分な血流が維持されるため正常（陽性）と判断します．ところが，Allen's testで陽性であったのに不可逆的な虚血を引き起こした症例や異常（陰性）であったにもかかわらず穿刺後に虚血を引き起こさなかったという報告も多く存在し，橈骨動脈穿刺後の虚血に関する予測効果は低いと考えられるようになっています．

2）動脈留置針の種類と選択法（具体的穿刺法）

留置針の選択をするうえで考慮しなければならないのは，血管径と深度です．動脈の拍動を触知したら，皮膚からの血管の深度を予想します．目標とする血管穿刺点にあわせ，1 cm程度末梢を刺入点とします（図2）．径が細い場合には**刺入の角度を小さくし血管と平行に近くすること**がカニュレーションのコツです．そのため，深度が深い場合にはより長い留置針が必要となります．通常の静脈留置針（サーフロー® 留置針など）を使用する場合と，ガイドワイヤー付末梢動脈用カテーテルの取り扱いは「末梢静脈路確保」（**第1章-6**参照）に準じます．

◆ 穿刺の手順

❶ 手関節の下に枕（100 mLの生理食塩水など）を入れ軽く進展させる（図3）

❷ 母指を外転させ，テープを使って固定する

血液による汚染を防ぐために手袋を着用し，シートを下に敷いておく．

❸ 動脈拍動を非利き手の示指と中指で触知し，穿刺部位を決める

❹ アルコール綿，クロルヘキシジン，ポビドンヨードなどで消毒する

❺ 意識下の場合は1％リドカイン0.5 mLで穿刺部位に浸潤麻酔を行う

❻ 動脈の走行を意識しながら，22 Gか20 Gの留置針を利き手を使ってペンシルポイントで把持し，血管に対して30°程度の角度をつけて皮膚を穿刺する（図4）

❼ ゆっくり進めて内筒への逆血を確認する

この時点では血管内に到達しているのは内筒のみである（図5）．

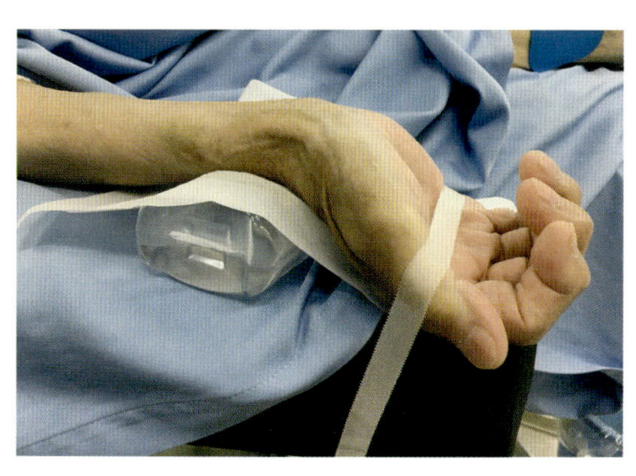

図3 手首を進展させる

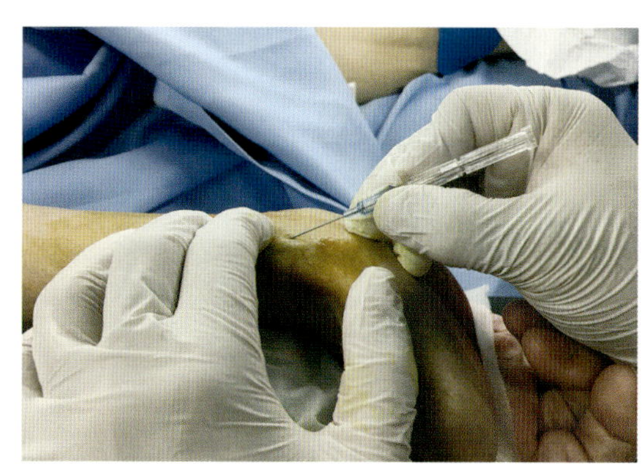

図4 皮膚を穿刺する

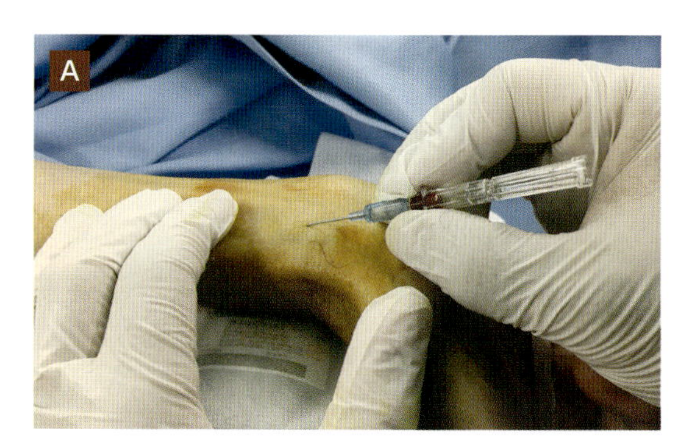

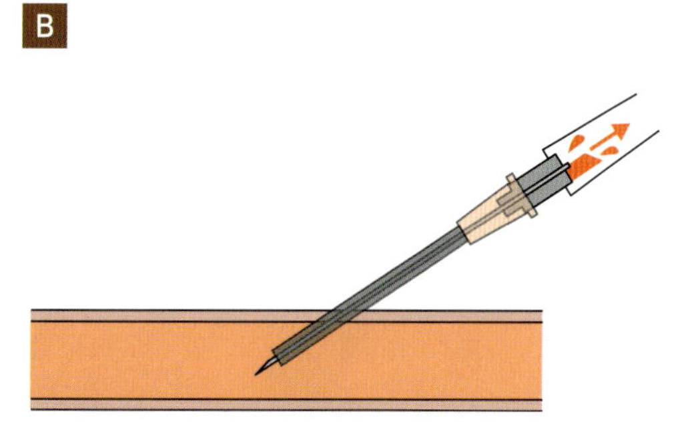

図5 内筒への逆血を確認する

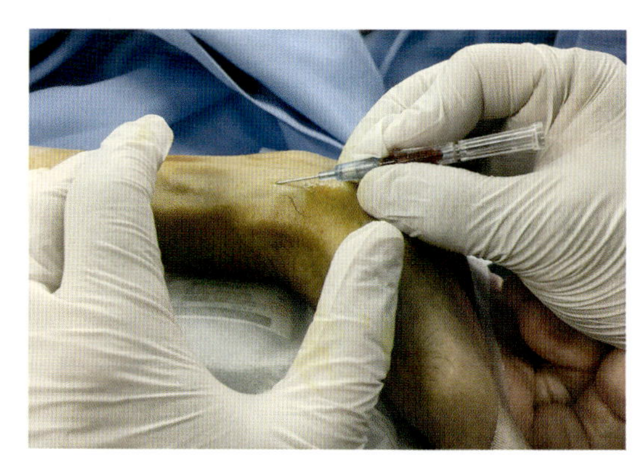

図6 逆血が継続していることを確認する

❽ さらに血管と針の角度を小さくし1～2 mm程度進め，逆血が継続していることを確認する（図6）.

この操作で逆血が来なくなった場合はすでに血管を貫通している可能性が高いので，角度を変えずに外筒を少し引き戻し，同様の操作を行う（図6）.

❾ 外筒のみを血管内に進める（図7）

❿ 非利き手の中指で刺入部を軽度圧迫し示指と母指で外筒を把持する（図8）

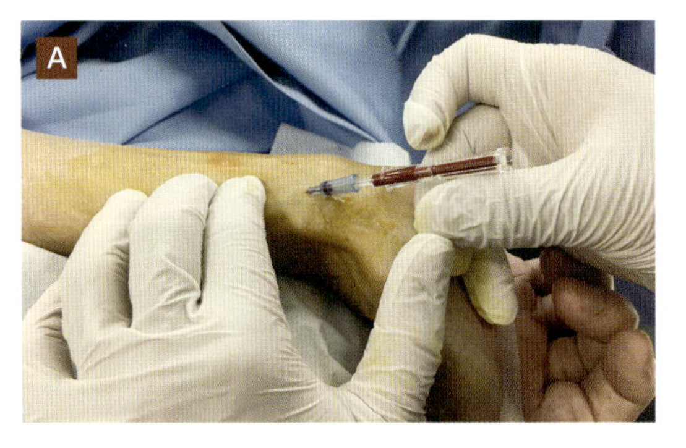

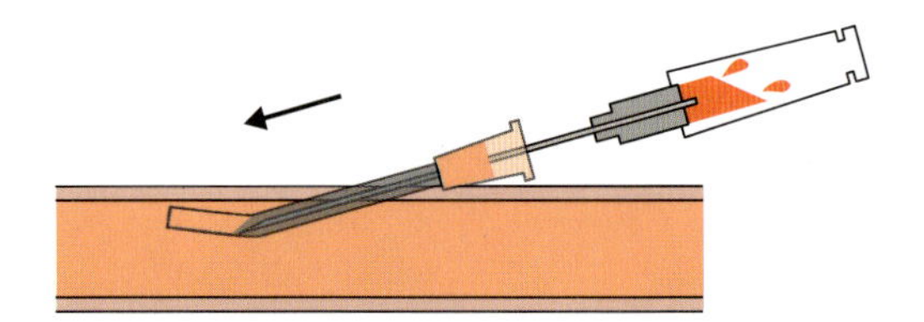

図7　外筒のみを血管内に進める

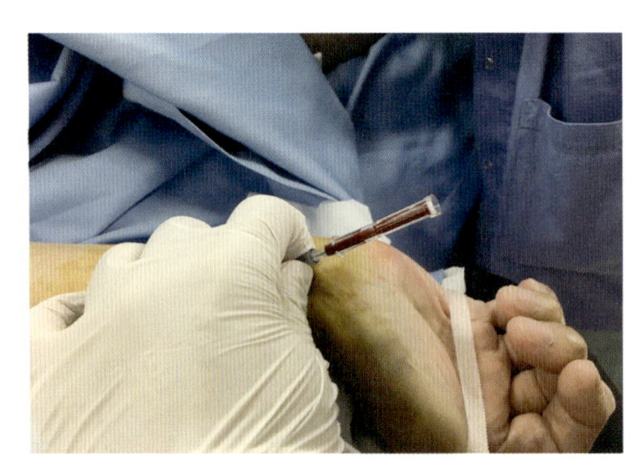

図8　刺入部を軽度圧迫し外筒を把持する

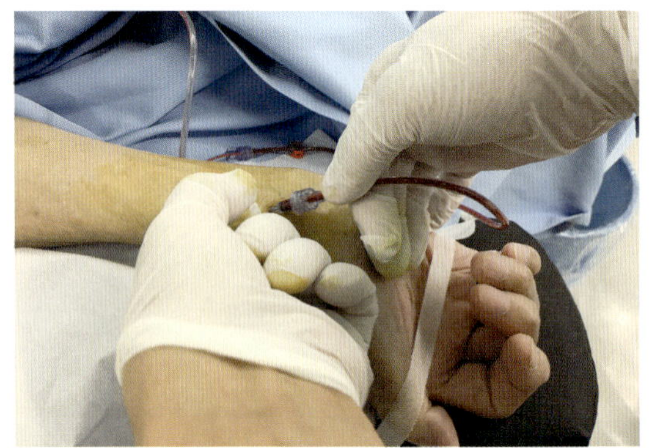

図9　外筒を抜去し，圧ラインを接続する

圧迫のみで介助者にペアン鉗子で把持してもらってもよい．

⑪外筒を抜去し，圧ラインを接続する（図9）

シリンジに陰圧をかけながら気泡をとり除く．特に接続部，三方活栓の周囲に溜まりやすいので注意する．

3）穿刺の実施

◆ガイドワイヤー付末梢動脈用カテーテルの使用法

ガイドワイヤー付末梢動脈用カテーテル（BDインサイト-A™）の使用法について記載します．

①外筒が内筒からスムーズに外れるかを事前に確認しておく

②利き手でシリンジを把持しガイドワイヤーを引き抜いた状態で穿刺する（図10）

③外筒の根本に逆血がくるのを確認したら非利き手でガイドワイヤーのみを進める（図11）

④ガイドワイヤーが入った状態で，留置針と血管のなす角度を30°以下になるよう倒しながらゆっくり外筒のみを進める（図12）

⑤一体化している内筒とガイドワイヤーを抜去する

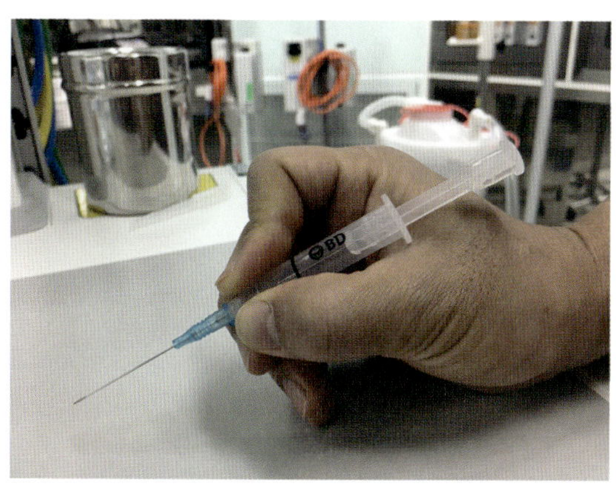

図10 利き手でシリンジを把持する

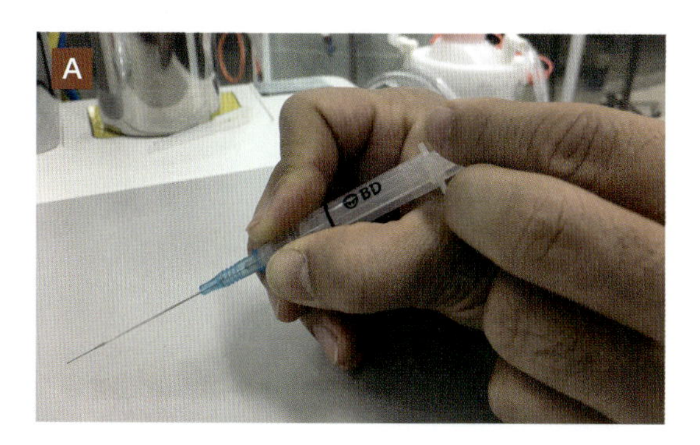

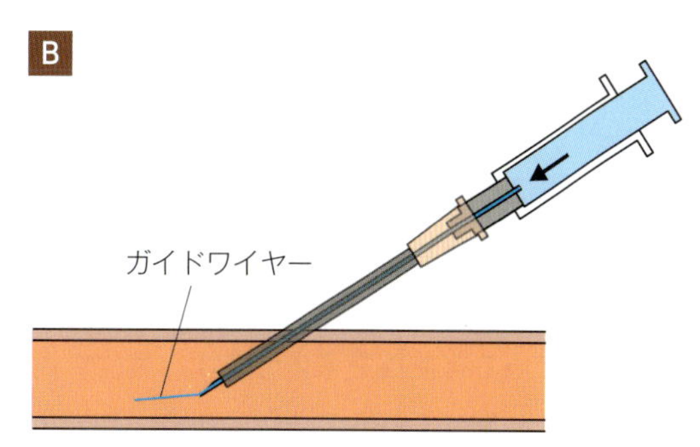

図11 非利き手でガイドワイヤーのみを進める

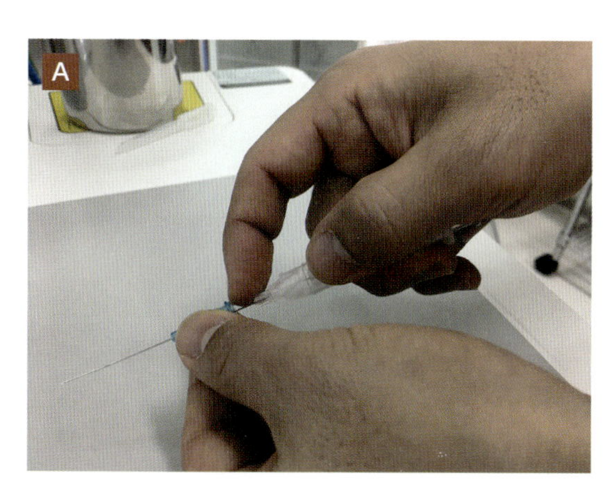

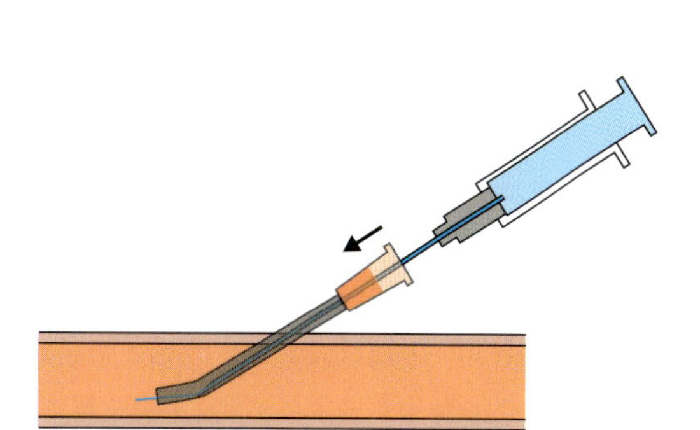

図12 外筒のみを進める

3 よくあるトラブルと解決法

1）動脈の拍動が触知できない

拍動が触知できないことは重症症例でしばしば経験します．簡便な方法は昇圧薬を投与してまず血圧を上げることです．そのような余裕がない場合は超音波診断装置を使用しましょう（**第1章-8**参照）．橈骨動脈は浅い部位を走行しているので針先を描出しながら穿刺することが比較的容易に行えます．穿刺後に拍動がない場合には血管攣縮や，血腫が血管を圧迫し末梢血流が低下している可能性を考慮します．**パルスオキシメーターを穿刺側の母指につけることで末梢循環の確認ができます．**

2）逆血があるのにカニュレーションできない

カニュレーションできない原因は，外筒が血管内に入っていないか血管の後壁にあたってしまっている場合がほとんどです．少し針を進めるか穿刺角度を小さくすることで解決できます．また，血管壁が厚い場合には外筒を回転させながら進めると成功する場合があります．**ガイドワイヤー付末梢動脈用カテーテルを使用するのもよい方法です．**

3）カニュレーションできているのに動脈圧波形が出ない

血液がかろうじてシリンジに引けるのであれば，静脈内にカニュレーションしている可能性があります．100％酸素で換気している場合，色で判断を誤ることもあります．**加圧チューブ内の血液に拍動があるか確認しましょう．**また，加圧バッグが適切に使用されていないと血栓で閉塞する可能性があります．

4）急に動脈圧波形が平坦化した

原因はいくつかあります．最も多いのは同側で非観血的血圧を測定している場合で，特別な対応は必要ありません．穿刺部が術野に隠れている場合は外科医に圧迫されてしまっている可能性を考慮します．体位変換直後であればカテーテルが抜けてしまったり，折れてしまっているのかもしれません．防ぐためには**十分な長さのカニュレーションを心がけ，体位変換前に固定をしましょう．**

4 さらに進んだワザ

1）超音波ガイド下穿刺（第1章-8参照）

動脈拍動が触れない場合や，穿刺がうまくいかない場合は超音波診断装置を利用しましょう．超音波ガイド下の穿刺は初回の成功率を1.55倍に，小児では1.94倍にし，血腫形成リスクを0.17倍にすることが報告されています[7]．リニアプローブを用い交叉法で留置針を進めます．

使用する超音波プローブは高周波数のリニアプローブあるいは小型のホッケースティック型を使用します．まず，動脈を観察してみましょう．末梢血管には動脈と静脈がありますが，静脈はプローブを軽く圧迫するとつぶれるので鑑別可能です．橈骨動脈を見つけたら血管壁や内腔の状態を確認します（図13A）．穿刺困難例では血管壁が肥厚し内腔が狭小化していることがあります．難しそうなら血管を中枢に追っていき血管の状態がよい部位を探してみましょう．内腔にカラードップラーをかけても血流が見られなければ穿刺を中止します．

穿刺の基本は中心静脈と同じです（**第1章-8**参照）．ただ血管が中心静脈よりも浅いので穿刺の角度に注意します（図14）．中心静脈よりは皮膚に平行に穿刺するイメージです．プローブは中心静脈と同様に清潔にする必要がありますが，清潔の透明ドレッシングを先

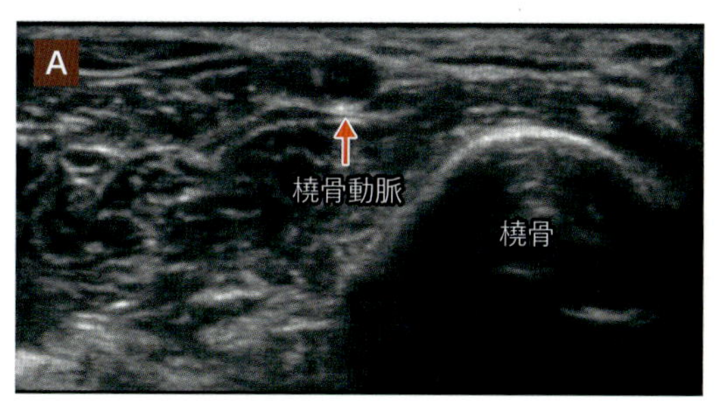

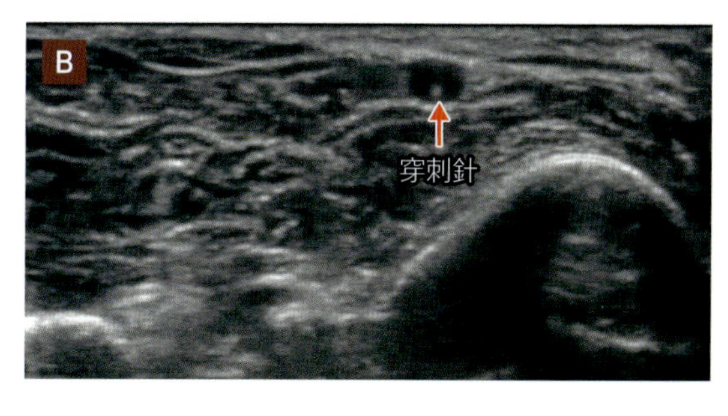

図13 橈骨動脈の超音波画像
A：穿刺前.
B：穿刺中.

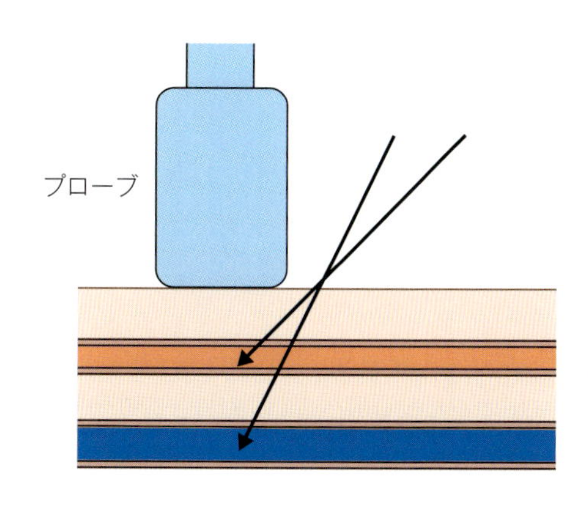

図14 末梢動脈穿刺と中心静脈穿刺の違い

端にかぶせる程度でも穿刺可能です．少量のエコーゼリー，あるいはイソジン® のような乾燥しにくい消毒液を使用します．

穿刺はガイドワイヤー付き末梢動脈用カテーテルが使いやすいです．血管内に針先を確認したら（図13B），視線を超音波装置の画面から手元に移して血液の逆流を確認します．逆流がない場合は血管壁を完全に貫いていないか，後壁を貫通しています．プローブを少し末梢あるいは中枢に移動します．

逆流を確認したらガイドワイヤーを進めます．その後は超音波装置を使用しない場合と同じです．

この技術は末梢静脈穿刺やPICCにも応用できます．身につけておきましょう．

2）血管攣縮予防

一度穿刺に失敗すると血管攣縮が生じることがしばしばあります．1％リドカインを動脈周囲に浸潤麻酔することでこれを予防します．

経験した左腋下動脈―大腿動脈バイパス術

透析中で右シャントがある閉塞性動脈硬化症患者（両側膝下切断されている）の左腋下動脈―大腿動脈バイパス術を経験したことがあります．この症例は心機能もEF30％程度でしたので，超音波診断装置を用いて浅側頭動脈にカニュレーションしました．この場合は眼動脈に血栓をとばさないように，フラッシュはより慎重に行う必要があります．

文献

1）井尻えり子，他：超音波ガイド下橈骨動脈穿刺の有用性の検討．麻酔，65：806-810，2016

▲ 超音波ガイド下に橈骨動脈確保をする利点を検討した文献です．

2）BD インサイト-A™ 末梢動脈用カテーテル
http://www.bdj.co.jp/ms/products/insyte_a.html

▲ 日本BD社によるサイトでインサイト-A™ 末梢動脈用カテーテルの添付文書や穿刺方法の動画が入手できます．

3）Troianos CA, et al：Special articles: guidelines for performing ultrasound guided vascular cannulation: recommendations of the American Society of Echocardiography and the Society Of Cardiovascular Anesthesiologists. Anesth Analg, 114：46-72, 2012

▲ 米国超音波学会および米国心臓血管麻酔学会から出ている超音波ガイド下血管穿刺のガイドラインです．

4）Shiloh AL, et al：Ultrasound-guided catheterization of the radial artery: a systematic review and meta-analysis of randomized controlled trials. Chest, 139：524-529, 2011

▲ 超音波ガイド下橈骨動脈穿刺の総説です．

5）「麻酔科診療プラクティス13 モニタリングのすべて」（稲田英一／編）文光堂，80-85，2004

▲ 観血的動脈圧測定の原理について記載されています．

6）Gu WJ, et al：Efficacy of ultrasound-guided radial artery catheterization: a systematic review and meta-analysis of randomized controlled trials. Crit Care, 18：R93, 2014

8 中心静脈穿刺

松島久雄，德嶺譲芳

- 内頸静脈穿刺の基本は解剖学
- 中心静脈穿刺を安全に実践するための指針を活用する
- 標準手技はリアルタイム超音波ガイド下穿刺である
- シミュレータを使ったトレーニングが必須
- 使用可能なデバイスの特徴を十分に把握する

はじめに

中心静脈穿刺を安全かつスマートに実践するためには，理論と問題点を十分理解することが重要です．本項では内頸静脈穿刺の標準手技であるリアルタイム超音波ガイド下穿刺の基本手順を中心に解説します．

◆中心静脈確保で使用するデバイス（Seldinger法）

中心静脈確保に使用するデバイスはカテーテルセットとして滅菌包装されています．消毒用のトレー，穴あきドレープや縫合糸など必要な物品すべてが同包されているものから，カテーテル，穿刺針，ガイドワイヤー，ダイレータと必要最小限のものもあります．使用する施設によりセットに含まれるデバイスの内容が異なるので，使用前には必ず内容を確認しておきましょう（図1）．各施設で実際に使用しているデバイスの特徴を十分に把握するために事前のシミュレーショントレーニングは重要です．

●穿刺針

穿刺針には直ちにガイドワイヤーを挿入できる金属針，血管内にカニューレ挿入が可能な外套付きの針があります．針の長さは長針よりも短針を使用する方が合併症を予防するためには安全です．超音波診断装置で確認した皮膚から血管までの深さに合わせて針の選択をしてください．穿刺針の外径は22～18 Gとさまざまですが，静脈の後壁損傷をさけるため細い針が推奨されています．超音波の反射率を高めるために，シャフトに溝やディ

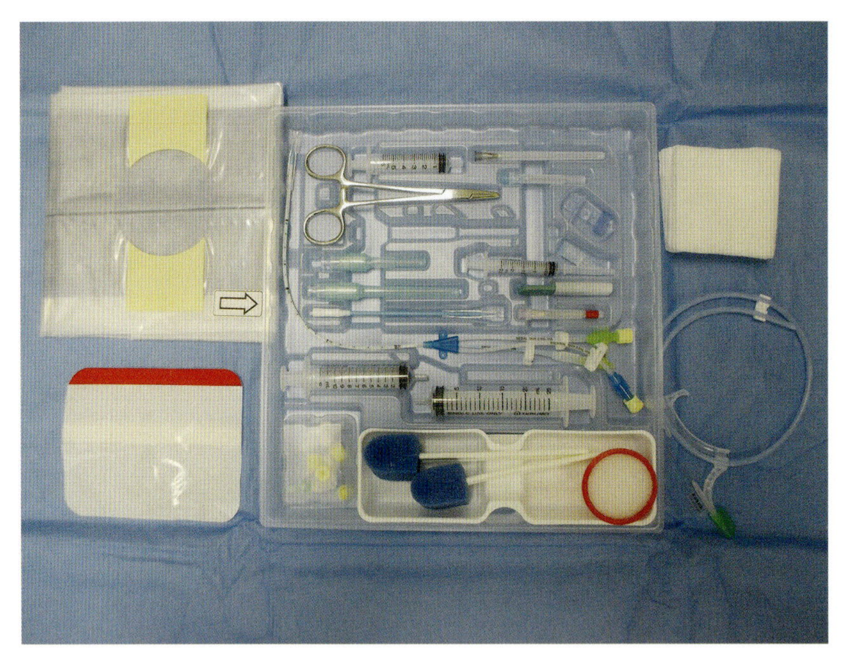

図1 カテーテルセット（フルタイプ）
カテーテルセットに加えて，消毒セット，ドレープ，固定用セットなど中心静脈穿刺に必要な物品すべてがセットになっている．

ンプルなどを加工した穿刺針もあります．

● ガイドワイヤー

先端形状はストレート型，アングル型，J型などさまざまなタイプがあり，血管内壁の損傷を低減させるため先端部は柔軟な構造になっています．後端部は固い材質となっているため，後端部からの挿入は避けなければいけません．挿入した長さを確認できるようにガイドワイヤーにはデプスマークが記されています．マークは各社統一ではないので注意してください．

● ダイレータ

表面に特殊な潤滑コーティングされたダイレータが多くなってきています．皮膚切開をしなくてもスムーズに拡張できるため，カテーテル挿入部からの出血リスクを低減できます．ダイレータを深く挿入することによる合併症を防ぐため，挿入の深さがわかる目盛りが記載されたものもあります．

● カテーテル

シングルから複数のルーメンをもつカテーテルがあり，内腔の大きさや開口部はルーメンによって異なります．感染のリスク低減には，必要最小限のルーメン数を有するカテーテルの選択が推奨されています．血栓形成を抑えるため表面にさまざまなコーティングを施したカテーテルが多く，抗菌薬含浸のカテーテルも販売されています．

表1 中心静脈穿刺の基本

アプローチ法	それぞれの特徴（利点・向き不向きなど）
・内頸静脈	○皮下から浅く血管が太いため穿刺しやすい ○静脈の走行が比較的直線に近く，カテーテルの迷入が少ない ×周囲に動脈や神経などが近接し，誤穿刺の危険性が高い
・外頸静脈	○表在性の静脈で穿刺に伴う合併症が少ない ×カテーテルが末梢側に迷入しやすい
・鎖骨下静脈	○長期留置に適している →カテーテル関連の感染が少ない，固定しやすい ×血気胸の発生率が高い ×動脈穿刺時の止血が困難
・大腿静脈	○蘇生手技中でも穿刺が可能 ×長期留置に向かない →カテーテル関連の感染が多い，血栓形成を起こしやすい
穿刺方法	**それぞれの特徴（利点・向き不向きなど）**
・ランドマーク法	○短時間で穿刺が可能 ○特別な装置を必要としない ×静脈の走行異常（内頸静脈で約５％）には対応不可
・超音波ガイド下穿刺	○血管穿刺をリアルタイムに確認することが可能 ○安全で合併症が少ない ×超音波診断装置を使った穿刺技術の習得に訓練が必要
挿入方法	**それぞれの特徴（概要）**
・直接穿刺法	太い穿刺針の外套にカテーテルを挿入
・Seldinger法	血管内に挿入したガイドワイヤーを介してカテーテルを挿入

1 中心静脈穿刺の基本

中心静脈穿刺のアプローチとして，主に内頸静脈，外頸静脈，鎖骨下静脈，大腿静脈があり，また，穿刺方法としてはランドマーク法と超音波ガイド下穿刺が，カテーテルの挿入方法には直接穿刺法とSeldinger法があります（表1）．

まず，中心静脈穿刺の基本であるランドマーク法と，手技を安全に行うための指針について説明します．

1）ランドマーク法による中心静脈穿刺の基本を理解しましょう！

体の一部分を目印として穿刺部位や方向を決定する方法をランドマーク法といいます．内頸静脈穿刺では主に3つのアプローチが行われています（図2）．穿刺が容易で，最も一般的なのはセントラル（側方）アプローチ（図2A②）です．胸鎖乳突筋の胸骨頭と鎖骨頭，および鎖骨で形成される三角形（▼）の頂点から同側の乳頭に向かって穿刺します．前方アプローチ（図2A①）は輪状甲状膜の高さで頸動脈拍動の外側，胸鎖乳突筋の内側を同じく乳頭に向かって穿刺します．刺入点が胸腔から遠いので気胸を起こしにくい点が特徴です．後方アプローチは輪状軟骨の高さで胸鎖乳突筋鎖骨頭の外縁から筋肉下縁に沿って胸骨切痕方向へ穿刺します（図2A③）．気胸は起こしにくいですが，動脈誤穿刺のリスクがあります．

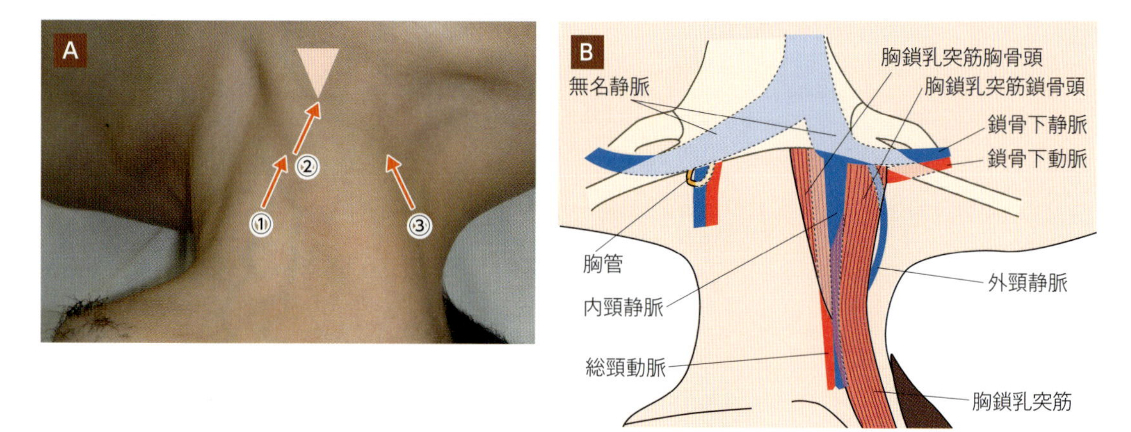

図2 ランドマーク法による内頸静脈穿刺の3つのアプローチ
① 前方アプローチ．② セントラル（側方）アプローチ．③ 後方アプローチ．
B：文献1より改変して転載．

表2 中心静脈カテーテル穿刺挿入手技に関する安全指針

感染防御策の徹底
マスク，キャップ，滅菌グローブ，滅菌ガウン，滅菌ドレープ
Seldinger キットの使用
モニター機器，緊急資機材の準備
血圧計，心電図モニター，パルスオキシメーター，除細動器，救急カート
多数回穿刺の回避
X線透視下または超音波ガイド下に穿刺

文献2より転載．

ランドマーク法は特別な装置を必要とせず，熟練者は短時間で血管穿刺を成功させることができます．しかしながら，内頸静脈の走行異常は約5％あるといわれ，走行異常がある場合は穿刺がうまくいきません．外観から血管走行を把握することはできないので，ランドマーク法の達人でも穿刺が100％成功するとは限りません．血管の予期せぬ走行異常が穿刺による重篤な合併症を引き起こすのです．安全第一の医療現場ではこの問題を回避するための対策が必要となります．

2）安全指針の基本を実践しましょう！

中心静脈穿刺を安全に実施するために医療安全全国共同行動“医療安全実践ハンドブック”より（表2）のような安全指針の策定と実施が目標にあげられています[2]．安全指針のポイントを確認し，実践しましょう．

● 感染防御策の徹底

カテーテル関連血流感染の発生率を低下させるために，高度無菌バリアプリコーション（maximal barrier precautions）が推奨されています．マスクをして，頭髪をすべて覆うようにキャップをかぶり，滅菌ガウンと滅菌グローブを装着します．滅菌ドレープはできるだけ大型のものを使用してください．

● **Seldingerキットの使用**

太い外套針を介して挿入する直接穿刺法と異なり，Seldinger法は穿刺針が細く組織の損傷は少なくてすみます．穿刺針が細いことで空気塞栓のリスクも少なくなります．

● **モニター機器，緊急資機材の準備**

大型の滅菌ドレープを使用するため，患者の表情を観察することはできません．このため，意識のある患者では，手技中に患者が不安に陥らないよう適度に声掛けをする必要があります．加えて，穿刺時には血圧計，心電図モニター，パルスオキシメーターを患者に必ず装着しましょう．穿刺中に重篤な不整脈を引き起こすことがあるので，除細動器と救急カートの準備も忘れないでください．

● **多数回穿刺の回避**

穿刺回数が増えれば，合併症の発生率は増えます．穿刺回数をできるだけ少なくするため，うまくいかない場合には術者の交代を考えましょう．

● **X線透視下または超音波ガイド下に穿刺**

ガイドワイヤー，ダイレータ，カテーテルの挿入はX線透視下で実施することが推奨されています．また，穿刺回数を少なくするために超音波ガイド下穿刺が推奨されています．状況や環境に合わせて，必ずどちらかを使用しましょう．

2 リアルタイム超音波ガイド下穿刺の基本手順

安全かつ確実な内頸静脈穿刺ではリアルタイム超音波ガイド下穿刺が標準手技となります．準備からカテーテル挿入まで一連の流れを把握しましょう．

1）穿刺に向けた準備

● **体位の決定と超音波診断装置の設置**

各種モニターを装着し，静脈を怒張させるために頭低位（10～15°）にします．顔は穿刺部の反対側を向かせ（約30°），頸部を十分に伸展させてください．超音波診断装置の画面と穿刺方向ができるだけ同一直線上になるよう，右内頸静脈穿刺では患者の右下に超音波診断装置を設置することをお勧めします（図3）．

● **プレスキャン**

超音波診断装置で内頸静脈の閉塞や動脈を含む血管の走行異常を確認しましょう．プレスキャンの結果で穿刺部位を変更することもあります．穿刺部位から内頸静脈までの距離を確認しておくことも重要です．

ここがポイント　血管走行の把握はこうする！

血管走行の把握をするために2つのテクニックがあります．sweep scan techniqueはプローブを前後に動かして血管の蛇行や深さなどを把握します（図4A）．床をほうきで

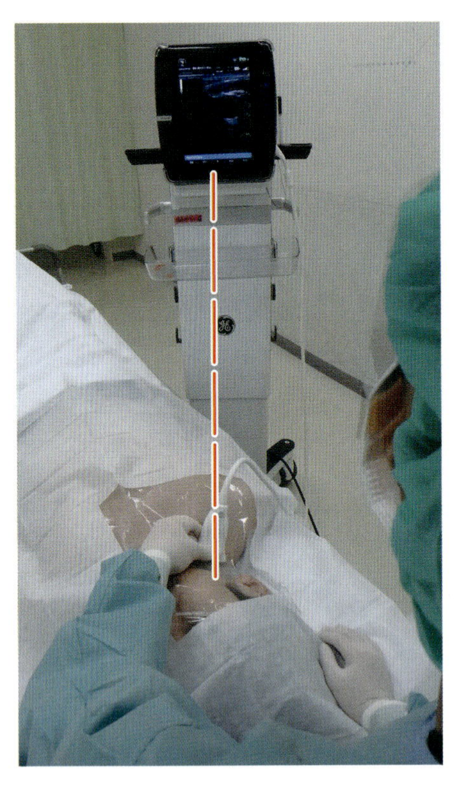

図3 超音波診断装置の設置
超音波診断装置の画面と穿刺方向ができるだけ同一直線上になるように設置.

掃くようにプローブをスウィープして（平行に動かして）ください．swing scan technique はプローブの角度を前後にスウィングすることで血管に対するプローブのずれを修正することができます（図4B）．どちらか一方を行うのではなく，sweep scan technique を先に施行し，swing scan technique でさらに確認するようにしてください．

消毒と高度無菌バリアプリコーション

消毒は10％ポビドンヨードまたは0.5～1％グルコン酸クロルヘキシジンアルコールが推奨されています．滅菌ガウンと滅菌グローブの装着後に，患者を大きめの滅菌ドレープで覆ってください．頭部からつま先まで覆うことが理想です．

Seldinger キットの準備（図5）

使用する穿刺針を選択し，ガイドワイヤーもすぐに挿入できるように確認します．この時点で目標とするカテーテル挿入時の長さを確認しましょう．穿刺部位から第3肋間までの距離，右内頸静脈では10～14 cm程度の挿入を目標としてください（平均的な身長の患者では13 cm，140 cm台の小柄な人で10 cm，170 cm台の長身の人で14 cmを目安にしてください）．

プローブカバーの装着（図6）

清潔にリアルタイム超音波ガイド下穿刺をするため，専用の滅菌カバーを装着します．少量のゼリーをカバー側に入れ，プローブとカバーが密着するように引っ張りながら輪ゴ

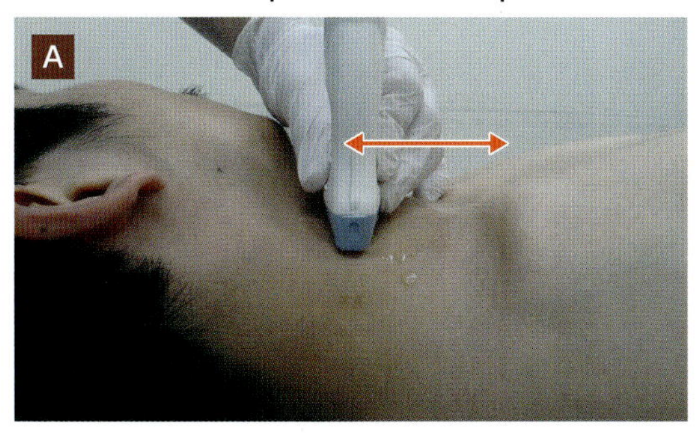

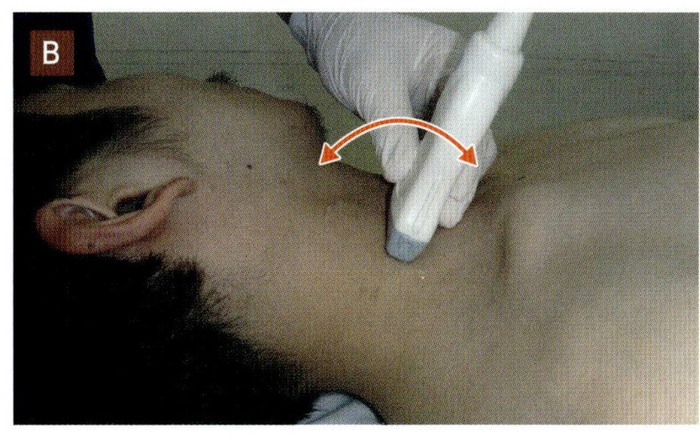

図4 血管走行や異常の確認の仕方
A：sweep scan techniqueは，プローブを前後にスウィープして血管の蛇行や深さなどを把握．
B：swing scan techniqueは，プローブの角度を前後にスウィングすることで血管に対するプローブのずれを修正．

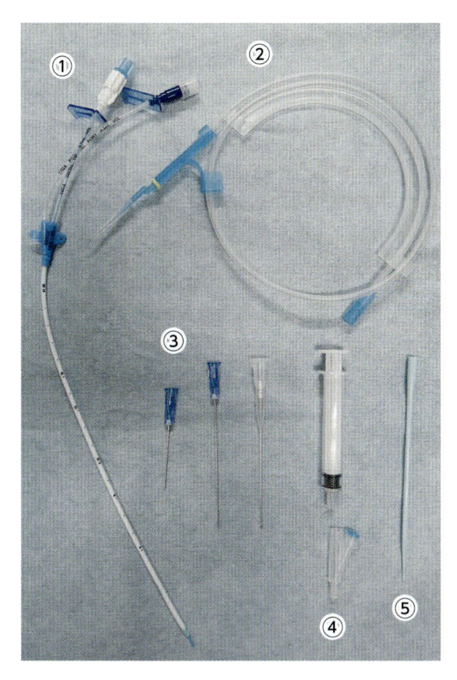

図5 Seldingerキットの中身
① カテーテル本体．
② ガイドワイヤー．
③ （左から）金属穿刺針（短），金属穿刺針（長），カニューラ針．
④ サイドポート付Y型ハブ．
⑤ ダイレータ．

ムで固定します．ずれないように少しきつめの固定を勧めます．

2）リアルタイム超音波ガイド下穿刺から，カテーテル挿入まで

● 超音波ガイド下穿刺（リアルタイム穿刺）

清潔な環境を準備した後に改めて超音波診断装置で血管走行を確認し，穿刺部位を決定します．リアルタイム超音波ガイド下穿刺なので試験穿刺はしません．局所麻酔施行後にプローブの正中から軸がずれないことを意識しながら穿刺しましょう（図7A）．内頸静脈穿刺では，プローブは皮膚に対して90°と垂直に保持し，プローブと穿刺針の角度は30°程度が最適です（図7B）．モニターでは皮下組織の動きに注意しながら針の位置を把握します（図8A）．皮下組織の動きがわかりにくいときには針を小刻みに前後方向に動かしま

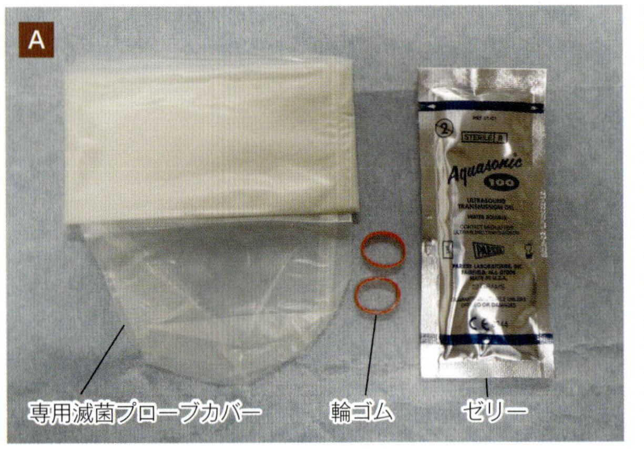

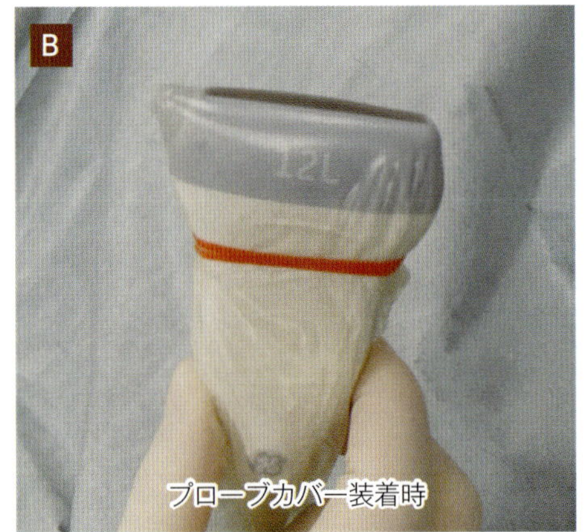

図6 プローブカバーの装着

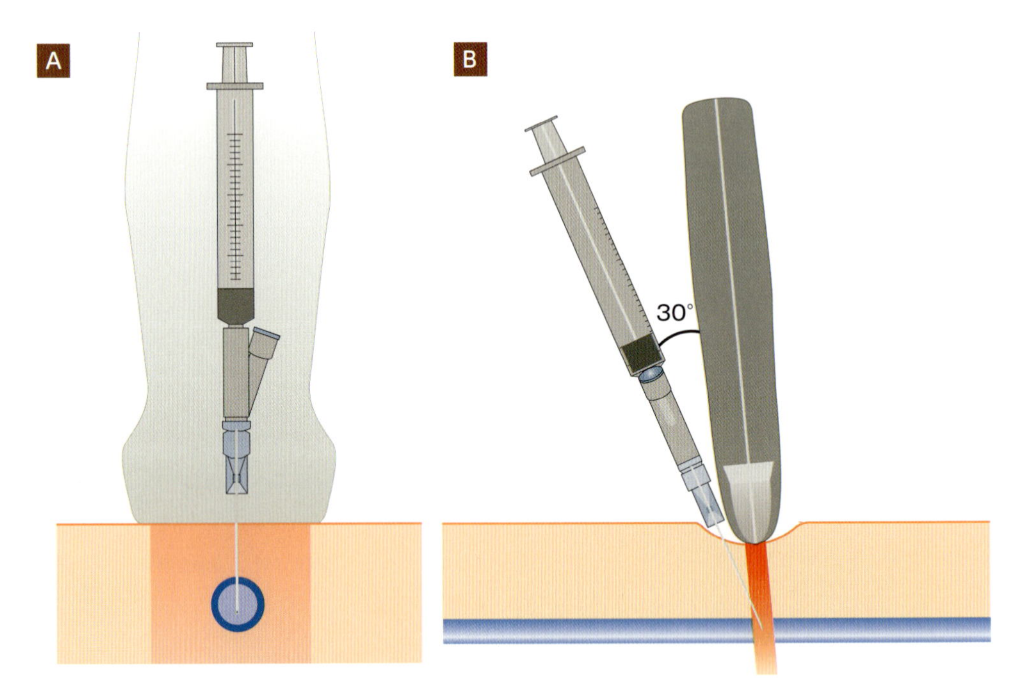

図7 プローブと穿刺針の位置関係

A：プローブ正中から軸がずれないよう穿刺.
B：プローブは皮膚に対して90°と垂直に保持．プローブと穿刺針の角度は30°程度が最適.
文献4より改変して転載.

す．超音波の走査線に針が近づくと，超音波の乱反射により針が描出されます（図8B）．針を血管前壁に接触させると，中央が凹み血管がハート型に描出されます（図8C）．針の先端が確認できたら，素早くスナップを利かせて血管前壁だけを上手に貫きましょう（図8D）．このほかにも超音波ガイド下穿刺にはいくつかの穿刺テクニックがあります[3]．得意なテクニックを身につけて血管前壁だけを確実に貫いてください.

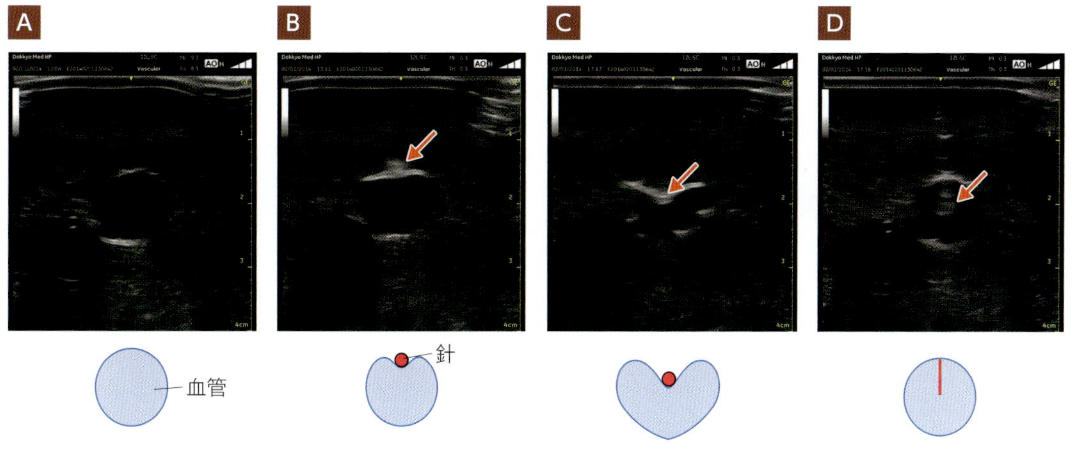

図8 穿刺時の血管変形（シミュレータによる右内頸静脈）

→は描出された針先.
A：皮下組織の動きを見て穿刺針の方向や深さを把握する．血管の変形はまだ見られない。
B：超音波の乱反射により走査線上に針先が近づくと白く描出される．
C：血管前壁に針先を接触させると中央が凹み血管がハート型に変形する．
D：素早くスナップを利かせ血管前壁を貫くと血管内の針先が描出される．

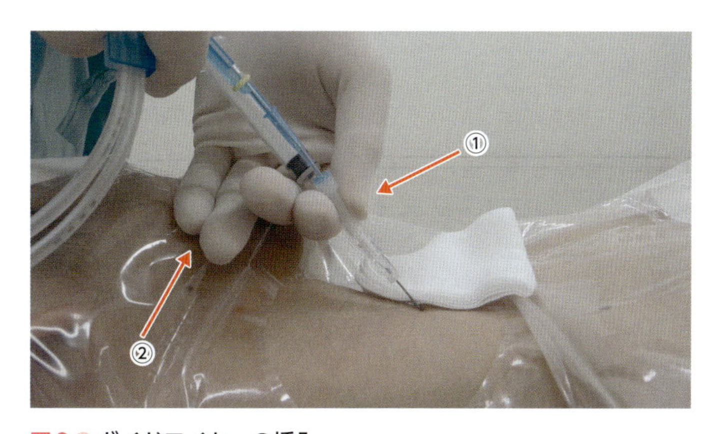

図9 ガイドワイヤーの挿入

① 挿入時に針先が血管外へ移動しないように片手でしっかりと穿刺針を保持．
② 穿刺針の保持を安定させるために手は患者の体の一部に固定させることがポイント．

ガイドワイヤー挿入と確認

シリンジを吸引し，静脈血のフラッシュバックを確認した後にガイドワイヤーを挿入します（図9）．挿入後は超音波で内頸静脈内のガイドワイヤーを必ず確認してください．

ダイレータの挿入

挿入したガイドワイヤーに沿って皮膚に小切開を加えます．切開が不要なダイレータもあるのでキットの取扱説明書は必ず目を通しましょう．ガイドワイヤーを介してダイレータを挿入してください．ダイレータを必要以上に深く挿入することは危険です．超音波で確認した穿刺部位から血管までの距離を参考に挿入しましょう．

● カテーテルの挿入

ダイレータを抜き，残したガイドワイヤーに沿ってカテーテルを挿入します．遠位端から出たガイドワイヤーは必ず保持し，カテーテル挿入と一緒に送り込まないように注意してください．

3）カテーテル挿入後

● 挿入後の確認

胸部X線写真を撮影し，カテーテル先端の位置，合併症の有無を確認してください．つないだ点滴が自然滴下するかどうかも確認しましょう．

3 よくあるトラブルと解決法

1）動脈穿刺をしてしまった！

リアルタイム超音波ガイド下で正しく穿刺した場合，理論上動脈穿刺をすることはありません．しかしながら正しいリアルタイム超音波ガイド下穿刺ができないと，誤って動脈に穿刺してしまう可能性はあります．誤って穿刺してしまった場合は，**とにかく圧迫止血をしましょう**．止血後も定期的に穿刺部位の確認をしてください．血腫が大きくなると圧迫により気道閉塞を引き起こすことがあります．動脈にダイレータを挿入してしまった場合には，外科的処置が必要となることもあります．

2）ガイドワイヤーが進まない！

穿刺がうまくいっても，ガイドワイヤーの挿入操作で穿刺針を進めてしまったり，抜いてしまったりすることがあります．穿刺針の先端が血管内から逸脱してしまうとガイドワイヤーは進まなくなります．**片手でしっかりと穿刺針を保持することがポイント**です（図9）．このとき，穿刺針の先端位置がずれないように注意しましょう．ガイドワイヤーの挿入時に抵抗を感じるときは血管外のことが多いので無理な挿入は控えましょう．

ここがピットフォール

ガイドワイヤーには挿入した深さがわかるようにマークがつけてあります．準備の段階で必ず確認してください．また，ガイドワイヤー挿入部から穿刺針の先端までの距離を確認しておくことも重要です（図10）．ガイドワイヤーを何cm挿入すると穿刺針の先端から出てくるのかを把握してください．

3）挿入中のガイドワイヤーが前にも後ろにも動かない！

挿入中のガイドワイヤーが穿刺針に引っかかり，操作不能になることがあります．無理に引き抜こうとすると穿刺針の先端でガイドワイヤーが切れて，血管内に残留してしまいます．**必ず穿刺針と一緒に抜去**してください．

4）ダイレータがうまく挿入できない！

ガイドワイヤーの弯曲がダイレータの挿入に影響します．スムーズに挿入するために，

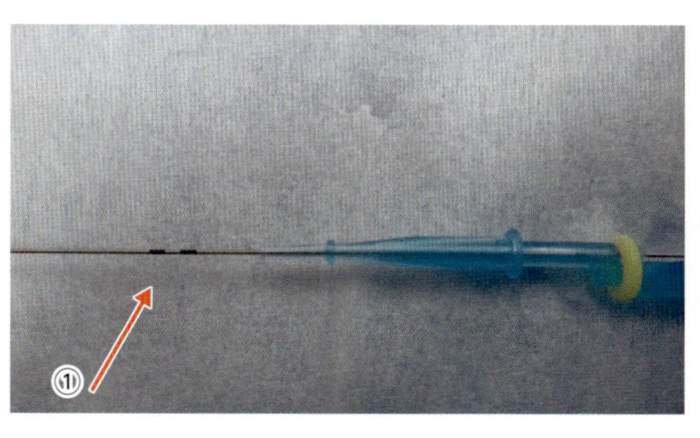

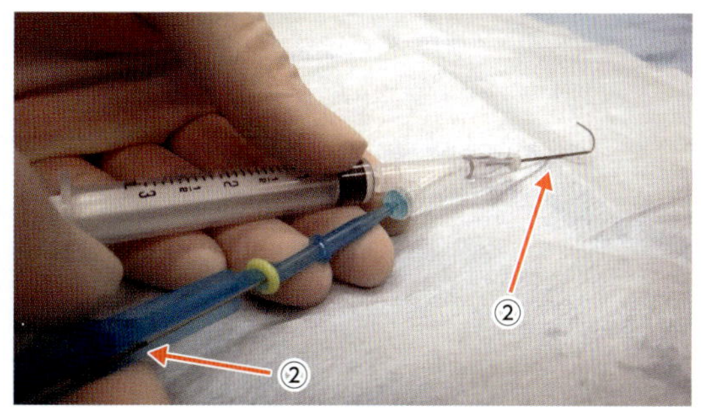

図10 ガイドワイヤーの事前確認
① 準備の段階でガイドワイヤーのマークを確認.
② ガイドワイヤー挿入部から穿刺針の先端までの距離とマークの位置を確認しておくことも重要.

ガイドワイヤーの自然な形状に沿うよう意識してください．皮膚切開の追加で挿入しやすくなる場合もあります．内頸静脈に挿入したつもりのガイドワイヤーが実は血管外にある可能性もあるので，**ダイレータ挿入前に必ず，超音波診断装置でガイドワイヤーの位置を再確認**してください．

5）不整脈が出はじめた！

ガイドワイヤーやカテーテルを深く挿入すると，不整脈を誘発することがあります．**準備の段階で目標とする深さを決めておきましょう**．不整脈が出てしまったら，挿入の深さを確認し，適切な位置まで迅速に引き抜いてください．

4 さらに進んだワザ

中心静脈カテーテル挿入の穿刺部位は，感染のリスクが少ない**鎖骨下静脈**が望ましいとされています．しかし鎖骨下静脈は穿刺中の合併症である**気胸**の頻度が高く危険と隣り合わせです．穿刺中の合併症を避け，より感染の危険性が少ない部位としてすぐそばの**腋窩静脈**が候補にあがってきます（解剖学的に，腋窩静脈は腋窩から第1肋骨遠位端までをさします）．安全な腋窩静脈穿刺は文献5を参照してください．

“危険手技”を安全に行うために

中心静脈穿刺はときに重篤な合併症を引き起こす危険手技の1つと考えられています．安全対策のためにCVラインセンターを開設し，専用の場所で専任者のみが中心静脈穿刺を行う施設もあります．また，施設に適した独自のガイドラインを作成し，登録医制度や免許制度を導入する施設もあります．しかしながら，すべての病院で安全な環境が整備されているわけではありません．自らの責任で中心静脈穿刺を成功させるためには十分なトレーニングが必要です．特にシミュレータを使用した実践的なトレーニングはトラブルを回避するためにも必須です．

図11 CVCセミナーの様子

おわりに

日本医学シミュレーション学会（http://jams.kenkyuukai.jp/about/）では，シミュレータを使った実践的なトレーニングコースであるCVC実践セミナーを全国で開催しています（図11）．また，指導者を養成することで正しい手技が普及するよう努めています．安全なリアルタイム超音波ガイド下穿刺のスキル習得のために，まずはセミナーへの参加をお待ちしております．

文献

1）田家 諭：§1アプローチ部位とその解剖，1-1内頸静脈．「ビジュアル基本手技シリーズ 必ず上手くなる！ 中心静脈穿刺」（森脇龍太郎，中田一之／編），pp38-41，羊土社，2007
2）医療安全全国共同行動技術支援部会：危険手技の安全な実施－中心静脈カテーテル穿刺挿入手技に関する安全指針の策定と順守．「医療安全実践ハンドブック」，pp81-100．2015
3）松島久雄：超音波ガイド下中心静脈穿刺のベーシック．「成功につながる！ 中心静脈穿刺ビジュアルガイド」（杉木大輔／編），pp10-27，羊土社，2021
4）鈴木利保：§3エコーガイド下の穿刺法，3-1内頸静脈．「ビジュアル基本手技シリーズ 必ず上手くなる！ 中心静脈穿刺」（森脇龍太郎，中田一之／編），pp68-73，羊土社，2007
5）松島久雄，他：鎖骨下…じゃないよ！ 腋窩静脈からの中心静脈穿刺．「レジデントノート：あてて見るだけ！救急エコー塾」（鈴木昭広／編），pp1289-1295，羊土社，2012
6）中心静脈穿刺合併症　専門分析部会：再発防止に向けた提言と解説．「中心静脈穿刺合併症に係る死亡の分析」（一般社団法人　日本医療安全調査機構／編），pp12-23，一般社団法人　日本医療安全調査機構，2017

9 末梢挿入型中心静脈カテーテル（PICC）挿入

岡野　弘，徳嶺譲芳

- PICCを正しく理解する！
- PICCの最大の敵は，深部静脈血栓！
- 穿刺部位は上腕の尺側皮静脈で，超音波ガイド下で挿入する！
- 末梢神経損傷に注意！
- カテーテルの迷入を防ぐ工夫が必要，できれば透視検査を使う！
- PICCの適応は長期留置にあるが，患者ごとにその適応を慎重に検討する！

はじめに：PICCを正しく理解する！

PICCって何でしょう？ PICCは末梢挿入型中心静脈カテーテル（**P**eripherally **I**nserted **C**entral **C**atheter）のことですが，それだけで理解したつもりになってはいけません．というのも，PICCという用語を使ったとき，人によって全く違うものを想像してしまうからです[1)]．理由は歴史にあります．PICCの歴史は古く，実は最も古くからある中心静脈カテーテルと言えます．後にノーベル生理学・医学賞を受賞したWerner Forssmannは，1929年に右心カテーテルとして，自らの左腕からカテーテルを右心房まで挿入しました[2)]．これが中心静脈カテーテルの始まりであり，その挿入経路は現在ではPICCと分類されています．だから何なんだって思うかもしれませんが…．歴史が古いだけに，本邦にはPICCの第1次ブームと第2次ブームがあるのです．

第1次ブーム当時のPICCは，**肘関節**近辺で，**肉眼**で尺側皮静脈を確認し，そこに外筒針を留置してカテーテルを留置しました．末梢静脈穿刺ができればイイだけなので簡単，中心静脈穿刺のように致死的合併症（動脈誤穿刺による出血，血気胸によるショック）などがないから安全！ という謳い文句でPICC製品が販売されたのですが，実際に使ってみると，カテーテルは入らないわ，迷入するわ，しまいには血栓ができて腕が腫れ上がったり肺梗塞が起こったりと不都合が続発しました．これにより第1次ブームは終焉しました．

第1次ブームの経験者は現在50～60歳，つまり病院の部長・病院長クラスで決定権がある世代．まず，この人たちがPICCを誤解しています．

第2次ブームは現在です．本邦で見向きもされなかったPICCは海外で成長していました．その背景は，薬物依存症の患者や中心静脈ラインの自宅での使用です[3]．つまり，末梢静脈路が確保できない患者や抗菌薬の持続投与を外来通院で行うためのニーズがPICCを育てたのです．製品がよくなったので，PICCの静脈内留置の成功率は格段に改善しました．そして今，本邦ではPICCを挿入するとき，昔流行った方法と最新の方法の2つが混在しています．これが本邦の現状なのです．

本項では，最新の方法について解説します．

1 PICCの最大の敵は，深部静脈血栓！

2013年Lancet誌に，PICCは他の中心静脈カテーテルに比べ高率に深部静脈血栓を発生する（オッズ比2.55）というメタアナリシスが掲載されました[4]．深部静脈血栓は肺塞栓という致死的合併症を起こします．この総説はPICCのブームを一挙にクールダウンさせましたが，PICCの理解が進んだわけでありません．というのも，海外で否定されている肘関節近辺の尺側皮静脈を肉眼的に穿刺する方法が本邦では未だに行われているからです….

まずここで，どうして深部静脈血栓が発生するのか考えてみましょう．血栓は血流が淀むと発生します．つまり，カテーテルが血流を阻害すると血栓が発生するという機序です．末梢静脈にカテーテルを挿入して血栓が発生するのは，十分太い静脈を選ばなかったのが原因です．細い静脈にカテーテルを無理やり入れたから血栓ができたわけです．だったら末梢静脈ラインはすべて静脈を血栓化し詰まらせてしまうのではないか？ そういった疑問が起こります．当然ですね．ですから最近の静脈留置針は細くて短いのです．年配の医者に聞いてみるとわかります．「昔は太くて長い静脈留置針を使っていたものだ．静脈の1つや2つが潰れたって平気だ．だって昔は若くて元気な患者しか手術しなかったしね…」．

PICCを正しく理解していない医師による合併症が急増しています．がん患者の術前にPICCを挿入して深部静脈血栓を発生させたため手術が延期になったり，ICUで重症患者にPICCを行ったところ蜂窩織炎を起こして患者の状態をさらに悪化させたり…と，全く困ったことです．

2 穿刺部位は上腕の尺側皮静脈で，超音波ガイド下で挿入する！

腕の太い静脈には，尺側皮静脈，撓側皮静脈，上腕静脈などがあります（図1）．このうちでPICCに最も適しているのが**尺側皮静脈**です[5]．あれ，結局尺側皮静脈，だったら同じじゃない．その通り，おなじみの尺側皮静脈です．けれど，自分の腕をよく見てください．肘関節で見えていた尺側皮静脈は上腕では深部に潜ってしまい，肉眼ではどこにあるのかわかりません．このため**超音波ガイド下**で穿刺します．稀に痩せた患者では上腕の中ほどでも肉眼で尺側皮静脈が見える患者がいます．そんなとき超音波は使いません．必要ないですからね．

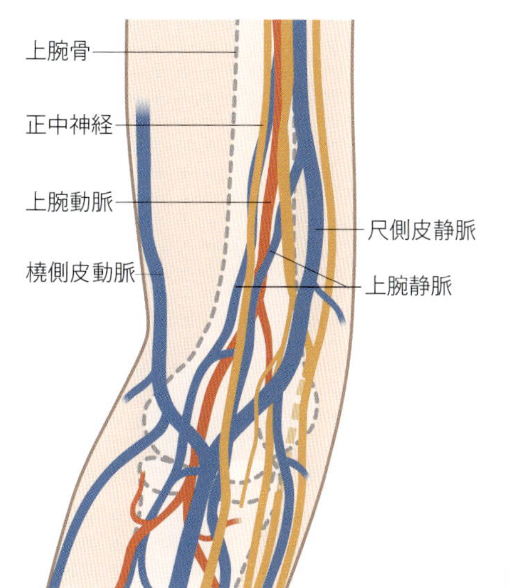

図1 上肢の血管走行

橈側皮静脈は肩に近づくにつれ細くなることがあります．また，前胸部で腋窩静脈と合流するときの角度が大きいため，カテーテルが腋窩静脈の対側の壁に当たって進まなくなることがあります．上腕静脈は基本狙いません．なぜなら正中神経が近くにあるからです．神経障害を起こしては元も子もないですから….

3 手技の基本手順

1）体位

患者の体位は仰臥位で，上肢は外転位が基本です．できれば，90°近い外転位がよいのですが，高齢の患者では関節が拘縮していることが多いので，あまり無理はしません．上肢の外転には意味があります．外転することで鎖骨下静脈と内頸静脈の角度が変化し，カテーテルが頭側に行くのを防ぐ効果があります．

2）プレスキャン（preprocedural scan：prescan）

消毒を開始する前に，①尺側皮静脈の位置と，②PICCに適しているかを判断しなければなりません．

● 尺側皮静脈の位置の確認

まず，プローブを上腕の内側筋間中隔に当てます．そこで拍動しているのが上腕動脈です．上腕動脈には伴走する2本の静脈（上腕静脈）があります．上腕動脈の周りには白い塊があり，それが神経（正中，尺骨および橈骨神経）です（図2）．普段からこれらの神経に見慣れておくことが重要です．以上を確認してプローブを尺側に振っていきます．

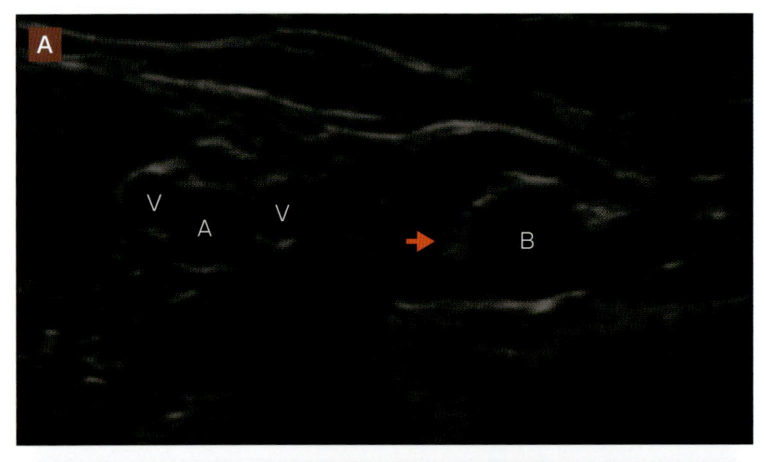

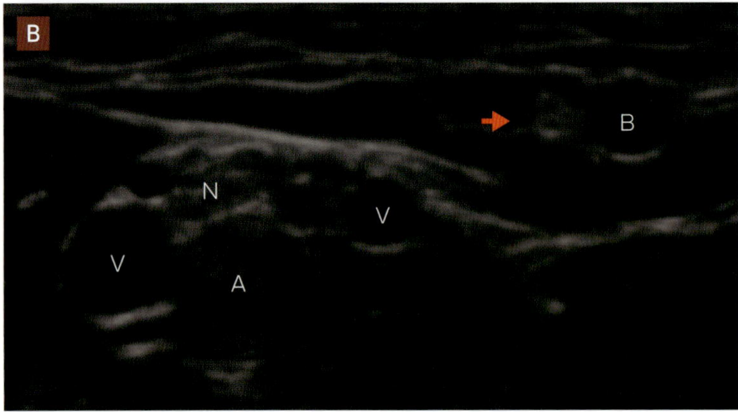

図2 Sonoanatomy
A：上腕動脈，V：上腕静脈，B：尺側皮静脈，N：正中神経，➡：上腕内側皮神経
上腕内側皮神経は，通常尺側皮静脈に接して存在します．Aでは，側壁に小さな上腕内側皮神経が接しているが，Bでは比較的太い上腕内側皮神経を認めます．PICCに適した尺側皮静脈はAであることがわかります．Aでは上腕動脈の周りの神経が見えにくいが，Bでは正中神経の存在が明らかです．

ここがピットフォール　プローブは皮膚に押つけすぎない

コツはプローブを皮膚に押し付けすぎないことです．静脈が潰れて確認できなくなるからです．初心者は，腕の付け根に駆血帯を巻いてから観察を始めるのをお勧めします．静脈が拡張して観察しやすくなります（もちろん，穿刺のときも基本は駆血帯をして静脈を拡張させます）．駆血帯を巻くと静脈が緊満し圧迫しても潰れなくなるので動脈のように見えることがあります．また，駆血帯をしているとカラードップラーでも当然血流は確認できないので，驚かないように！ 駆血帯を外せば血流が確認できます．

尺側皮静脈が確認できたら，尺側皮静脈の周り，特に内側をよく観察しましょう．すると，白いゴマ粒のようなものが見えることがあります．これが上腕内側皮神経です（図2➡）．上腕内側皮神経を刺してしまうと，当然ですが神経障害が起こります．

column

PICCで起こる神経障害

古典的なPICCの穿刺では，さらに神経障害のリスクが上がります．肘関節の近くでは，上腕内側皮神経が尺側皮静脈の上を乗り上げるように走行したり，背側を走行したりするためです．刺した瞬間に電気が流れるような痛み（電撃痛）があれば要注意．しばらく様子をみて，ビリビリした感覚（放散痛）が持続するなら，さっさと外筒を抜いてしまわなければなりません．例えそれがやっと入ったラインだとしても…．

看護師は学校で肘関節の尺側では絶対に採血はしないと教わります．当然ですね．

上腕中部では，上腕内側皮神経はたいてい尺側皮静脈の側壁に接するように存在します．超音波で尺側皮神経に触れないように静脈を穿刺してください．その技術がなければ，PICCを行う資格はありません．

● PICCに適した静脈か判断

尺側皮静脈がPICCに適しているか判断するポイントは2つあります．

第1に（駆血帯を巻いてない仰臥位で）太さが径3 mm以上[6]あること．これは，シングルルーメンのPICCのサイズが通常3 Frで，このカテーテルが入っても静脈の断面積の大部分は開存し血流が維持されます．カテーテルが静脈の断面積の45％以上だと血流が急速に落ちて血栓が発生するとされています．PICCのダブルルーメンやトリプルルーメンは太いので血栓のリスクが高くなります．

第2は血管の走行です．屈曲していると刺しにくいですし，どんどん太くなっていくならよいですが逆に細くなるのは要注意です．ではその尺側皮静脈がPICCに適しているかの判断に，中枢側に向かうにつれて太くなる，上腕静脈と合流するといった点が重要です．とても細く，上腕静脈と合流しないなら，ガイドワイヤーが挿入できても，うまく進まないことが多いので，そのような尺側皮静脈は選ばないことです．

3）消毒と感染防御

消毒は，1％クロルヘキシジン・アルコールかポビドンヨードを使います．もちろん，マキシマルバリアプリコーションで行いますが，PICCで特に注意すべき点は，できるだけ大きな滅菌ドレープを使うことです．理由は，PICCが内頸静脈カテーテルなどに比べると非常に長く，ガイドワイヤーやカテーテルが操作中に清潔野から出てしまいがちになるからです．つまり，不潔になりやすいのです．

4）穿刺

超音波ガイド下でリアルタイムに穿刺を行います．テクニックは，「中心静脈穿刺（**第1章-8**）」を参照してください．しかし，超音波ガイド下中心静脈穿刺の手技をそのままPICCに当てはめることができるわけではありません．PICCには特別な注意が必要です．それは，尺側皮静脈が細くて浅いところにあるという点です．

まず，超音波ガイド法の基本であるスキャンを行ってみます．すると，sweep scan techniqueはよくわかるのに，swing scan techniqueはあまりはっきりしないことに気がつきます．これは，静脈のサイズが小さいため，swing scan techniqueがうまくいかなかったときに起きる「静脈が変形して見える」という現象をとらえ難いからです．このため，

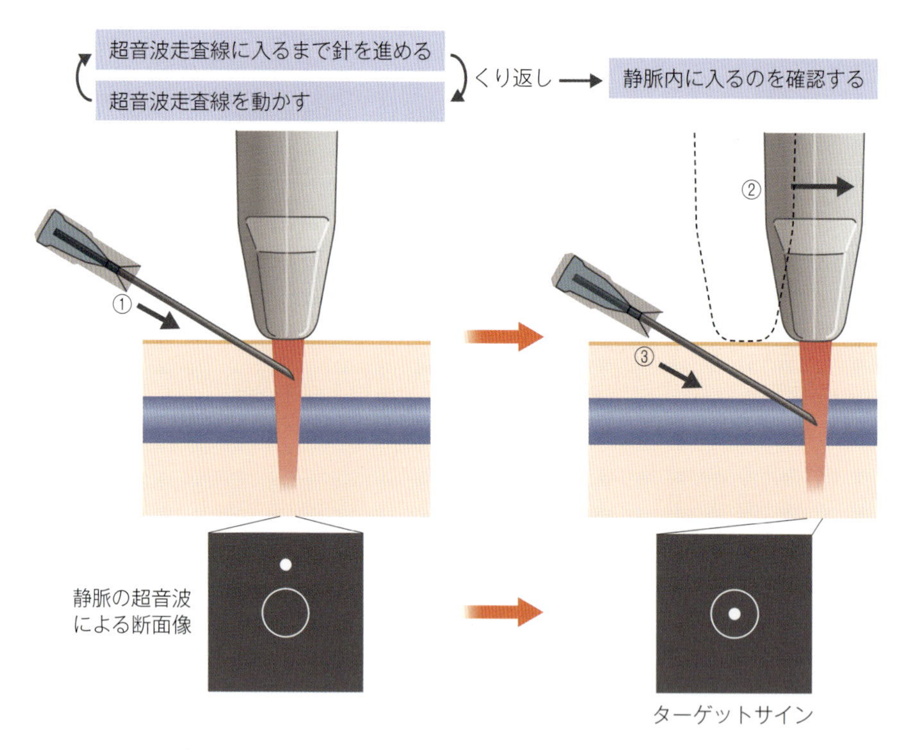

図3 超音波ガイド下PICCの手技
PICCでもスキャンは重要です．sweep scan techniqueを行って血管走行を確認し，穿刺した針が標的静脈の近くに着地できるようにします．
穿刺では，穿刺角度をできるだけ小さくして，カニュレーションしやすくするのがコツ．このため，針がゆっくり標的静脈に近づくように運針します．穿刺針が超音波走査線に入ったら，針の動きを止め，超音波走査線を先に進めて，針が超音波走査線内に入ってくるのを待ちましょう．超音波走査線と針の関係は，尺取虫の前足と後足のような関係となります（inchworm technique）．針が静脈内に入ったら，針先と静脈壁で的のような形になるようにします（ターゲットサイン）．

swing techniqueはPICCではあまり有用ではありません．sweep scan techniqueだけで血管走行を把握するしかないので，針を誘導するのが難しくなります．血管走行なんて気にしなくてイイじゃないか，単に静脈に当てればイイのでは？という考えをもつ人は，上手にはなれません…．PICCは所詮，ちょっと深いところにある末梢静脈なので，**血管走行に対してまっすぐ**刺さないとカニュレーションできません！ 血管走行を無視して刺す人は，静脈を傷つけて出血させるだけです．「カニュレーション」という概念こそが大切なのです．

次に，径が細いということは，末梢静脈穿刺のようにできるだけ**緩やかな**（小さなというべきか）**角度**で穿刺を行うとカニュレーションがうまくいきます．そんなことわかっているという人でも，超音波のプローブを持つと何となく内頸静脈穿刺のように針を立てて刺してしまいがちです…．こう考えてみると，図3のテクニックがPICCに好都合だということが理解できるでしょう．

5）局所麻酔

局所麻酔は重要です．もちろん患者に痛みを感じさせないのはよいことですが，血管攣縮（venous vasospasm）を防ぐことが主な目的です．駆血帯をしていても血管攣縮は起きます．穿刺しているときに血管攣縮が起きると穿刺が難しくなります．ただし，あまり大量に局所麻酔を行うと静脈が潰れ深くなってしまいます．このとき私は，皮膚をよく揉むことにしています．そうすると局所麻酔薬が組織に浸潤し，深くなっていた静脈が元の位置に戻ってきます．もちろん鎮痛にも有効です．ただ，揉まないでそのまま穿刺を行う術者もいます．これは，超音波診断装置の構造上，リニアプローブでも皮下の浅いところの情報を得にくいためです．局所麻酔薬を多めに注入し，静脈をわざと深くすると静脈を綺麗に描出できます．また，皮下脂肪が多い患者でも，透明な局所麻酔薬の溜まりの中では，針先の描出が容易になります．

局所麻酔薬（通常，1％リドカイン）は少なめで1 mL，多めで3 mL程度用います．当然ですが，シリンジ内の空気の泡を完全に抜いてから使って下さい．空気を皮下に注入してしまうと，何も見えなくなってしまうので…．

6）カテーテルの種類と特徴

PICCのカテーテルは，2種類あります．シリコン製とポリウレタン製です．

シリコン製は生体適合がとてもよいので長期留置に適しています．しかし，シリコンは長期留置で切れてしまうことがあるので要注意です．先端がバルブ構造になっているため血栓ができ難いという利点があります．カテーテルの挿入自体はガイドワイヤーを使わないためやや難しいでしょう．カテーテル内部に細い金属のスタイレットが入っていて，「取扱説明書」を読んでいない術者が時々切断してしまい事故の原因となっています．読者の皆さんは取扱説明書をよく読んでから使ってくださいね．

ポリウレタン製は，ガイドワイヤーを使ったSeldinger法なので挿入が容易です．最近はヘパリンをコーティングした製品も出ているので，血栓がつき難くなってきました．

7）カテーテルの挿入長

一番よい方法は，前もって静脈の走行に沿ってメジャーで計測しておくことです（つまり，予測刺入部～内側上腕筋間中隔と体幹の付け根～鎖骨の内側1/3のポイント～第3肋間）．ガイドワイヤーの刺入後なら，カテーテルを静脈の走行に沿って重ね合わせておおよその距離を測ります（このためにも滅菌ドレープは上半身を覆うぐらい大きめをお勧めします）．通常，30～40 cmが平均的な挿入長です．

カテーテルは動く！

中心静脈カテーテルを透視下で挿入した経験があるとすぐわかりますが，カテーテルは動いています．血流ではためいているというより，呼吸で上下に動いているように見えます．これは呼吸による胸郭の動きで，カテーテル先端の位置が深くなったり浅くなったりするのが原因です．しかし，PICCではそれ以外にもカテーテルが動く理由があります．それは，腕の動きです．腕が動くとカテーテルが深くなったり浅くなったりします．ですから，良肢位で最適な深さになるようにしてください．

PICCがどんなに生体に優しい材質でできていても，長期留置でカテーテル先端が静脈壁を損傷することがあります．ですから，心タンポナーデを防ぐためにも，カテーテル先端が心膜翻転部（胸部X線では，おおよそ気管分岐部）よりやや頭側にあるのがよい位置です．ただし，透視下で挿入したPICCの先端がはためいているのを見たら，先端を右房まで挿入してください（右房の上1/3まで挿入可）[6]．カテーテルの反転を防ぐためです．柔らかいPICCならではの裏技です．

8）カテーテルの位置確認：透視検査それとも胸部X線撮影？

● PICCの挿入は原則透視下で

PICCの挿入は透視下で行う方が有利です．理由は，PICCは挿入長が長いのであちこちの静脈の枝に迷入しやすいからです．代表的な迷入血管に胸背静脈や内頸静脈があります．透視検査を使わないでカテーテル挿入後胸部X線撮影で迷入が判明したら，患者にもう1回穿刺させてもらうという手間がかかるだけでなく，費用も馬鹿になりません．なぜならPICCは他の中心静脈カテーテルの倍の値段はするからです．しかも，迷入しやすい静脈は2回目も同様に迷入してしまうことが多いものです．原則は透視下です．しかし，透視室がいっぱいで使えない状況や，患者が重症でできるだけ移動させたくなかったら，テクニックを駆使するしかありません….

● 超音波での静脈内カテーテルの確認方法

超音波で静脈内のカテーテルを確認します．ここでは右の上腕尺側皮静脈からカテーテルを挿入した場合を解説することにします．まずは，刺入部の上腕尺側皮静脈，そして前胸部の腋窩静脈，ここでカテーテルが消えていたら胸背静脈への迷入を疑います．さらに鎖骨下静脈が鎖骨の下に潜る手前まで観察し，今度は，鎖骨のすぐ頭側に鎖骨に並行にプローブをおき，鎖骨の下を覗くように鎖骨下静脈を観察します．プローブをそのまま内側，つまり頸部に滑らせていくと，内頸静脈と鎖骨下静脈の合流部まで観察できます．もし，内頸静脈に迷入していれば，この時点で判明します．それより中枢側での迷入は超音波では確認できません．例えば，対側の腕頭静脈や奇静脈への迷入は，超音波が届かないので観察不能です（これらの迷入は胸部X線で判明します）.

奇静脈への迷入

奇静脈は上大静脈の中ほどで，背側へ分岐しています．つまり，胸部X線正面像では，上大静脈に正しく入っているように見えます．また，奇静脈はやや太い場合が多いので，「カテーテルの先端が壁当たりして逆血が引けないことで迷入に気がつく…」などということも起こりにくい静脈です．この稀な迷入は実際のところ最後（カテーテル抜去）までそのまま気がつかずにいることが多いのではないかと思います．

しかし，時にカテーテル先端が静脈壁を穿通し胸腔内への輸液（水胸）を起こします．というのも，カテーテル先端が背側に向かった分だけカテーテルの挿入長が短く見え，術者が適切な挿入長にするためにカテーテルをさらに挿入すると，カテーテル先端が，奇静脈からさらに分枝した肋間静脈にはまり込んでしまうからです．そうなると，狭く血流の少ない細静脈に楔入したカテーテルは，静脈壁を容易に穿通してしまうのです．診断は，胸部X線側面像（左→右）やCTで行います．

透視検査を使わない場合

透視検査を使わない場合はカテーテルの走行する範囲すべてを消毒するか透明ドレープで覆い，超音波で観察できるようにします（透明ドレープは皮膚に押し付けると超音波を妨げない）．また，X線撮影後もカテーテルの操作ができるように，撮影前に術野を滅菌ドレープで覆うとよいでしょう．

9) PICC留置のトレーニング

超音波ガイド下のPICC挿入シミュレーショントレーニングが，成人患者の成功率上昇，処置時間の軽減，カニュレーション試行回数軽減となることがシステマチックレビューにより示されています[7]．中心静脈カテーテル（CVC）と比べてPICC挿入は対象血管がずいぶんと細くなるので十分なトレーニングが必要です．

4 PICCの適応は長期留置にある！

PICCの適応範囲は広く，おそらく，ほとんどのCVCはPICCに置き換えることができます[8]．

ただし，血栓のリスクを考えると，ダブルルーメンやトリプルルーメンのような太いカテーテルは使わないことをお勧めします．当然ですが，血液浄化のブラッド・アクセス（venous access）は，太すぎて尺側皮静脈から挿入できません．

また，腎機能の悪い患者にも挿入を控えた方が賢明です．将来的に透析療法を受ける可能性の高い進行性の慢性腎臓病患者や，すでに血液透析を受けている患者では避けるべきでしょう．

PICCの適応としては，日本と海外では使用方法に違いがあります．近年，日本では超高齢社会が進むにつれ施設でのPICCで栄養をする患者が増加しています．海外では定期的に抗がん薬投与などを行う外来化学療法での使用頻度が高いです．また，担がん患者は血栓ができやすいので注意が必要です．

PICCの適応は以上を考慮して柔軟に選択します．簡単にいうと患者のリスクベネフィットを考慮してほしいのです．最近まで，PICCはカテーテル関連血流感染の発症率が低いから易感染性の患者ではファーストチョイスだと言われていました．確かにPICCは発症率が低いのですが，実は鎖骨下静脈カテーテルより低いというエビデンスはありません．しかしそれでも，PICCの長期留置における信頼性は高く魅力的です．一方で，海外ではPICCの適応を超えた乱用が問題になっています[9]．末梢静脈路が取り難いぐらいでPICCを行ってはいけません．それよりも，超音波ガイド下で前腕の末梢静脈を確保する手技のトレーニングに励みましょう．

Column

腹臥位療法中のPICC

2021年現在，新型コロナウイルスの猛威はとどまるところがありません．重症呼吸不全に対して腹臥位療法を施行することが標準治療となっていますが，腹臥位療法により，臥床時間が長くなると，頸静脈脈，鎖骨下静脈，大腿静脈など従来の使用されてきた中心静脈へのアクセスができなくなることがあります．腹臥位療法施行中のPICC確保の症例も報告[10]されてきており，今後さらにPICCは広まっていくように思われます．

文献

1）徳嶺譲芳：PICCは有用か？ 麻酔科医にPICCを勧める理由．LiSA, 21：95-98, 2014

2）諏訪邦夫：PICCの歴史 Forssmannの挑戦．LiSA, 21：100-101, 2014
▲ ノーベル賞を受賞したForssmannの歴史的偉業の物語．

3）Nicholson J：Development of an ultrasound-guided PICC insertion service. Br J Nurs, 19：S9-17, 2010
▲ PICCがどのように現代的になったのかの背景を解説．

4）Chopra V, et al：Risk of venous thromboembolism associated with peripherally inserted central catheters: a systematic review and meta-analysis. Lancet, 382：311-325, 2013
▲ PICCによる深部静脈血栓のリスクについての詳説．

5）Simcock L, et al：No Going Back：Advantages of Ultrasound- Guided Upper Arm PICC Placement. The journal of the association for vascular access, 13：191-197, 2008
▲ PICCの最適穿刺部位に関して詳説．

6）Pittiruti M, et al：ESPEN Guidelines on Parenteral Nutrition: central venous catheters (access, care, diagnosis and therapy of complications). Clin Nutr, 28：365-377, 2009
▲ 栄養のガイドライン．

7）Jørgensen R, et al：Education in the placement of ultrasound-guided peripheral venous catheters: a systematic review. Scand J Trauma Resusc Emerg Med, 29：83, 2021
▲ 超音波ガイド下PICC挿入トレーニングのシステマチックレビュー．

8）Johansson E, et al:Advantages and disadvantages of peripherally inserted central venous catheters（PICC）compared to other central venous lines: a systematic review of the literature. Acta Oncol,52：886-892, 2013
▲ PICCの長所と短所についての詳説．

9）Woller SC, et al：The Michigan Appropriateness Guide for Intravenous Catheters (MAGIC) initiative: A summary and review of peripherally inserted central catheter and venous catheter appropriate use. J Hosp Med, 11：306-310, 2016
▲ PICCの使用制限について現代の考え方を示している．

10）Kelly L, et al：Placement of a Peripherally Inserted Central Catheter in a Prone Patient With COVID-19: Feasibility and Case Report. J Infus Nurs, 44：199-202, 2021
▲ 腹臥位中のPICC確保の症例報告．

10 腰椎穿刺

森本康裕

- 腰椎穿刺は髄膜炎などの確定に行う
- 頭蓋内圧亢進や出血傾向のある患者では禁忌
- 脊髄くも膜下麻酔と腰椎ドレーンを行う際に応用できる手技である

1 適応

髄膜炎，脳炎，くも膜下出血の疑い，細菌性髄膜炎を疑ったらすみやかに施行します．

2 禁忌

- **頭蓋内圧亢進状態**（脳ヘルニアの危険）
- **出血傾向**
- **抗凝固薬・抗血小板薬内服中**（硬膜外血腫の危険）
- **穿刺部位の感染**（髄膜炎の危険）

3 穿刺の前に

1) 準備するもの

- **腰椎穿刺針（スパイナル針，21～23 G：70 mm）**〔針の太さとG（ゲージ）については**第1章-総論**参照〕

  ※太いと穿刺後に低髄液圧症候群を起こすリスクがありますが，細すぎる針は逆流が悪く脳脊髄液の採取や圧測定に時間がかかります．長さはほとんどの症例で70 mm程度で十分です．

2) 解剖

穿刺の前にまず解剖です．皮膚から脊髄までは，**皮膚→皮下組織→棘上靭帯→棘間靭帯→黄色靭帯→硬膜外腔→硬膜→くも膜→くも膜下腔**と続いています（図1）．

3) 模型でみる腰椎の構造

次に腰椎の模型を見てみましょう．図2は腰椎を背側から見たものです．両側の上前腸骨稜を結んだ線（—）はL4の椎体を通ります．棘突起と棘突起の間にはほぼ骨はなく，棘突起間を穿刺すれば脊髄くも膜下腔へ到達できることがわかります．模型では脊髄がみえますが，成人ではL1～2で脊髄は終わっています．

図3は側面です．腰椎の棘突起はほぼ垂直でわずかに尾側へ傾斜しています．したがって穿刺針は皮膚に垂直か軽度尾側へ倒せばよいことがわかります（図3↓）．また棘突起間を広げて穿刺を容易にするには背中を丸めた姿勢が必要になります（図3↔）．

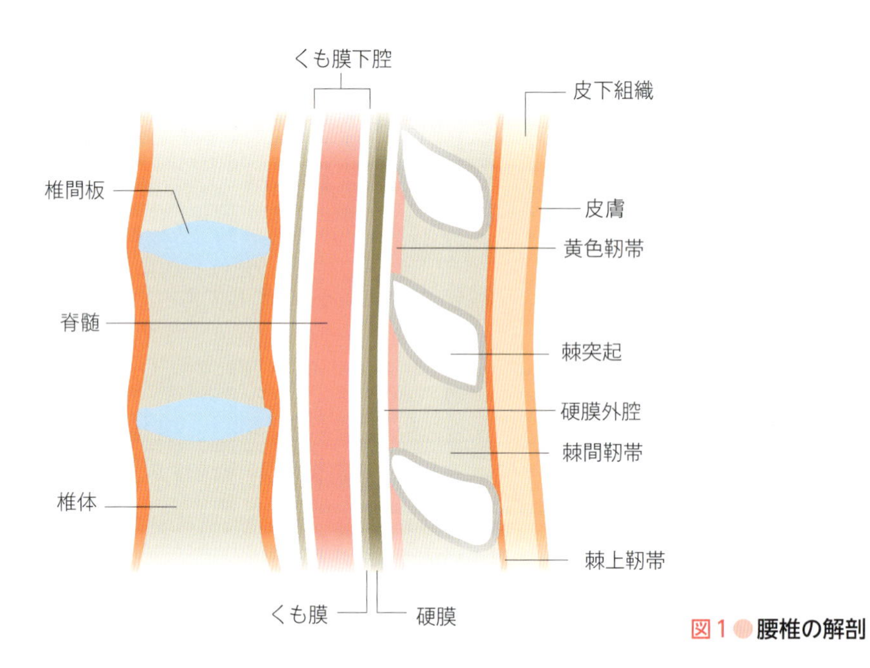

図1 腰椎の解剖

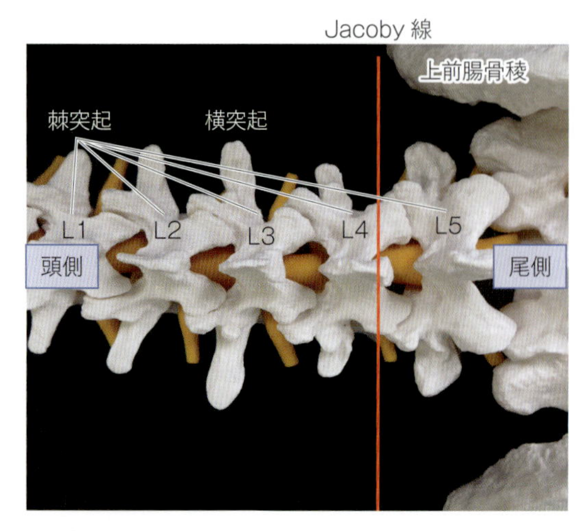

図2 腰椎の模型（背側からみた場合）

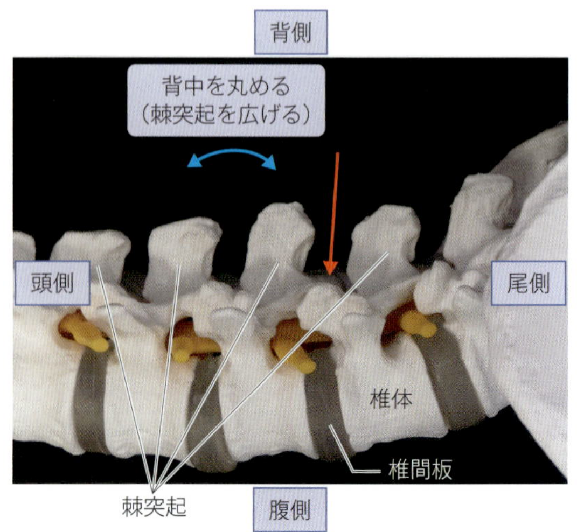

図3 腰椎の模型（側面）

4 穿刺の実際

1) インフォームドコンセント

まず，手技について患者に説明し，同意を得ます．**内服薬**を確認するのと，血液検査で**出血傾向**をチェックします．頭蓋内圧亢進や出血傾向のある患者では禁忌です．

2) 体位

側臥位（図4）が基本ですが坐位（図5）でも可能です（肥満患者では坐位の方が容易な場合があります）．側臥位は，ベッド上で膝を抱えて，背中を丸くした姿勢にします．**可能な限り背中を丸くする**のと**体がベッドに垂直**になっているのがポイントです．

3) 穿刺部位

通常腰椎の**第4-5腰椎間**（L4/5）あるいはその前後，**3-4腰椎間**（L3/4）か**第5-仙骨間**（L5/S）で行います．上位の腰椎ではくも膜下腔に脊髄が存在するので避けます．

穿刺の目安になるのは両側の腸骨稜を結ぶJacoby線です（図6）．Jacoby線は通常L4椎体上を通りますので，この線の尾側の棘突起間はL4/5となります（図1）．肥満患者では皮下組織が厚くなるのでJacoby線を目安にすると1つ上の棘突起間となる可能性があります．正確な穿刺部位の決定にはX線透視装置や超音波の使用が必要です（100ページの**さらに進んだワザ**参照）．

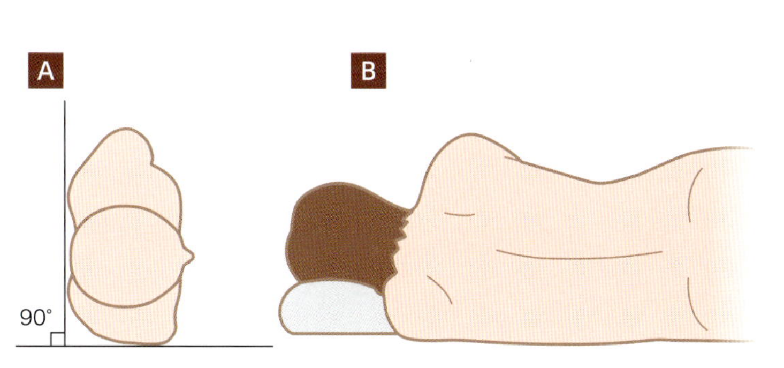

図4 側臥位
A：頭側から見たイメージ．体がベッドに対して垂直になるようにする．
B：背側から見たイメージ．

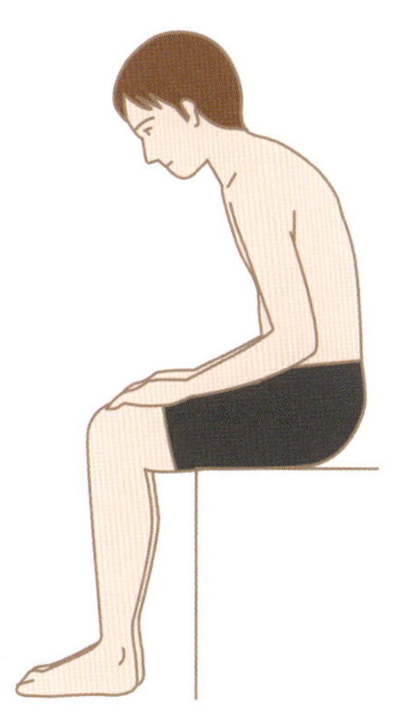

図5 坐位

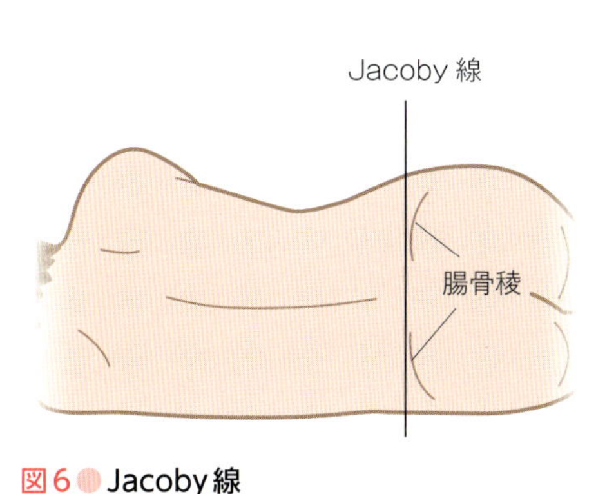

図6 Jacoby線

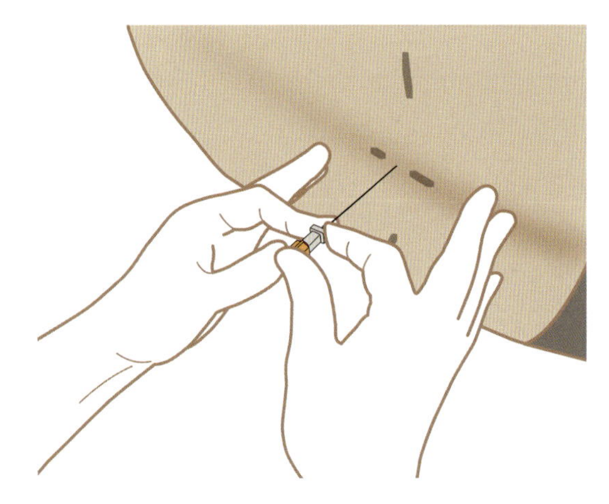

図7 穿刺中の針の持ち方

4) 穿刺

患者の正中で棘突起間のほぼ真ん中を穿刺します．操作中手元を安定させるため椅子に座って穿刺するとよいでしょう．

❶ 穿刺部位を中心に広範囲に消毒後穿刺部の皮下に局所浸潤麻酔をする

❷ 穿刺針を正中からずれないように穿刺する

穿刺針を利き手で持ち，反対の手の人差し指と中指で皮膚を押さえて，その中を穿刺するとずれにくくなります．

❸ 2 cmほど刺入したら，患者の尾側から針の刺入方向を見て，体に垂直に穿刺していることを確認する

斜めに穿刺していたら針を皮下まで抜き，刺入方向を修正します．

❹ 針の内針を抜き，髄液の逆流を確認する

❺ 逆流がなければ内針を入れて，さらに2 mm程度進め，再度髄液の逆流を確認する

この操作を針先が骨に当たるか，髄液の逆流が確認できるまでくり返します．穿刺針は両手で針を保持してゆっくり進めていきます（図7）．

ここがピットフォール　骨に当たってしまう場合（図8）

浅い場所で骨に当たる場合は，棘突起に当たっていることが考えられます（図8①）．刺入角度をやや尾側に寝かせて再穿刺します（図8②）．寝かせすぎると上の棘突起に当たってしまいます（図8③）．

深い場所で当たる場合は，椎間を外れて，椎弓に向かっていることが考えられます（図9①，②）．刺入部位と刺入角度を再確認し，修正します（図9）．

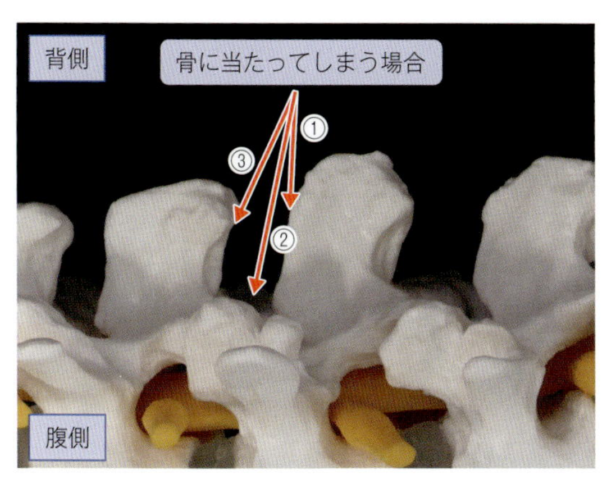

図8 浅い部位で骨に当たる場合の針の修正
→：針の進行方向

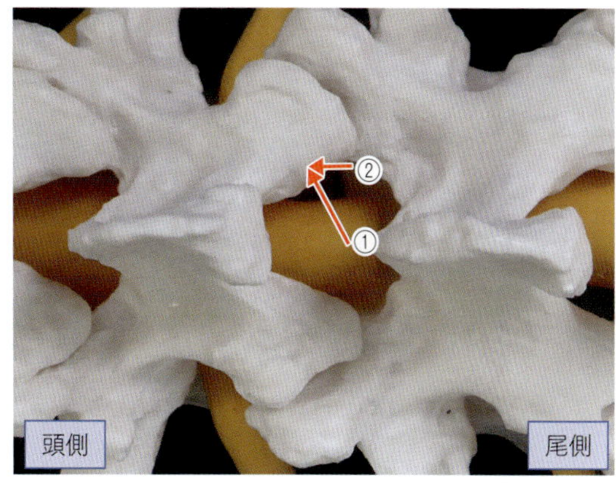

図9 やや深い部位で骨に当たる場合の針の修正
針が側方に向かっている（①）か，刺入点が外側すぎる（②）.

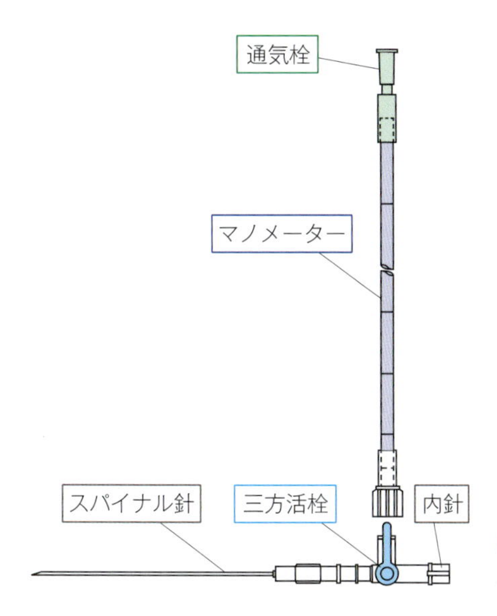

図10 脳脊髄液圧測定用三方活栓とマノメーター
三方活栓とマノメーターをセット化して市販されている.

ここがピットフォール　足に放散痛がきたら

針先が馬尾神経か神経根に当たっている可能性があります．すみやかに症状が出ない部位まで針を引きます．針が深すぎるか側方に向かっている可能性があるので，どちらの足に痛みが走ったのかを確認して，針の方向を修正します．

5) 髄液逆流を確認後

❶三方活栓を装着し，垂直方向にマノメーターを立て髄液圧を測定する（初圧，図10）

左手を患者の背中に当て，しっかりと針を保持して操作中に針が動かないようにするのがポイントです．

❷髄液圧の測定後，三方活栓を開放し，髄液をスピッツに採取する

❸最後に再度脳脊髄液圧を測定し（終圧），終了する

6) 抜去

針を抜去し，穿刺部位をしばらく圧迫します．出血のないことを確認後，刺入部を絆創膏などで覆います．

7) 検査終了後

検査後は下肢の麻痺などの神経症状に注意し，2時間程度安静臥床にして経過をみます．

ここがピットフォール　低脳脊髄圧症候群

合併症で多いのは低脳脊髄圧症候群です．これは穿刺の際の針穴から脳脊髄液が漏れることで脳脊髄圧が低下するのが原因です．安静臥床にして，脳性髄液の産生を促すために水分を摂取させるか輸液を行います．NSAIDsのほか，カフェインが有効ですのでコーヒーなどの摂取で経過をみます．重症例では硬膜外自己血パッチが必要になります．

脳脊髄液の正常値

・脳脊髄圧：70～180 mmH_2O

・外観：水様透明

・細胞数：5/mm^3

・タンパク：10～45 mg/dL（増加：炎症，出血，腫瘍など）

・糖：50～80 mg/dL〔血糖値の1/2程度（低下：髄膜炎など）〕

8) 同様の手技で可能なこと

● 脊髄くも膜下麻酔

髄液の逆流を確認後，局所麻酔薬を注入します．

● 腰椎ドレーン

脳神経外科患者の頭蓋内圧管理や，**くも膜下出血の後の出血排出**のために行います．太めの穿刺針からカテーテルをくも膜下腔へ留置します．

さらに進んだワザ：腰椎穿刺に対する超音波の使用

腰椎穿刺は，普通の成人では体表のランドマークだけで容易に施行可能です．しかし，肥満患者など棘突起を確認するのが困難な症例では超音波による刺入位置の決定が有用です．

1) まず長軸

腰椎は皮膚から深部にあるのでコンベックスプローブを使用します．長軸像で刺入部位を同定します．正中から2 cm外側にプローブを当て，尾側に線上に高エコー性の仙骨を確認します．仙骨の頭側で高エコー性の抜ける部位がL5/S1の椎間です（図11）．L4/5からの穿刺であればもう1つ上の椎間へプローブを移動します．

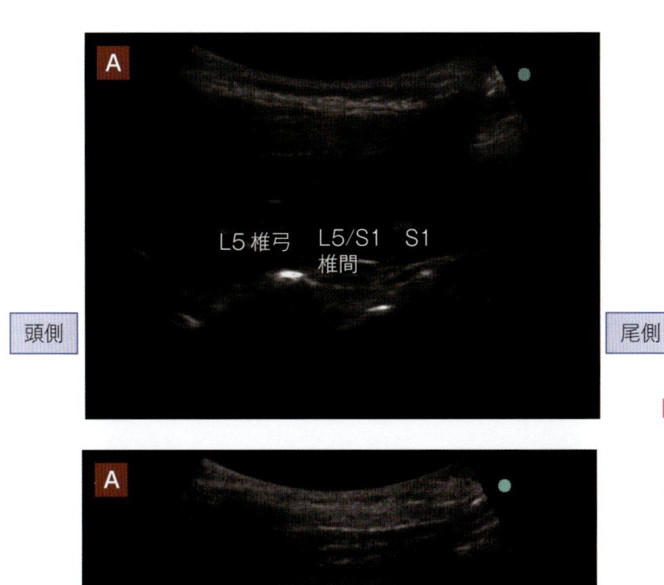

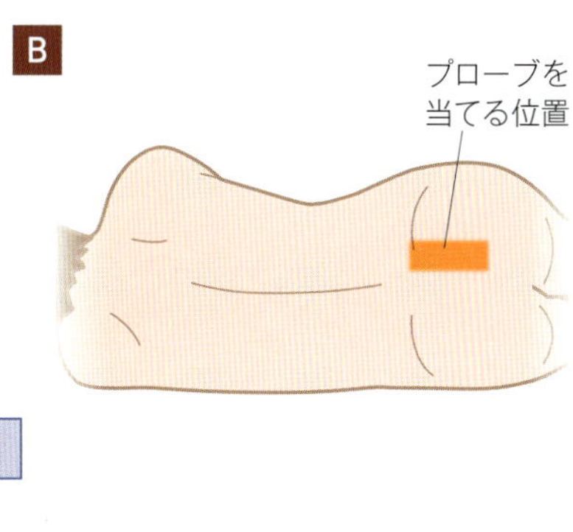

図11 仙骨から腰椎の側面像

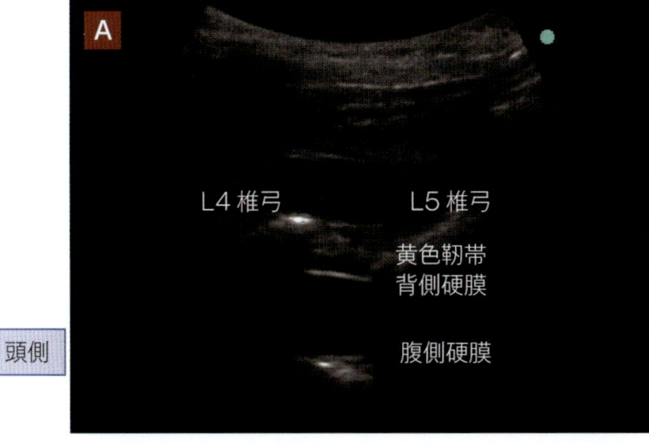

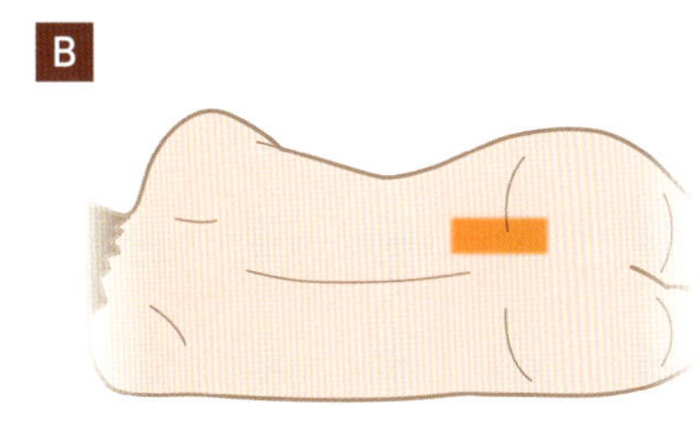

図12 L4/5椎間を中心とした側面像

プローブを皮膚に垂直からやや正中に向けて傾けると硬膜を確認できる.

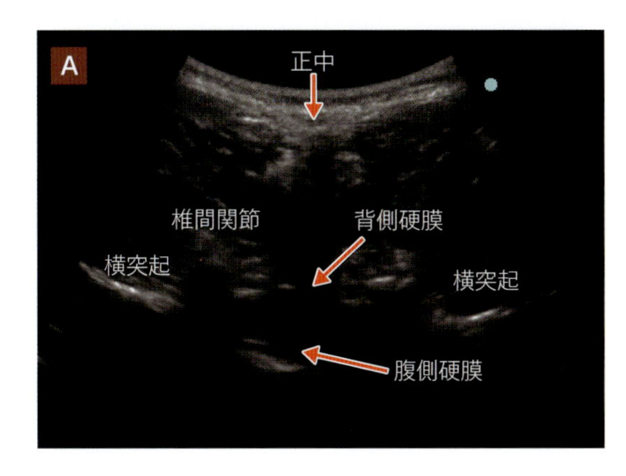

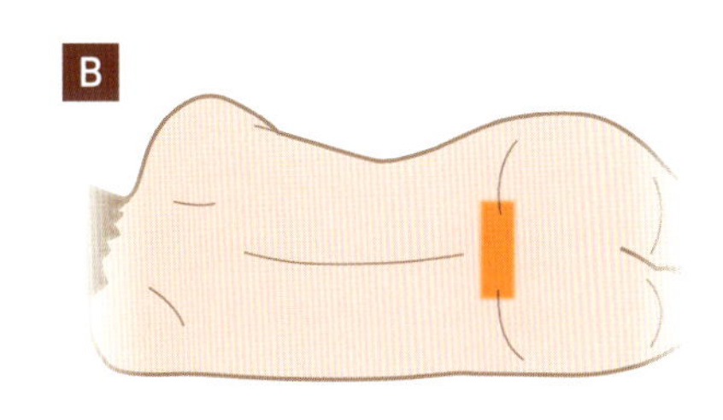

図13 腰椎の超音波短軸像

椎間の構造が見えないときはプローブを少し頭側あるいは尾側に移動する. 椎間が狭い患者では必ずしも明瞭に短軸増は得られるとは限らない.

2) 次に短軸

椎間に黄色靭帯，背側硬膜と腹側硬膜を確認します（図12）. この部位でプローブを90°回転し，腰椎の短軸像を描出します. 椎間であれば脊柱管と，先ほどの黄色靭帯と硬膜が確認できます（図13）. この部位でプローブの位置を皮膚にマーキング，皮膚と硬膜の距離を計測して穿刺します.

11 小外科処置（洗浄と縫合）

河村宜克

- 縫合前に全身状態が安定しているか確認を
- 縫合前に異物や汚れはしっかり除去
- 真皮縫合を活用してきれいに縫合しよう

はじめに

この本を手にとった皆さんはまだ医師として走りはじめたばかりと思います．右も左もわからず苦労する日々…．そんな状態で対応する救急外来はストレスもかかることでしょう．怪我をした患者さんを前にして処置の必要性は何となくわかるものの，指導医から「やってみようか」と言われても自信をもって返事ができないと思います．本項では研修医の皆さんが対応する小外科処置（縫合など）について解説していきます．ここで予習をして自信をもって対応できるようにしましょう．

1 手技の基本手順

1）まずは初期観察

どのような受傷機転によるものなのか，病歴聴取や身体観察をしっかり行います．縫合しようとする傷ばかりに注目せず，まずは全身状態が「安定している」ことが大切です．例えば頭部の裂創を診た場合，すぐに縫合にとりかかってよいのか頭蓋内病変の検索を優先したほうがよいのか，ほかに損傷している部位はないかなども検索します．初期観察で全身状態が安定しているなら処置に進みます．

2）準備するもの

外来に「縫合セット」のようなものがまとめられていればそれを使うとよいでしょう（図1）．

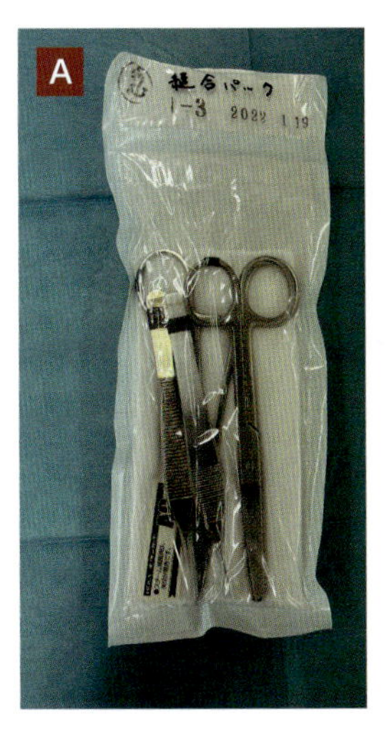

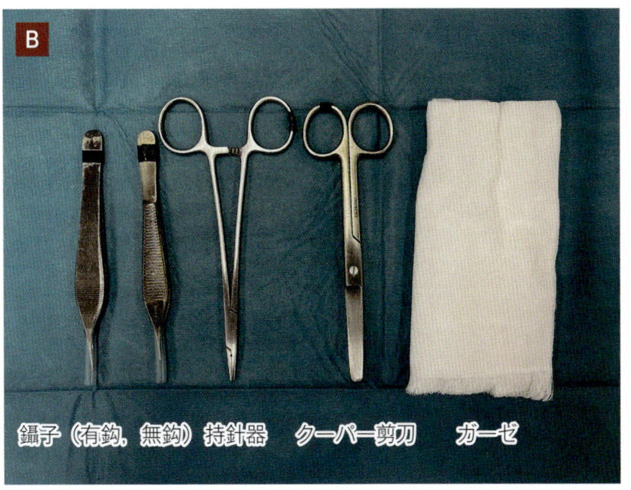

図1 縫合セット
A）当院で使用している縫合セット（滅菌処理済）
B）Aの中身

- 縫合糸（各種）
- 持針器
- クーパー剪刀
- 鑷子（有鈎，無鈎）
- ガーゼ
- 手袋
- 局所麻酔薬
- （必要に応じて）照明
- ドレープ（穴あき，なし）

3）手順

❶傷の状態の評価（部位，長さ，深さ，汚染具合など）

できれば上級医とともに自分で対応できる傷であるか評価します．深い，挫滅が著しい，血管や神経，腱の損傷が疑われる場合はすみやかに専門医に相談します．本項ではそれ以外の非専門医で対応可能な程度のものを想定しています．

❷縫合を要するかどうかを検討

創が浅く出血も少ないか，または出血がほとんどない場合，かつ動きの少ない部位であればサージカルテープで創縁を寄せて固定するだけですむこともあります．特に子どもは怖がって処置が難しいこともしばしば経験します．サージカルテープで対応できればお互い負担が軽くてすみます．

❸局所麻酔を行う

創縁の皮下から局所麻酔を行います．傷の大きさや深さにもよりますが筆者は25 G針を使うことが多いです．小さい創を縫合する際にはインスリン皮下注射用の30 G針付き注射器を用いることもあります．

ここがポイント

細い針でゆっくり注入すると痛みも少なくてよいです．

❹洗浄する

生理食塩水を使うことが多いですが，水道水（微温湯）でも問題ありません．洗浄する水の量に決まりはありませんが**異物や汚れを残さないように**しっかりと洗います．必要に応じてブラシや鑷子なども使ってしっかり除去します．

❺縫合する

救急外来で初期対応する程度の傷は①**単純結節縫合**，②**垂直マットレス縫合**の2つをまずはできればよいですが，③**真皮縫合**は傷痕を目立ちにくくすることができるのであわせて習得しておきましょう．それぞれの運針を図2～図4に示します．

〈単純結節縫合，マットレス縫合〉

- 基本は単純結節縫合（図2）でよいですが，創が深めで死腔ができそうな場合や緊張が強くかかりそうな場合は死腔ができにくく創縁を合わせやすいマットレス縫合（図3）の方が適しています．ただし，縫合の痕（suture mark）がつきやすいので整容上問題になりそうな部位（顔面など）では使わない方がよいです．マットレス縫合は次に述べる真皮縫合をすれば実はあまり出番はありません．
- 単純結節縫合では，皮膚に対して針を直角に刺入し間隔を等しく，丸く包み込むようなイメージで針を進めていきます．マットレス縫合では内側の縫合を小さくとりすぎて締めないように注意します．

〈真皮縫合〉

- 真皮縫合（図4）は皮膚の表面ではなく真皮に糸をかけて縫合し糸は皮下に埋没させるものです．真皮縫合をすると表皮が創を閉じる方向に寄ります．その結果負荷が減るので表皮を小さく緩めに縫合でき，傷跡も残りにくくなるメリットがあります．皮下組織から真皮に向かって針を進め，対側では逆に真皮から皮下組織に向かって進めます．結紮は単純結節縫合では創の方向に対して垂直に締めますが真皮縫合では平行方向に締めます．眼周囲（皮膚がもともと薄い），頭皮（毛根を痛める），手掌や足底（糸の異物感が残る）の縫合には用いられません．

ここがポイント

真皮縫合で締める際には針と反対側の糸は保持の上固定して針側の糸だけを引っ張ると創が寄るようにうまく締まります（図4）．

〈注意点〉

- 使用する糸は組織反応性が少なくまた感染リスクの低いモノフィラメントのナイロン糸を用いますが，部位や深さによって太さを使い分けます．術者の考え方にもよりますが4-0

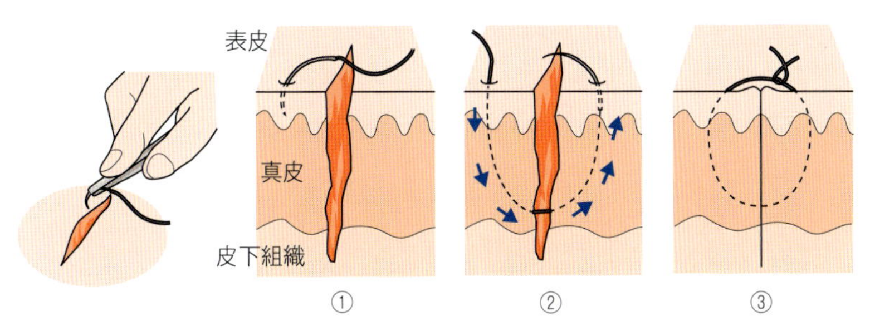

図2 単純結節縫合

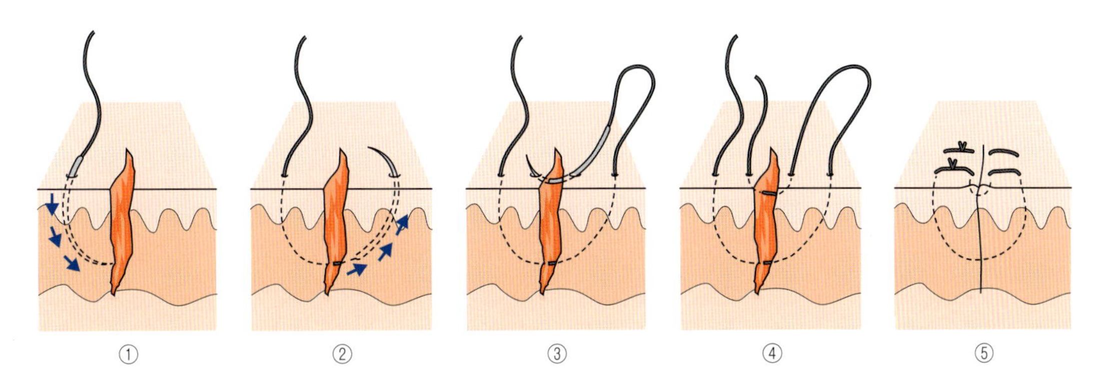

図3 マットレス縫合

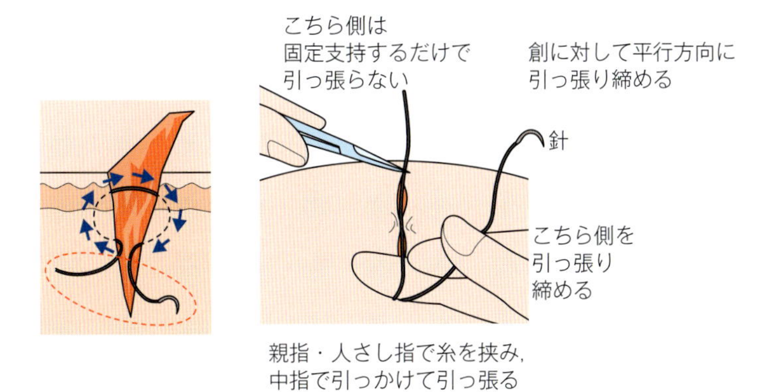

図4 真皮縫合

ナイロン糸（真皮縫合ができていれば5-0でも）を基本にして，顔面や浅い傷では5-0～6-0ナイロン糸を用いるとよいでしょう．真皮縫合では4-0～5-0吸収糸を用います．

ここがポイント

真皮縫合を活用すれば表皮の縫合は大きく強く引っ張る必要がなくなるため，細い糸ですみます．

- 縫合するときには**皮下に死腔を作らないよう注意**します．かといって結紮の張力が強すぎると創縁の血流障害をきたし痕になりやすいので，縛るのではなく寄せるイメージで，皮膚が軽く盛り上がり開放しない程度に縫合します．**表皮が内反することがないよう丁寧に合わせ**，縫合後に表皮が内反した状態がないか再度チェックします．

❻縫合後

創部の保護や滲出液などを吸収させるために被覆材を当てておきます．ガーゼを直接当てると固着しやすいため非固着性被覆材を用いるとよいでしょう．処置翌日（遅くとも翌々日）には必ず再受診を指示し処置部位の状態の評価を行います．

2 よくあるトラブルと解決法

1）出血がなかなか止まらない

このようなケースでは，基本はやはり圧迫止血です．どうしても止血しないときにはバイポーラ止血鉗子を用いて焼灼止血を行うこともありますが，やり過ぎるとその部位の血流が悪くなるので注意します．また，噴き出すような出血でなければ縫合することで圧迫され止血されます（縫合の痕をできるだけつけないことには相反しますが）．

2）血流が悪い皮弁様の創の縫合

脛の部分や高齢者の表皮剥離のような創では，細かく縫合すると血流障害で壊死しやすいので縫合の感覚を広めにして緩く縫合します．補完的にサージカルテープを用いて創縁を合わせるとよいでしょう．

3 先輩医師のコツ

1）自分が動いて調整する

創はさまざまな部位や向きに生じますが，創そのものは動かせないので縫合する際には創が処置しやすい向きになるよう自分が動いて調整します．右利きの術者であれば創が左奥（左側）から右手前（右側）に向かうような向きにすると縫合しやすいと思いますが，自分にとって縫合しやすい位置を見つけて調整してください．

2）動物咬傷について

動物咬傷による創は後で局所感染による炎症を引き起こしやすいので汚染創同様丁寧に洗浄します．裂創になっている場合は後の創部感染症発症に備えて開放したままか緩く合わせる程度にして，**滲出液が貯留しないように**しておきます．穴状の創の場合は大きさにもよりますがシリンジに静脈留置針の外套をつけるなどしてできるだけ洗浄し（洗浄しにくいことが多いです）開放したままにしておきます．ナイロン糸ドレナージは有用です．延長切開を加えて洗浄やドレナージをしやすくする方法もありますが，実際にこれを行う際は上級医にコンサルトをしたほうがよいでしょう．抗菌薬は必ず処方します．患者さんには感染症発症の可能性が高いことや，翌日以降経過観察の受診の必要性を説明します．

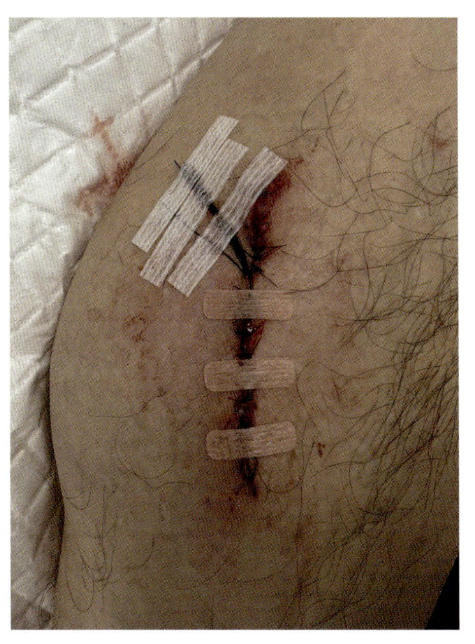

図5 糸ドレナージ

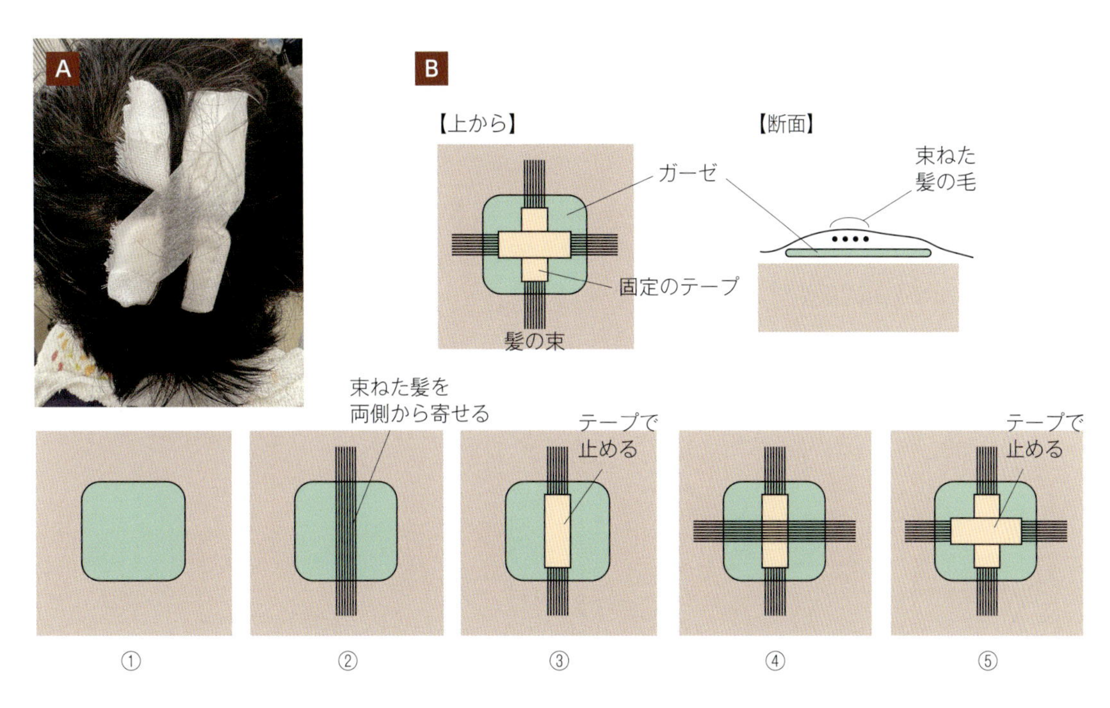

図6 ガーゼを髪の毛で固定した例

3) ドレナージについて

ドレナージとしてペンローズドレーンはよく用いられますが，小さい創には太すぎて挿入できない場合があります．その際は太めのナイロン糸（1-0または2-0）を何本か束ねて縫合前の創に挿入し，毛細管現象を利用してドレナージするとよいでしょう（図5）．

4）頭部創傷処置後の包交固定に髪を活用

頭部の創傷処置後にガーゼなどで被覆する場合，髪があるため固定がしにくいことをしばしば経験します．このようなときは患者さん自身の髪を固定に活用します．少量の髪を束ねて被覆しようとするガーゼの上に十字に交差させてテープを貼って固定します（図6）．

スキンステープラー

スキンステープラーはホッチキスのような針で創を合わせる器具です．簡便ですが筆者は使っていません．以前私の息子が頭に怪我をしたときにこれで処置を受けましたが，「何かが当たるたびにチクチクと痛い」と訴えていました．この経験から私はひと手間かけても手縫いで対応しています．ただし，忙しい救急外来では時間を有効活用すべきですので状況に応じて使い分けをするとよいでしょう（処置するときには局所麻酔は忘れずに…）．顔面は特に整容的な面を考慮すべきですがスキンステープラーは抜鈎後の針痕が目立つことや，創縁を合わせにくいことなどから，使用しません．

おわりに

手技は言葉で説明を受け理解したとしても実際にできるとは限りません．患者さんに縫合をする前にシミュレーターを使い練習し，先輩医師の手技を見学しながらイメージトレーニングすることも大切です．何かを行うときには知識も必要です．その際に本項が参考になりましたら幸いです．

第 2 章

気道管理のこれだけは身につけてください。

総論

気道管理の基礎知識

森本康裕

- 気道管理の失敗は患者を重篤な状態にする
- 気道管理のガイドラインとして日本麻酔科学会から発表された「JSA-AMAガイドライン」がある
- 抜管時にも注意が必要である
- 準備と確認も自分で行おう

はじめに

研修医にとって気管挿管はぜひマスターしたい手技の1つです．しかし，意識しておいてほしいのは気道管理の失敗は短時間に心停止など患者を重篤な状態にするということです．例えば筋弛緩薬を投与して気管挿管を試みたがマスク換気も気管挿管もできないという状態は非常に危険です．

安全に気道管理を行うには，まず患者の評価，インフォームドコンセント，さらに指導医を含む複数の医療スタッフの確保などの準備が重要です．このような気道管理の流れをまとめたものがガイドラインです．本章では日本麻酔科学会が発表した「JSA-AMAガイドライン」に沿ってすべての研修医に必要な，酸素投与，バッグバルブマスク（BVM），気管挿管ではマッキントッシュ型喉頭鏡とMcGRATH MAC（マックグラスマック）を用いた場合，気管挿管を行わなくても気道管理を可能にするi-gelとラリンジアルマスク，さらに緊急時に必要な外科的気道確保，最後に抜管についての8項目についてまとめました．

1 「JSA-AMAガイドライン」とは

気道管理についてのガイドラインは各国から発表されていますが，日本発のガイドラインとして日本麻酔科学会から発表されたのが「JSA-AMA：Japanese Society of Anestheiologists Airway Management Guideline」ガイドラインです．このガイドラインは基本的には全身麻酔中の安全な気道管理を目的としていますが，手術室以外のすべての気道管理

表1 12の術前評価項目を用いて，マスク換気困難と気管挿管困難が同時に発生する可能性を予測するモデル

術前に評価すべき12の危険因子	
● Mallampati分類　Ⅲ or Ⅳ	● 46歳以上
● 頸部放射線後，頸部腫瘤	● アゴひげの存在
● 男性	● 太い首
● 短い甲状おとがい間距離	● 睡眠時無呼吸の診断
● 歯牙の存在	● 頸椎の不安定性や可動制限
● BMI 30 kg/m^{2}以上	● 下顎の前方移動制限

マスク換気困難と直視型接喉頭鏡による喉頭展開困難が同時に発生する可能性		
術前予測危険クラス	発生頻度（%）	オッズ比（95%信頼区間）
Ⅰ（危険因子数0～3個）	0.18	1.0
Ⅱ（危険因子数4個）	0.47	2.56（1.83～3.58）
Ⅲ（危険因子数5個）	0.77	4.18（2.95～5.96）
Ⅳ（危険因子数6個）	1.69	9.23（6.54～13.04）
Ⅴ（危険因子数7～11個）	3.31	18.4（13.1～25.8）

文献1より引用．

にも応用可能です．海外のガイドラインが気道確保困難時の対応が主であるのに対して，本ガイドラインは通常の麻酔導入時にも使用可能であることが特徴です．以下にガイドラインの要旨をまとめます．

2 気道評価

気道管理を行う際にはまず患者の気道評価を行います．マスク換気困難，喉頭鏡による喉頭展開困難はある程度予測が可能です．表1のような気道確保困難因子があり，危険が予測されれば十分な人や物を集める必要があります．

このほか，緊急の気道確保ではフルストマック（胃に内容物のあること）などの誤嚥のリスクを確認しておく必要があります．最終の飲食時間は必ず確認しておきます．

マスク換気困難や誤嚥の危険性が高い患者では，鎮静薬と筋弛緩薬を投与せず，意識下に挿管することを考慮します．

3 麻酔導入後の気道管理戦略

麻酔導入後（鎮静薬投与後）は，現状を3つのゾーン（グリーンゾーン，イエローゾーン，レッドゾーン）に分類して考えていきます（図1）．常に患者がどのゾーンにいるのかを判断しながら気道管理をすすめていきます．ゾーンの判断で重要になるのはカプノメータによる換気の評価です．気管挿管を行う際はパルスオキシメーターはもちろん必ずカプノメータを準備しましょう．

カプノメータの波形（カプノグラム）は3つの位相から構成されます．正常の換気では

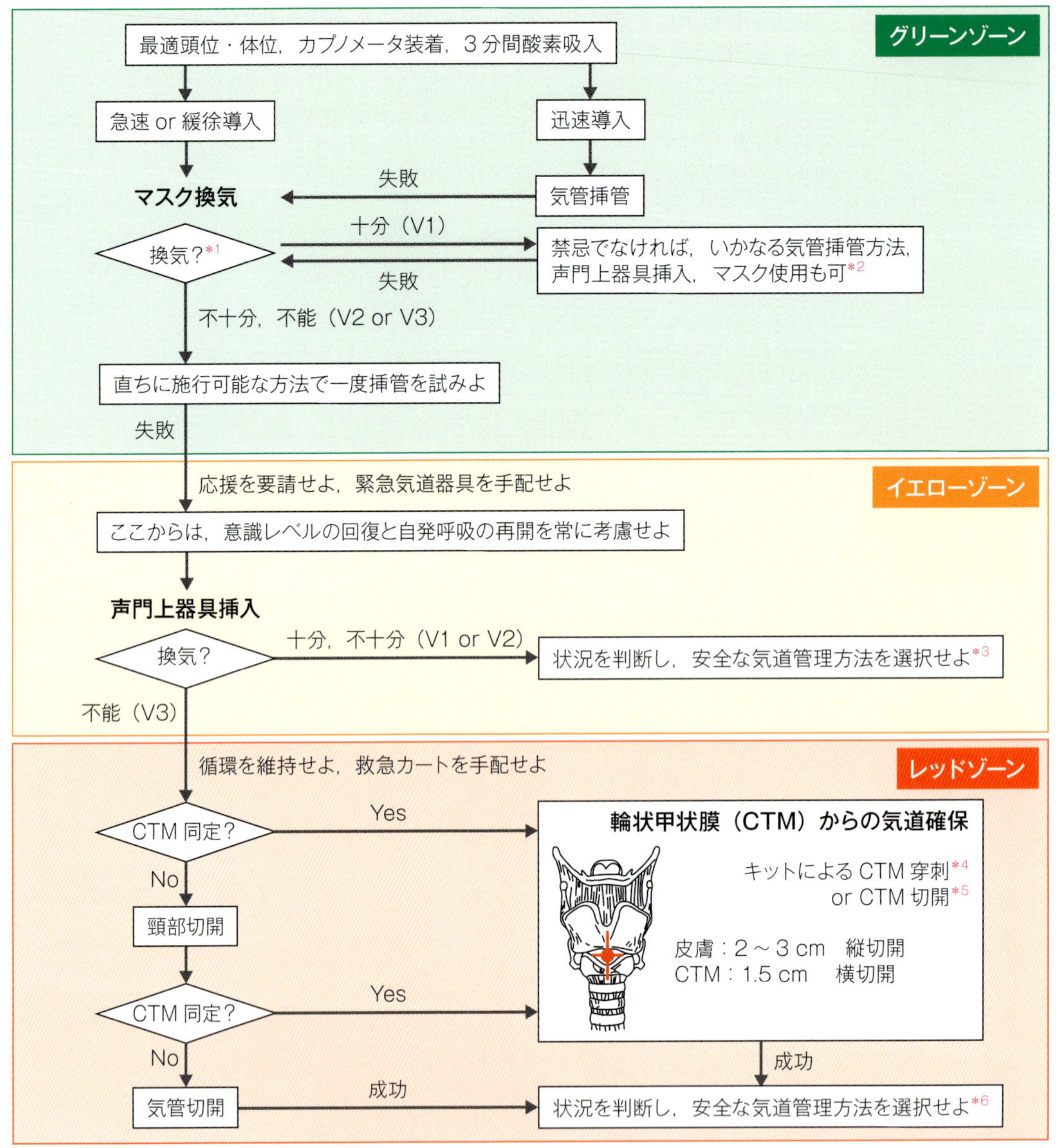

CTM（cricothyroid membrane：輪状甲状膜）
*1：文献1図5に列挙された方法を使ってマスク換気を改善するよう試みる．
*2：同一施行者による操作あるいは同一器具を用いた操作を，特に直接喉頭鏡またはビデオ喉頭鏡で3回以上繰り返すことは避けるべきである．迅速導入においては誤嚥リスクを考慮する．
*3：①意識と自発呼吸を回復させる，②ファイバースコープの援助あるいはなしで声門上器具を通しての挿管，③声門上器具のサイズやタイプの変更，④外科的気道確保，⑤その他の適切な方法，などの戦略が考えられる．
*4：大口径の静脈留置針による穿刺や緊急ジェット換気は避けるべきである．
*5：より小口径の気管チューブを挿入する．
*6：①意識と自発呼吸を回復させる，②気管切開，および③気管挿管を試みる，などの戦略が考えられる．

図1 麻酔導入時の日本麻酔科学会（JSA）気道管理アルゴリズム（JSA-AMA）
文献1より引用．

すべての位相が確認できますが，第Ⅲ相が欠落する場合は換気状態は正常ではない（V2）と診断されます．波形が認められないのは異常な換気状態（V3）であり，バッグを押しても有効な換気が得られていないことを示します（121ページ **第2章-2** 表1参照）．

● グリーンゾーン

グリーンゾーンは「安全領域」であり「酸素化がフェイスマスクで対応できる」安全なレベルです．基本的に日々の気道確保手技はグリーンゾーンで終了すべきです．

● イエローゾーン

イエローゾーンは「準緊急領域」であり麻酔科専門医など他の医療従事者の援助を依頼し，声門上器具により換気を確保すべき状態です．マスク換気が不十分（V2）あるいは不能（V3）となった場合には，ただちに一度挿管を試み，失敗した場合にイエローゾーンとなります．本書でi-gelやラリンジアルマスクといった声門上器具をとり上げているのは，全身麻酔時の気管挿管に代わる気道確保法としてだけでなく緊急時の対応に必須であるからです．麻酔科研修では気管挿管だけでなく声門上器具の使用にも習熟しておきましょう．

● レッドゾーン

レッドゾーンは「超緊急領域」でありすみやかに外科的気道確保を行う必要があります．研修医が直接手技を行うことはありませんが知識を中心に覚えておきましょう．

● 抜管時の注意

ガイドラインに含まれていませんが挿管時だけでなく，抜管時にも注意が必要です．特に挿管時に高リスクと判断された症例や，実際に挿管困難であった症例では十分に準備して抜管しましょう．集中治療室や病棟では，人手の多い日勤帯に抜管するのが原則です．

4 気管挿管とビデオ喉頭鏡

ここ数年で急速に普及したのがビデオ喉頭鏡（特にマックグラスマック）です．ビデオ喉頭鏡の登場により挿管困難に遭遇することが非常に少なくなりました．また，研修が気管挿管する際の指導という面でも優れています．現在ビデオ喉頭鏡が使えない施設はまずないと思います．研修医はまずビデオ喉頭鏡を使った気管挿管に習熟すべきです．一方で，気管挿管の基本という意味で本書のマッキントッシュ型喉頭鏡編（**第2章-3**参照）も必ず読み，余裕があればチャレンジしてみてください．

おわりに

気道管理ではいろいろなデバイスが登場します．研修医の先生は手技だけでなくこれらのデバイスに習熟し，事前の準備や確認から必ず行うようにしてください．例えば麻酔回路の組み立てやリークの確認，挿管チューブへのスタイレットの挿入とチューブの曲げ方，ビデオ喉頭鏡の電源スイッチの入れ方，カプノメータの呼吸回路への接続などです．準備を看護師任せにしておくといざというときに使えません．いざ挿管というときにビデオ喉頭鏡の電池切れというのはありがちなミスです．気道確保では事前の準備と確認が特に重要です．

文献

1）Japanese Society of Anesthesiologists：JSA airway management guideline 2014：to improve the safety of induction of anesthesia. J Anesth, 28：482-493, 2014
▲ 日本の気道管理ガイドライン．

1 気道管理・酸素投与

高橋 慧，浅井 隆

- 酸素投与で低酸素血症を防げ！
- 気道管理が困難かどうかを見極めよ！
- 見極めし者よ，気管挿管が必要と思ったら，ためらわず挿管せよ！

はじめに

気道管理，酸素投与は麻酔中のみならず，病棟での急変，救急外来での心肺停止症例の搬入時など，さまざまな状況で適切に行う必要があります．つまり，何科に属していようが，誰でもできなければなりません．特に病棟での気管挿管は，マックグラス（McGRATH：**第2章-4**参照）やエアウェイスコープ（AWS）などの現代のハイテク技術が集約されたビデオ喉頭鏡が見当たらず，マッキントッシュ型喉頭鏡（**第2章-3**参照）という1940年初頭に先人が生み出した"最高傑作品"（私，これ一番好きです）を用いて甘えの許さない状況で事に臨まなければなりません．

さあ，気道管理は初心者というあなたもこれからレベルアップしていきましょう！

1 手技の基本手順

1）鼻カニューレでの酸素投与

病棟でよく使用されています．1～6 L/分の酸素流量で約24～45％の酸素投与が可能となっています．投与される酸素濃度の式は次の通りです．

21 +〔酸素流量（L/分）× 4〕％

目新しい式ではないですが，これはあくまでも目安ということを頭に入れておきましょう．

〈長所〉

- 不快感が少ないです
- 再呼吸がありません
- 会話，食事が可能です

〈短所〉

- 鼻閉のある人や，口呼吸をしている人には注意が必要です
- 鼻腔の乾燥，疼痛が起こり得ます
- 高濃度の酸素が投与できません

〈経験から〉

- 鼻腔の乾燥，疼痛により，酸素流量を5 L/分以下にしています
- 話しかけると鼻呼吸なのに，普段は口呼吸の人もいます．鼻カニューレでの酸素投与時，呼吸状態の把握を忘れずに行いましょう
- 鼻カニューレは，耳にチューブをかけて装着します（図1）が，見落としがちなのが，その接触部位の褥瘡です．看護師と一緒に注意して予防しましょう

2）酸素マスクでの酸素投与

酸素マスクは主に2種類あります．

1つは**全身麻酔の導入時や心肺蘇生時に用いる**マスク（図2）で，陽圧換気をするために用います．そのため，マスクの辺縁にはカフがついていて，顔に密着させて換気ガスがマスク周囲から漏れないようになっています．

もう1つのマスクは**病棟で酸素を投与する**マスクです．このマスクはハドソンマスク（図3）とよばれています．ハドソンマスクの辺縁にはカフが用いられておらず，マスクの両側に側孔がついています．鼻，口を覆うように軽く当て，軟らかいゴムで固定します．マスク内に呼気が放出されるため，ある程度の流量がないと再呼吸の原因となります．5～8 L/分の範囲で使用し，そのときの吸気酸素濃度は40～60％程度となります．

〈長所〉

- 鼻カニューレに比べ高濃度酸素を投与できます

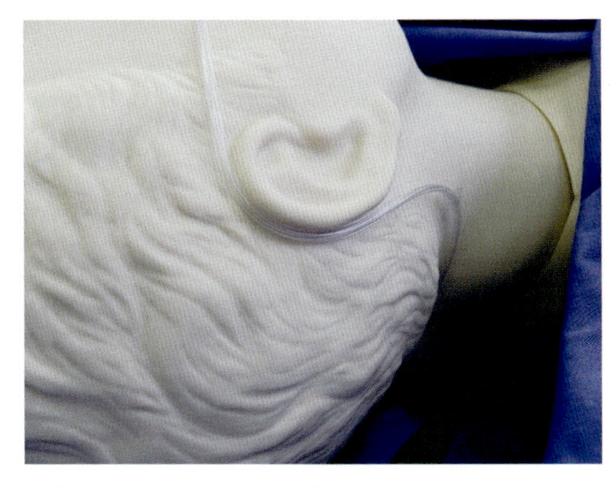

図1 鼻カニューレの固定部位

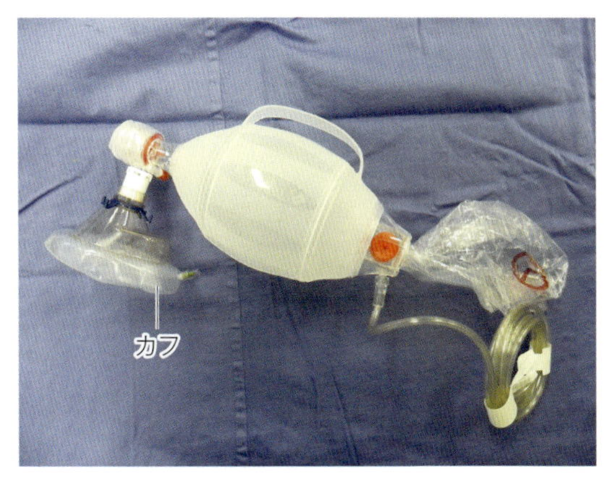

図2 陽圧換気用マスク

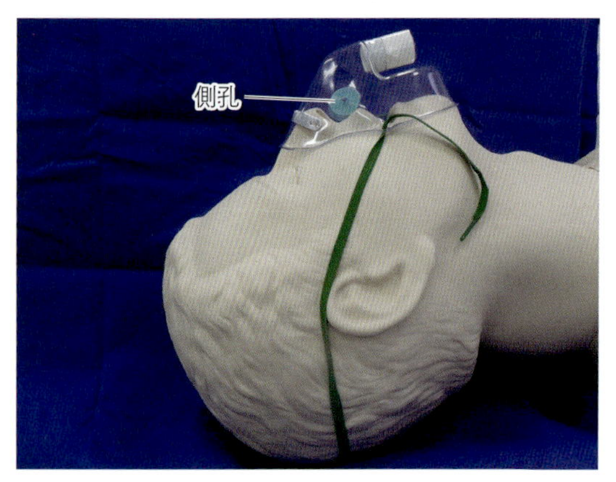

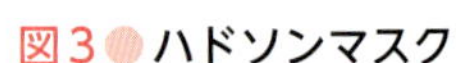
図3 ハドソンマスク

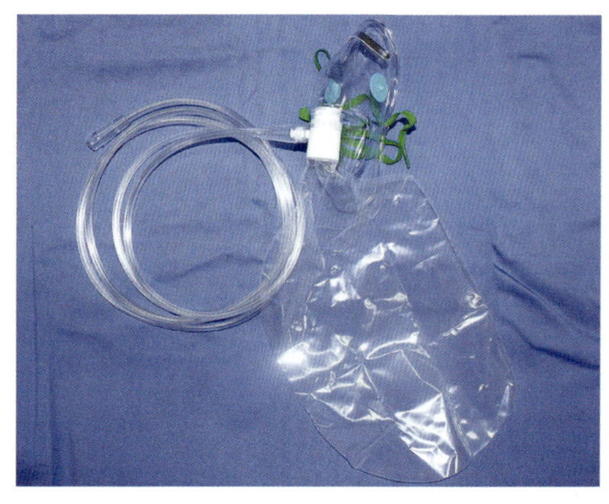
図4 リザーバーマスク

〈短所〉
- 不快感があります
- 5 L/分未満の流量では再呼吸が起こります

〈経験から〉
- 酸素マスクを装着しているのに，流量が5 L/分未満で投与されていることがあります．高二酸化炭素血症の原因となりますので，5 L/分以上の流量で投与してください
- 酸素マスクはゴムを耳にかけて装着します．ゴムの接触部位の褥瘡に注意しましょう

3）リザーバーマスクでの酸素投与

リザーバーに酸素を蓄え，より高濃度の酸素投与を行うマスクです（図4）．再呼吸を防止するためと，リザーバーが空にならないようにするため，多めの酸素流量が必要です．6～10 L/分の範囲で使用し，60～90％程度の酸素投与が可能です．

〈長所〉
- より高濃度の酸素投与が可能です

〈短所〉
- 不快感があります
- 再呼吸に注意が必要です

〈経験から〉
- リザーバーマスク装着が必要と判断すると，気管挿管も考慮に入れはじめる時期です
- 気管挿管が必要かもしれないと判断したら，気管挿管が簡単か，困難かを判断してください

2 気道管理困難予測

1）LEMON

突然ですがレモンはお好きですか？ お肌にうれしいビタミンCがたくさん含まれていますね．じつはレモンには気道管理困難予測にもうれしい情報が詰まっているんですよ！

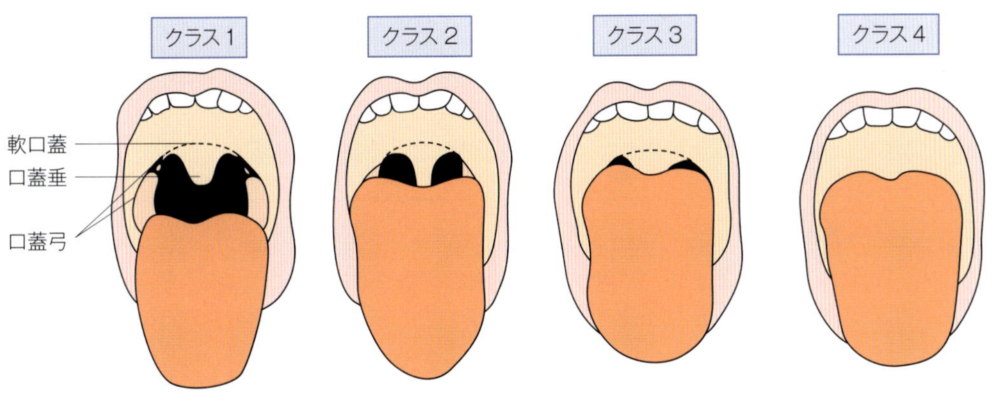

図5 Mallampati分類
クラス1：口蓋弓，軟口蓋，口蓋垂が見える．
クラス2：口蓋弓，軟口蓋は見えるが，口蓋垂は舌根に隠れて見えない．
クラス3：軟口蓋のみが見える．
クラス4：上記のすべてが見えない．

〈気道管理困難予測に役立つLEMON〉
L：Look externally（外表面の観察）
E：Evaluate 3-3-2 rule
M：Mallampati分類
O：Obstruction（閉塞があるか否か）
N：Neck mobility（頸部の可動性）

L：顔面の外傷，髭，上顎前歯の突出，肥満などの場合，マスク換気さえも困難になります．特に熱傷では皮膚の柔軟性がなくなり，開口困難になります．そうなると，外科的気道確保も必要になってきます
E：開口3横指，頤（おとがい）－舌骨3横指，口腔底－甲状軟骨2横指より短いと，挿管困難が予想されます
M：Mallampati分類（図5）クラス3，4は挿管困難が予想されます
O：上気道閉塞があるか否か確認します
N：頸部後屈困難な場合（頭頸部手術後や手術予定，リウマチ患者，頸椎症の既往，ハローベスト装着など）挿管困難が予想されます

これらのアセスメントによる予備知識をもって，必要な器具を準備し，気道確保症例に臨みましょう．

2）症例をみて考えよう

ここからは，もっと具体的な症例をみて，どんな対応が必要か考えてみてください．

症例①
小児の扁桃摘出術後，夜間に咽頭からの出血が止まらない．患者は大量に血液を飲み込んでおり，嘔気も強い．先ほどから脈拍が上昇し，血圧が低下傾向に．意識レベルも低下してきている．不穏で点滴も抜去されてしまっている．

これらの情報から，何を確認し，どのように対応するか考えます．まず患者のバイタルサインを確認すべきです．そして出血量の確認，点滴や昇圧薬の準備，また，手術前に絶食をしていても術後の口腔内出血を大量に飲み込んでいる可能性があるため，フルストマックで，誤嚥の可能性が非常に高くなっていると考えましょう．

症例②

50歳の男性が墜落し，金属性の柵が頸部に刺さってしまった．病院に搬送時の意識はもうろうとしており，苦しそうな呼吸をしていた．かろうじて鼻腔は確認できるが，口腔周囲の破損が顕著で，頸部の腫脹が激しい．超音波診断装置を併用しても，気道の確認ができない．

さあ，どこまでの準備，器具を用意しなくてはいけませんか？

このような症例では一刻一秒も無駄にできません．すべての準備をただちに行い，気管挿管するか，輪状甲状靭帯切開を施行するかを決める必要があります．

3 先輩医師のコツ

1）低酸素血症の患者に酸素投与をしても，改善しない場合

ベッドを頭高位にしてみてください．横隔膜運動の負担が軽減し，肺がより膨らんでくれます．

2）高濃度酸素投与に注意

慢性閉塞性肺疾患（COPD）の急性増悪など，高二酸化炭素血症の人に高濃度酸素を投与するとCO_2ナルコーシスとなり，呼吸が停止してしまいます．SpO_2低下の場合にも，根底にある病態の把握も大切です．きちんと病歴のチェックをしましょう．

3）気管挿管が必要と思ったらためらわずに挿管せよ！

病棟などで呼吸状態がよくなく，気管挿管が必要と判断したら，ためらわずに挿管しましょう．

特に夜間に挿管が必要と思いながら様子観察の指示をして現場を離れると，気道閉塞を起こしたり，呼吸筋疲労で呼吸不全になったりしてしまう危険性があります．ですから必要と判断したら，気管挿管をしましょう．

4）気道管理困難予測のコツ

LEMONの確認後，挿管困難の可能性が低いと判断されたとき，本当に挿管は容易か？というと，そうではありません．Mallampati分類にも関係しますが，甲状腺機能低下症など，内分泌疾患の患者の場合，舌が肥大している場合があります．こういう場合にも挿管困難となります．ちなみに，Mallampati分類の評価をするときは，「口をできるだけ大きく開けて，できるだけ舌を前に」と指示しますが，「あー」とは言わせないことです．それが本当の評価のしかたです．

5）挿管した後も注意！

甲状腺疾患など，頸部の腫脹が顕著なときは，呼吸困難感があるか，仰向けになって寝られるか，などの臨床症状を必ず聴取します．また，頸部CTで気管の偏位や気管軟骨の状態の把握が重要になってきます．

また，気管チューブを挿入しても換気ができなくなることがあります．気管支痙攣がその例です．最後まで，気を抜かないでおきましょう．「挿管できた！」で安心してはいけません．

食道挿管に注意！

恥ずかしい話ですが筆者は，食道挿管を何度も経験してしまっています．皆さんも食道挿管を今後経験することと思いますが，机上の勉強だけでは得られないことが臨床現場にはたくさんありますので，頑張ってください．

患者さんの確認は自分の目で！

いつも夜間になると，SpO_2が低下する患者さんがいたとします．夜間PHSに「先生，いつものように○○さんのSpO_2が低下してまーす．」このとき，「いつものように酸素投与しといてー」とは絶対言ってはいけません（言う人はいないと思いますが…）．もしかしたら，今回は気管挿管が必要になっているかもしれないからです．必ず，自分の目で患者さんを確かめに足を運ぶ習慣をつけましょう．

文献

1）石井宣大：Theme 4 低流量システム 経鼻カニューレ，単純酸素マスク，リザーバーマスク．呼吸器ケア，11：814-824，2013

▲ マスクの種類をわかりやすく説明しています．

2）「麻酔科研修チェックノート　改訂第6版」（讃岐美智義／著），羊土社，2018

▲ 麻酔に関する総合的な説明がわかりやすくまとめられています．

3）「標準救急医学（第5版）」（有賀 徹，他／編，日本救急医学会／監），医学書院，2014

4）「標準麻酔科学（第7版）」（稲田英一，他／編，古屋 仁／監），医学書院，2018

2 バッグバルブマスクによる人工呼吸

中川元文

- **マスクのフィット**と**気道開通**が重要なポイント
- マスクからの**リーク**（ガスの漏れ），**上気道閉塞**がトラブルの原因になる
- **適切な換気**が行えているかどうか，**常に評価**をしながら行う
- バッグバルブマスク換気がうまくできない場合は，**助けを呼ぶ**ことも重要である

はじめに

バッグバルブマスク（bag valve mask：BVM）による用手的な人工呼吸は，用手気道確保と併せて気道管理の基礎になる手技です．さまざまな場面で行われる気道・呼吸管理の方法で，蘇生処置の基本手技としても重要です．

しかし，換気が容易でない場合も多く，確実に安全に行うためにはコツと技術が必要です．

また，手技だけではなく，換気の状態を**常に評価**するということも併せて覚えてほしいと思います．

1 手技の基本手順

BVM換気の2大要素は患者の顔面と**マスクのフィット**を保つ（ガスの漏れを少なくする）ことと，**上気道を開通**させる（気道閉塞を解除する）ことです．

BVMの基本的な方法は図1のように，親指と人差し指でマスクを保持し，中指，薬指，小指で下顎を保持して挙上する，**E-C法**とよばれる手技です．片方の手でマスクフィットと気道確保を行い，一方の手でバッグを押して換気を行います．

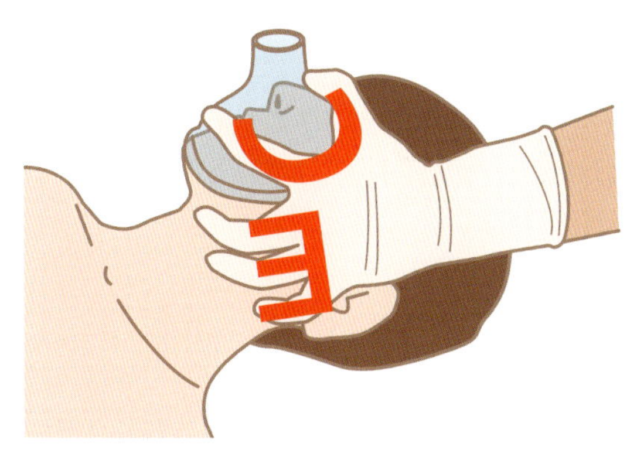

図1 E-C法によるバッグバルブマスク換気

ここがポイント 「E」の指で下顎を挙上

E-C法のコツは「E」の指で下顎をしっかりと挙上することで，これにより気道確保がきちんと行えていれば，「C」のマスクフィットに力はほとんど必要ありません．気道確保ができていないと換気ができずにマスクに高い圧がかかってしまい，多くのリークが生じてしまいます．これをマスクフィットの問題と考えて一生懸命「C」の指に力を入れるのですが，これでは換気がうまくいくどころか胃内に大量のガスを吹き込んでしまいます．

手技を行ううえで注意することは，「換気がきちんと行われているか？」ということを**常に評価**しながら行うことです．換気をしたときに視覚的に患者さんの胸の上がりがわかれば，良好な換気が行われていると考えられます．可能であればカプノグラム（呼吸ガス中のCO_2モニタリング）を併用することも有用です．日本麻酔科学会「気道管理ガイドライン」における換気状態の評価法を表1に示します．

BVM換気が十分に行えない状態では，すでに**緊急事態**に陥っているという認識をもって対応してください（こういうときは，**まず助けを呼ぶ**ことが重要です）．

表1 換気状態の3段階評価分類とそれらの臨床的解釈（施行者が最大限に努力して換気を行った場合）

換気の状態	正常（V1）	正常ではない（V2）	異常（V3）
気道確保の難易度	容易	困難	不可能
重篤な低酸素血症へ進展する可能性	なし	通常はない	あり
重篤な高二酸化炭素血症へ進展する可能性	なし	あり	あり
期待できる一回換気量	5 mL/kg以上	2〜5 mL/kg	2 mL/kg以下
カプノグラムの波形	第Ⅲ相まで	第Ⅲ相欠落	なし
典型的なカプノグラムの波形	吸気相 I II III	吸気相	吸気相

文献1より引用．

2 よくあるトラブルと解決法

BVM換気がうまくいかない場合は**マスクフィット不良**と**上気道閉塞**に注目して対応をしましょう．原因別対処法を表2に示し，トラブル解決に有用な手段を**A)**～**E)**に示します．

◆トラブル解決に有用な手技

A) 両手法，二人法

E-C法のように片手でマスクフィットと気道確保を行うのでなく，両手で下顎を挙上して，マスクを顔面に押し当てる方法（図2）．両手を使うことで下顎挙上をしっかり行えるため，気道の開通性とマスクフィットの改善が期待できます．

この方法で気道確保とマスクフィットを行い，別の人がバッグを押すことを**二人法**とよびます．

表2のg）**は二人法の換気の部分を用手的な換気ではなく，人工呼吸器で行うものです**が，吸気圧を制限することで用手的に換気を行うよりも胃への吸気ガスの吹込みを防ぐ効果が期待できます．気道が開通していれば，換気圧は15 cmH_2Oで十分です．

表2 BVM換気困難における原因別の対処法

マスクフィット不良
a）**両手法**〔**A)** 参照〕や他の方法〔**B)** 参照〕でマスクフィットを改善させる b）酸素の流量を増加させて，ガスの漏れを補う（ジャクソン・リース回路や麻酔器の場合）
上気道閉塞
c）経口あるいは経鼻**エアウェイ**〔**C)** 参照〕を挿入する（器具を用いた気道確保） d）**両手**を用いて**トリプル・エアウェイ・マニューバ**〔**D)** 参照〕を確実に行う（頭部後屈，下顎挙上，開口） e）頭部を挙上して**スニッフィング位**〔**E)** 参照〕をとる f）逆トレンデレンブルク体位（頭を上げるようにベッドを傾ける） g）両手法でマスクを保持し，人工呼吸器を用いて換気を行う〔PEEP（呼気終末陽圧）を高めに設定し，吸気圧を制限したPCV（圧規定換気）モード〕 h）CPAP（持続陽圧呼吸）またはPEEPを負荷する i）**応援を呼ぶ**

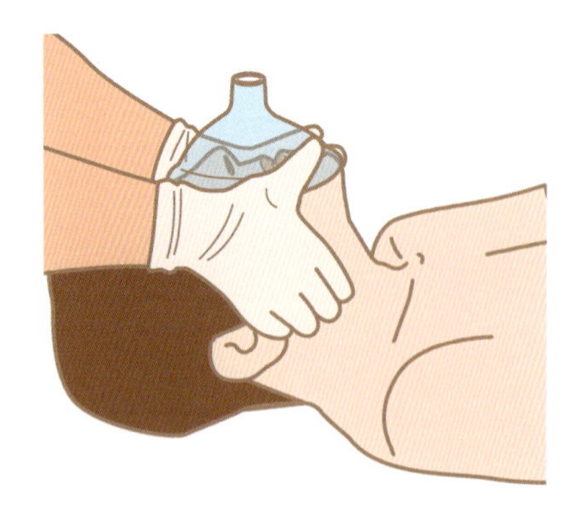

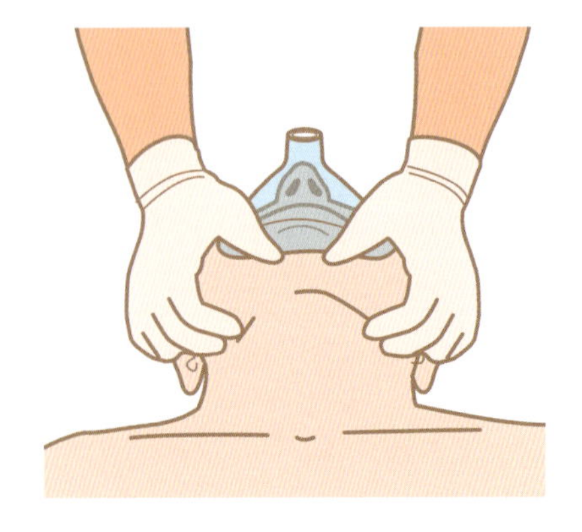

図2 両手法

ここがピットフォール　人工呼吸器は換気状態の評価が難しくなる

換気の具合を手で感じることができない分，換気状態の評価が難しくなるので注意が必要です．

B）顔の変形に対応する方法

歯がないこと，ヒゲが生えていることや腫瘍や外傷などによる顔面の変形が原因でマスクフィットが難しくなることがあります．その場合には頬の裏の口腔内にガーゼを入れて頬を持ち上げる，入れ歯を装着する，ヒゲの上にドレッシングフィルムを貼る，マスクを当てる位置を変えるなど，原因に応じて工夫をすることで対応できることがあります．

C）経口エアウェイ・経鼻エアウェイ

経口エアウェイ（図3A）は口腔内に挿入・留置して，図3Bのように上気道閉塞を解除する器具です．挿入は簡単ですが，咽頭反射（嘔吐反射）を誘発することがあるので，意識のある患者には経鼻エアウェイを選択するといいでしょう．適切なサイズは口角から下顎角までの長さを参考に選択します（図3C）．

経鼻エアウェイ（図4A）は図4Bのように鼻孔から鼻咽頭腔内に挿入して上気道を開通させる器具です．ゼリーなどの潤滑剤を塗布して，鼻出血に注意して挿入します．挿入時には疼痛や違和感を感じますが，留置中の違和感は少なく，咽頭反射も起きないため，意

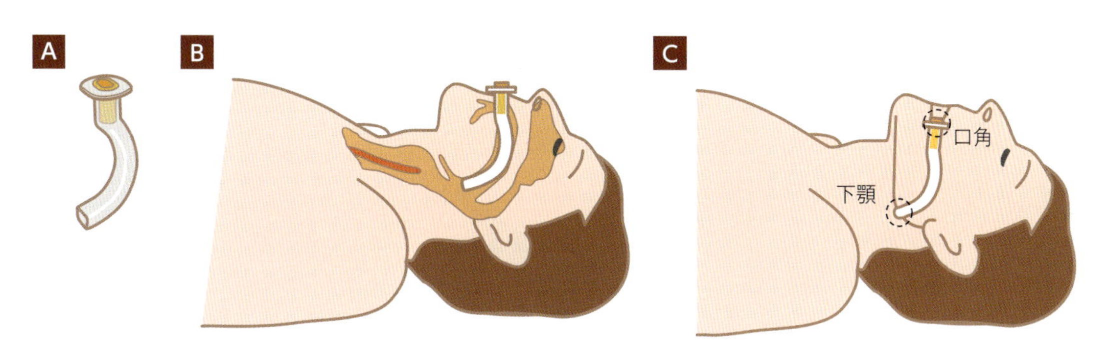

図3 ● 経口エアウェイ

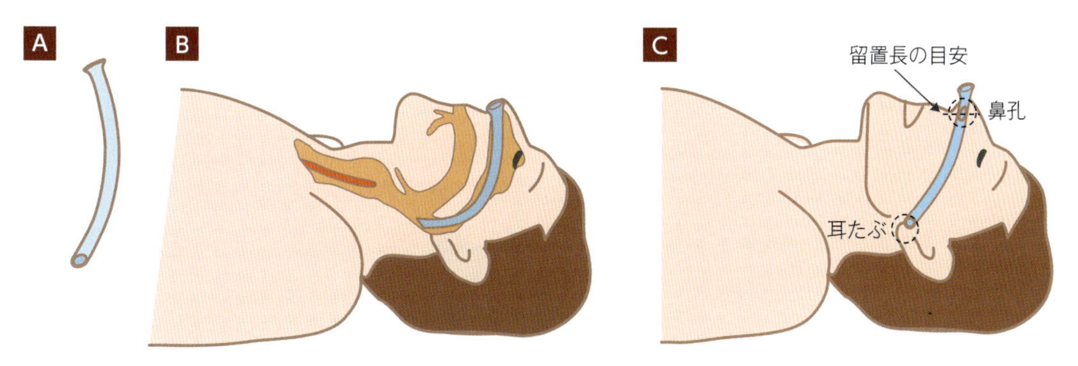

図4 ● 経鼻エアウェイ

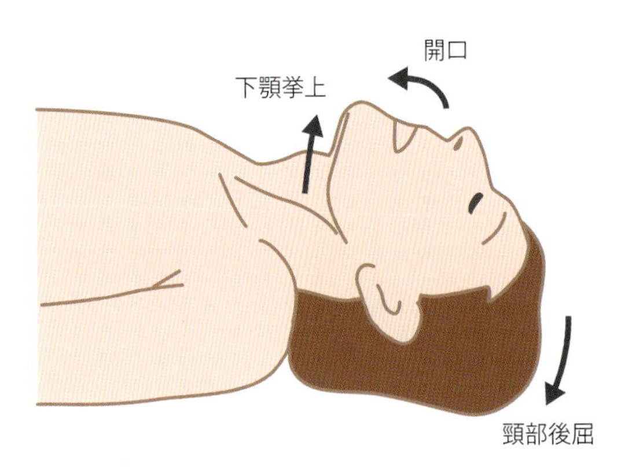

図5 トリプル・エアウェイ・マニューバ

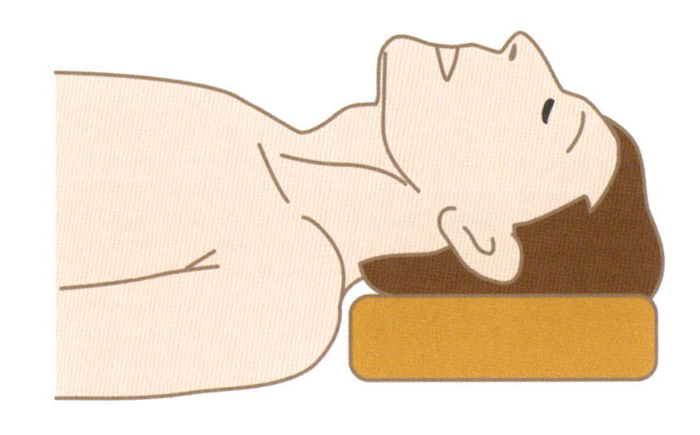

図6 スニッフィング位

識がある程度保たれた患者にも使用することができます．

ここがピットフォール

鼻出血により気道閉塞をまねく危険性もあるため，出血傾向のある場合や抗血小板薬などを内服している場合には注意が必要です．

サイズは鼻孔の大きさを，留置する長さは鼻孔から耳たぶまでの距離（図4C）を参考に決定します．

挿入時には一緒に舌を押し込まないように180°反転させて先端を上向きにした状態で挿入し，舌を越えたところで下向きに反転して挿入します．サイズが小さいと気道確保がうまくできませんし，大きいと咽頭反射を誘発します．

D) トリプル・エアウェイ・マニューバ

用手気道確保を改善させる頭頸部の姿勢（頭頸位）としては，図5に示すように**下顎挙上**，**頸部後屈**，**開口**の3つが重要です．その3つを合わせて**トリプル・エアウェイ・マニューバ**（triple airway maneuver：TAM）とよびます．ポイントとしてはやはり下顎挙上をしっかり行うことです．

全身麻酔などで気道確保が必要になる場合には，事前に診察をしてこの3要素（下顎の運動制限，頸椎可動域制限，開口制限）を評価しておくことが大切です．問題がある場合には対応を計画しておくことで，トラブルを回避することができます．

E) スニッフィング位

これも気道確保において重要な頭頸位です．「嗅ぐ姿勢」という意味ですが，具体的には図6に示すようにTAMに加え，枕などで**頭部を挙上する**ことでこの頭頸位をとることができます．側方から見ると匂いを嗅いでいるような姿勢になるためこのようによばれます．

スニッフィング位により気道の開通性は向上してフェイスマスク換気が容易になり，さらには喉頭展開も行いやすくなるといわれています．

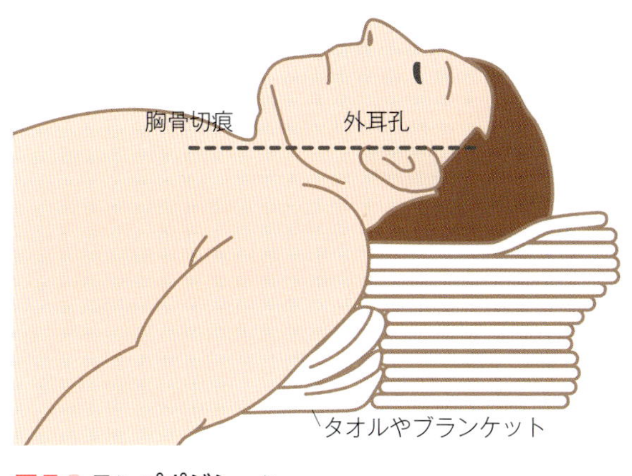

図7 ランプポジション

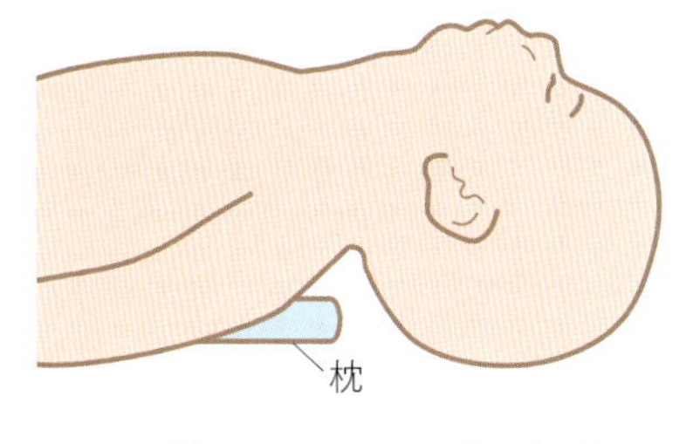

図8 乳児における頭頸位（肩枕の体位）

3 先輩医師のコツ

1）高度肥満患者や乳児における頭頸位について

高度肥満患者ではスニッフィング位やTAMだけでは気道確保に苦労することもあります．肩甲骨の下あたりからタオルやブランケットをたくさん入れて，胸骨切痕の高さと外耳孔の高さが同じになるまで上半身を挙上する**ランプポジション**（図7）という体位をとると，マスク換気や喉頭展開がしやすくなるといわれています．

新生児や乳児は体幹に比べ頭部が大きく，枕で頭部を挙上すると頭部が前屈し，気道閉塞を助長してしまいます．この場合は肩甲骨の下に畳んだタオルなどの枕を入れる，**肩枕の体位**（図8）が気道管理に適しています．

2）換気に用いる器具の確認

マスク換気には自己膨張式のBVMやジャクソン・リース回路，麻酔器の呼吸回路などのさまざまな器具を使用します．マスク換気がうまくいかない場合にはこれらの器具が原因になっていることも考える必要があります．使用法が間違っていたり，準備に不足があったり，器具自体の不具合も原因となります．各器具の使用法や特徴，準備のしかた，不具合が起きたときの対処法などを普段から確認しておき，使用する前にはきちんと作動するか確認しておくことも重要な手技の一環といえます．たとえ，換気がうまくできない原因が器具にあったとしても，患者さんの命を預かっているのはあなたであることに変わりはありません．

上手な気道確保には，体位が大切

気道確保困難ということで病棟によばれていくと，頭の下に枕を入れずにフラットな頭頸位で気道確保に難渋しているという状況を目にすることがあります．多くの手術室では，はじめから枕などが準備されており，麻酔科研修のときには特に意識することなく自然とスニッフィング位で手技を行っています．そのため，研修医も気道確保がスムーズに上達していきますが，他科に移った際には忘れてしまいがちです．さまざまな手技で「上手に行うには，体位が大切」とよく言われますが，気道確保も例外ではありません．手術室でのトレーニングの成果を，他の場面でも活かすためには，病棟などでの急変時でも慌てずに枕を入れて有利な体位で気道管理を行うということを忘れないようにしましょう．

文献

1）「日本麻酔科学会気道管理ガイドライン2014」（日本麻酔科学会，他／編），2014
https://anesth.or.jp/files/pdf/20150427-2guidelin.pdf

2）Miller's Anesthesia, 2-Volume Set, 8th Edition」（Ronald D Miller, et al eds), Elsevier, 2015
▲ 麻酔科学の代表的な教科書の気道管理－フェイスマスク換気の項．

3）El-Orbany M, et al：Head and neck position for direct laryngoscopy. Anesth Analg, 113：103-109, 2011
▲ 喉頭展開時の頭頸位に関する総説．

4）SAFAR P, et al：Upper airway obstruction in the unconscious patient. J Appl Physiol, 14：760-764, 1959
▲ さまざまな頭頸位と気道開存性を検討した文献．

3 器具を用いた気管挿管①
マッキントッシュ型喉頭鏡編

讃岐美智義

- マッキントッシュ型喉頭鏡は，直接喉頭鏡としては現在でも第一選択である
- 喉頭展開時にはスニッフィング位を保持しつづける必要がある
- 喉頭展開で視野が悪い場合には，BURP法，補助者の協力，左臼歯部からの挿入が有効な手段となる

1 気管挿管の基本手順

◆マッキントッシュ型喉頭鏡の構造と喉頭展開[1, 2]

マッキントッシュ型喉頭鏡は，1943年に英国でMacintoshにより発表[1]され70年以上も気管挿管の第一選択のデバイスとして君臨している器具です．この喉頭鏡は弯曲したブレードとハンドルで構成されています（図1A）．ハンドルの背面から見ると，逆Z型（図1B）になっており，この左側のスペースが口腔内の舌をよける部分です．ブレードを側面から見ると弯曲（図1C）しており，先端部は，喉頭蓋の上部（喉頭蓋谷）に当てた位置で喉頭が観察できるように前方に押し出します（図2）．イメージとしては，弯曲した**ブレードの面を前方に押し出すことで口腔内に観察スペースが形成**され，口腔外の視点から喉頭が観察できる形です．この操作を喉頭展開といいます．

本項では，喉頭展開までの手順を中心に解説します．

1) 喉頭展開までの手順とテクニック

喉頭展開を行うために，いきなり口腔内に喉頭鏡を入れることは難しいことです．そこで，喉頭鏡を入れやすいように，患者が仰臥位のまま頭位を**スニッフィング位**（臭いをかぐ姿勢）とします．スニッフィング位（図2A）とは，4 cm程度の枕を置き，下顎を前突させ，下顎が上顎より上方に位置する（気道が開く方向）ようにする体位です．これに対して，よく間違うのは頭部後屈のみを行う方法（図2B）です．この方法は，気道確保には適していますが，気管挿管には適していません．その理由は，頭部後屈位だと喉頭鏡を

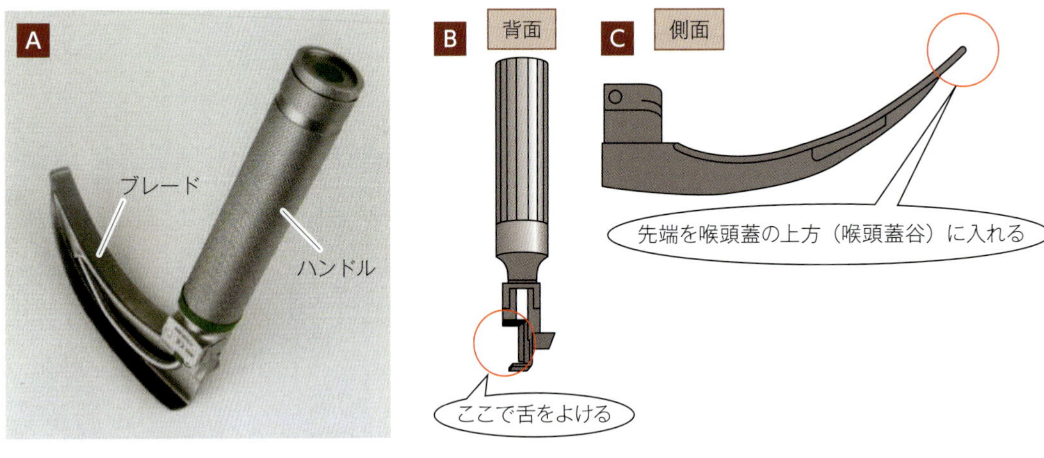

図1 マッキントッシュ型喉頭鏡の構造

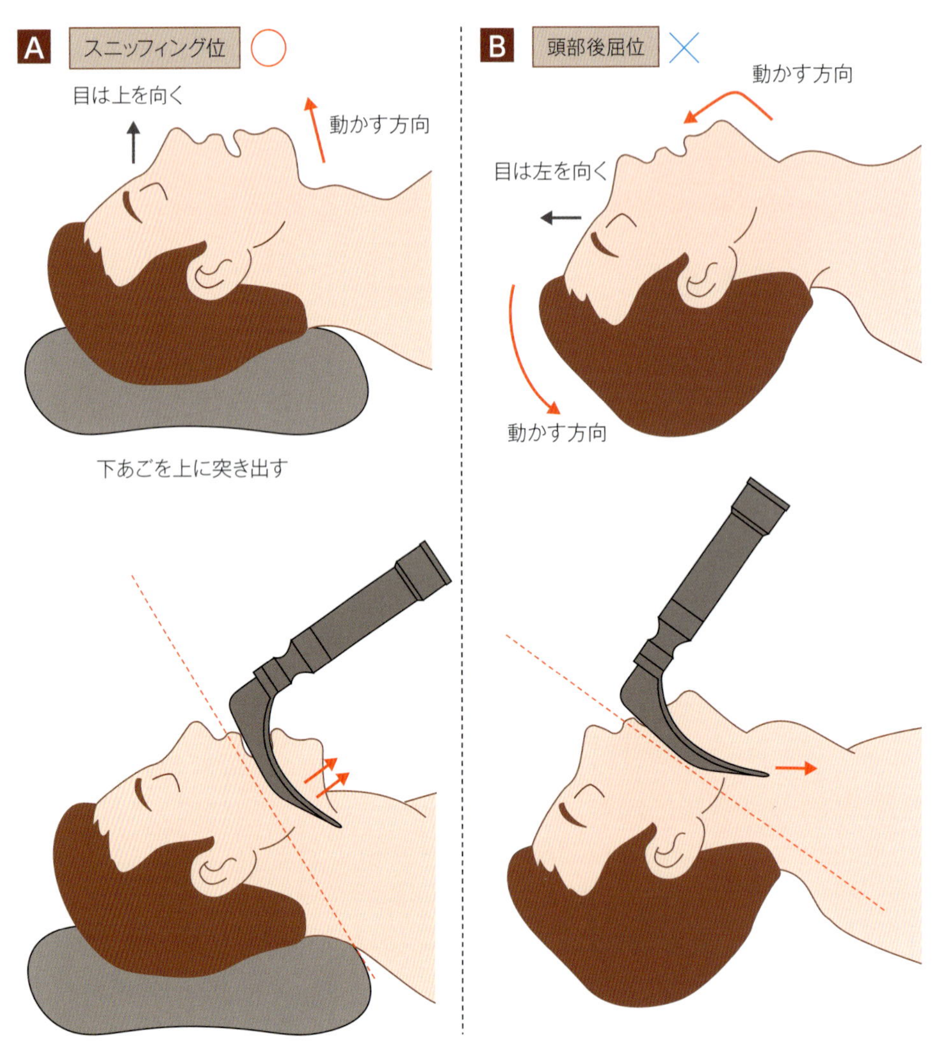

図2 スニッフィング位と頭部後屈位

文献2を参考に作成.

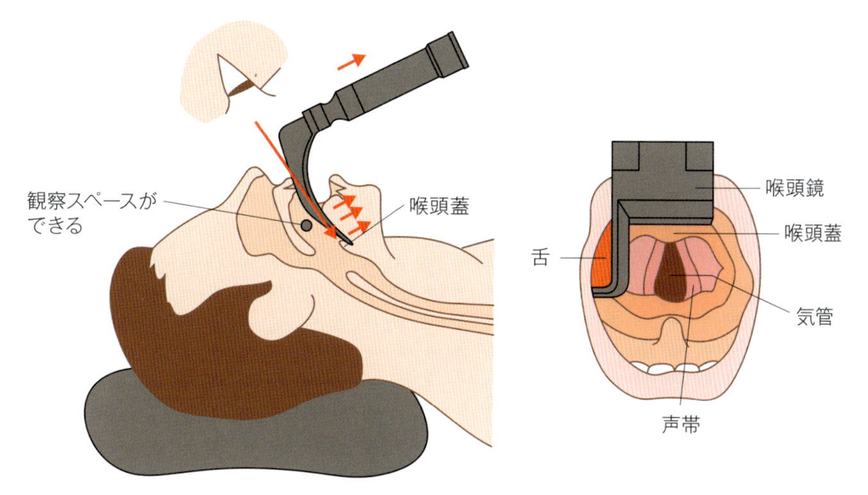

図3 スニッフィング位でブレードの「面」を使う

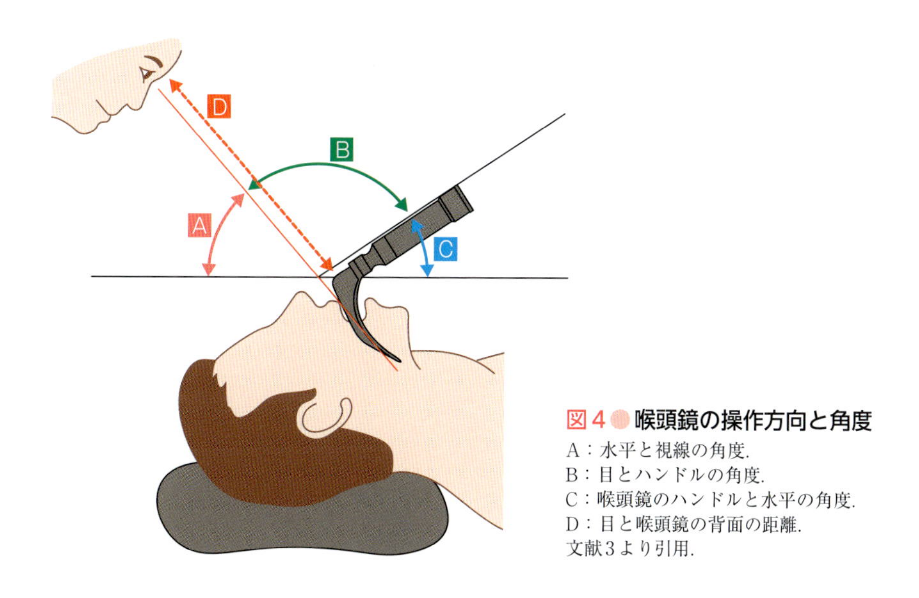

図4 喉頭鏡の操作方向と角度
A：水平と視線の角度.
B：目とハンドルの角度.
C：喉頭鏡のハンドルと水平の角度.
D：目と喉頭鏡の背面の距離.
文献3より引用.

挿入しても，ブレードの先端が喉頭蓋には**点**でしか接触できず，ブレードをどう動かしても上顎と喉頭鏡の間に観察スペースができないからです．一方，スニッフィング位であればブレードの先端が喉頭蓋の前面に**面**で接触することが可能で，面を前方に押し出すことで，口腔内に喉頭の観察スペースができます（図3）．

2) 喉頭展開時の頭位（スニッフィング位）

Walker[3] は，喉頭展開時の喉頭鏡の操作方向について，スニッフィング位でA（水平と視線の角度）を大きく，C（喉頭鏡のハンドルと水平の角度）が小さくなるように操作し，D（目と喉頭鏡の背面の距離）を大きくとると視野はよくなると述べています（図4）．

Isono[4] は，喉頭展開時のスニッフィング位と頭部後屈位の視野の違いについて，前方組織Ⓐ（口腔内の前方組織：舌，喉頭蓋，下顎）と後方組織Ⓟ（歯列，上顎，頭部）の位置関係を図を用いて解説しています（図5）．

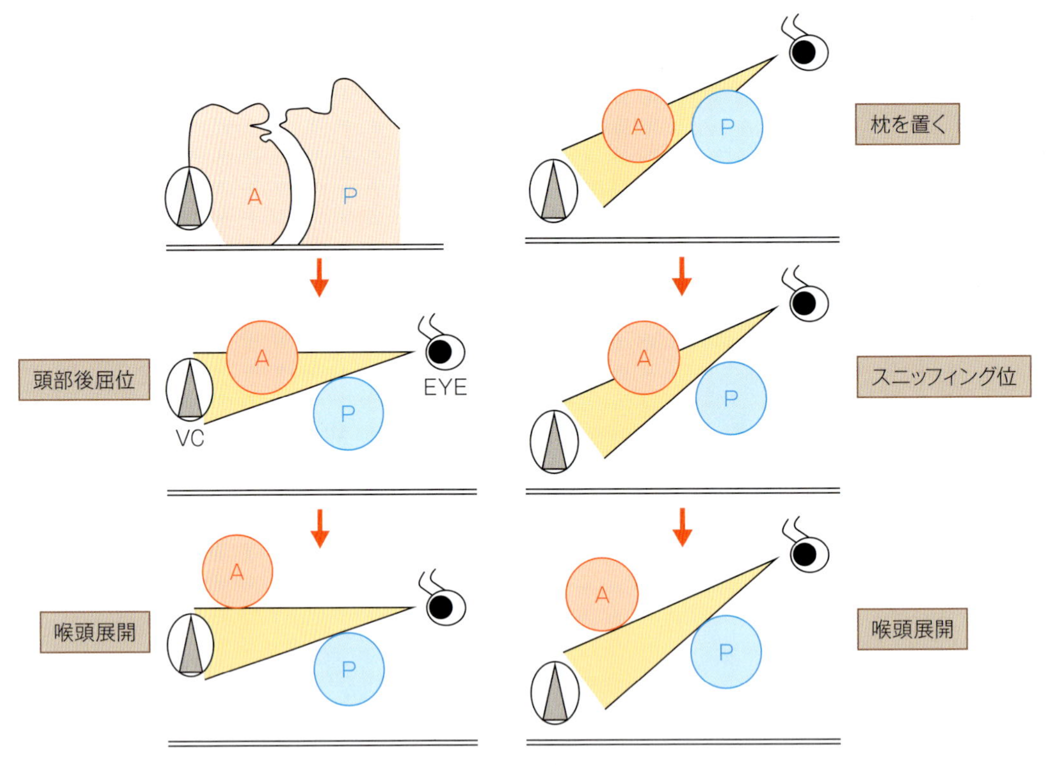

図5 頭部後屈位とスニッフィング位の喉頭展開時の視野
Ⓐ：口腔気道スペース前方に位置する障害物（舌，喉頭鏡，下顎など）．
Ⓟ：口腔気道スペース後方に位置する障害物（上歯，上顎，頭部など）．
VC：vocal cords（声帯）．
文献4より引用．

①まず，枕を入れると，ⒶとⓅが上方に移動する．
②スニッフィング位にすると，Ⓐは上方に，Ⓟは下方に移動する．
③喉頭鏡で喉頭展開をすると，Ⓐはさらに前方に移動して声門が直視できる．

Bannisterら[5]によって，喉頭軸，咽頭軸，喉頭軸が一直線に並ぶため，スニッフィング位は気管挿管に最適な頭位であると長い間信じられていました．しかし，口腔外の視点から声門まで喉頭軸，咽頭軸，喉頭軸が一直線に並んでも，その間に組織が存在していれば声門は観察できないため，喉頭鏡により視野を妨げる組織を移動させることが大切です．

3) 開口操作とスニッフィング位の保持

開口操作は，クロスフィンガー（図6）で行いますが，開口時に下顎を押し下げないようにしないことが大切です．すなわち，**開口した状態で下顎を保持してスニッフィング位を保つ**動作が必要です．その状態で，喉頭鏡を挿入すれば，気道が解放されている（喉頭鏡の挿入スペースができる）ため，うまく喉頭鏡を滑り込ませることが可能になります．

4) 喉頭鏡の握り

喉頭鏡は左手で持ち，母指を上からかぶせるように持ちます．このとき手のひらを上向きに握るのではなく，**左手の前腕を回内**して母指が上からかぶるように握ります（回内と

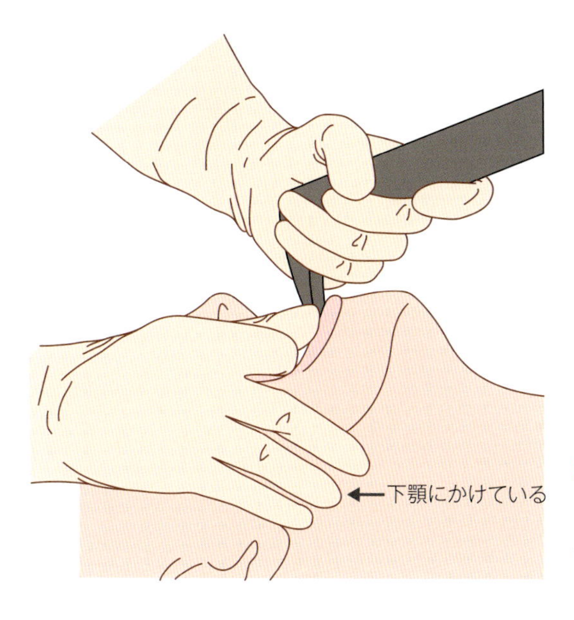

図6 クロスフィンガーの右手
クロスフィンガーで口を開けるだけでなく，同じ手で下顎を持ち上げるように持つことが大切．ここで右手でスニッフィング位を保持できるかどうかが，明暗を分ける．
文献6より転載．

同時に母指球で喉頭鏡のハンドルを押さえるように握る，図7良い例）．物を握ることを考えた場合，母指が上，その他の指が対側から押さえるという位置関係が大切です．母指球（MP関節の中枢側）と対立指を相対させて握ると，母指が喉頭鏡のハンドルに対してクロスする形になります．一方，ハンドルの長軸と同じ方向に母指（MP関節の末梢側）を伸ばして沿わせて握ると，手首の回内が不自然になります（図7悪い例）．これは，エビデンスというものではなく身体の動きを考えればわかることです．母指，示指，中指の3本で保持した場合も同様の動きで説明できます．

2 よくあるトラブルと解決法

1のように，スニッフィング位で正しく喉頭鏡操作をしたとしても，喉頭展開が難しいことがあります．Cormack と Lehane[7] は，マッキントッシュ型喉頭鏡で声門の観察できる状態を4つに分類（図8）しています．現在では，これが喉頭鏡視野を表現するためのゴールドスタンダードとなっています．グレード3以上では，挿管困難と判定されます．喉頭鏡は挿入できるが視野が悪い場合には，以下のようないくつかの対処法が発表されています．

● BURP法を用いる

最もよく用いる方法は，前方から頸部を圧迫するBURP法[8]（図9）です．BURPとは，backward，upward，and rightward pressureの略です．すなわち，**「後方に，上方に，右側に圧を加える」方法**です．**甲状軟骨部**に圧迫を加えることで，深い位置に存在する声門を見えやすくする効果が認められます．後方に押すことで，腹側に存在する声門を押し下げ，上方に押すことで，声門が近くに寄り，右側に押すことで喉頭鏡で左寄りに押された声門を右に寄せる効果が期待できると考えられています．

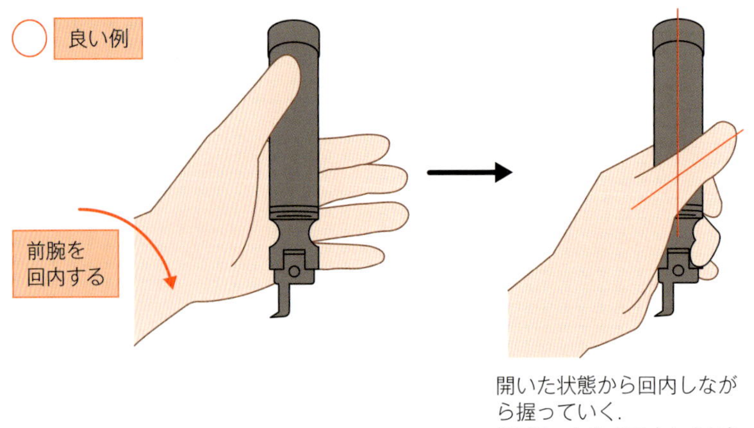

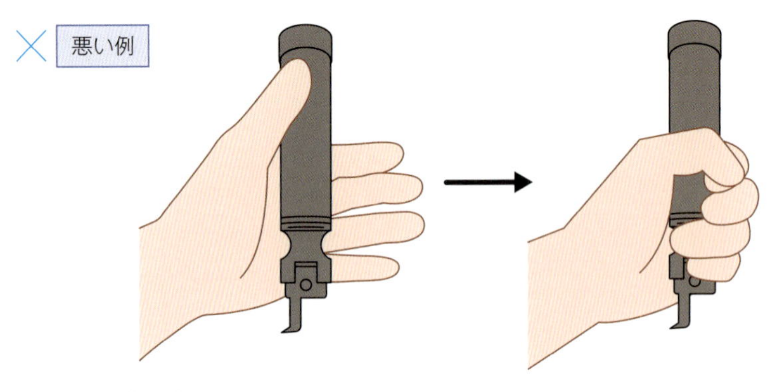

図7 喉頭鏡の握り
文献2より引用.

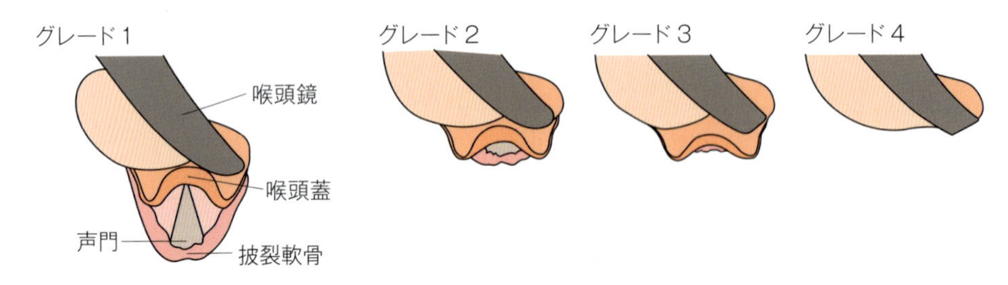

図8 Cormack & Lehane分類
グレード1：声門のほぼ全体が観察できる.
グレード2：声門の一部が観察できる.
グレード3：披裂軟骨部や声門は見えないが，喉頭蓋は観察できる.
グレード4：声門も喉頭蓋も観察できない.

● 補助者に喉頭鏡操作を手伝ってもらう方法

エビデンスはありませんが，よく行う方法として喉頭展開が甘い状況では，両手で引き上げたり，補助者に喉頭鏡操作を手伝ってもらうことも有効なことがあります.

● 左臼歯部から喉頭鏡を挿入

通常とは反対方向である左臼歯部から挿入するというものもあります．Yamamoto[9] らによると，通常の喉頭展開ではCormack & Lehane分類でグレード3以上の症例が1/3に減少したと報告されています.

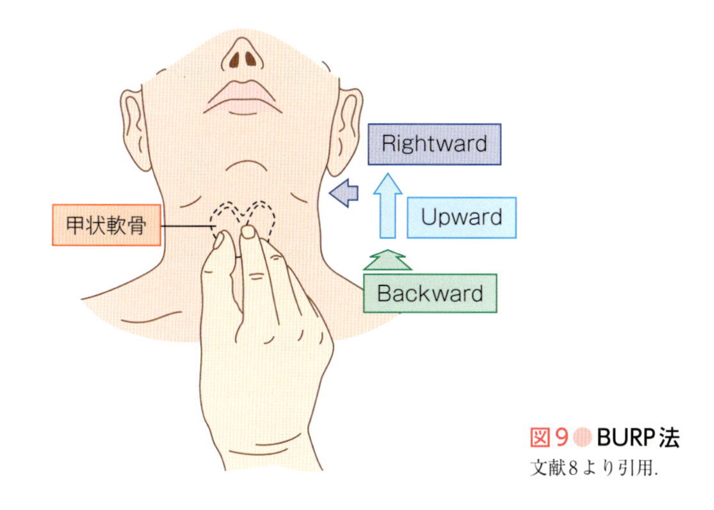

図9 BURP法
文献8より引用.

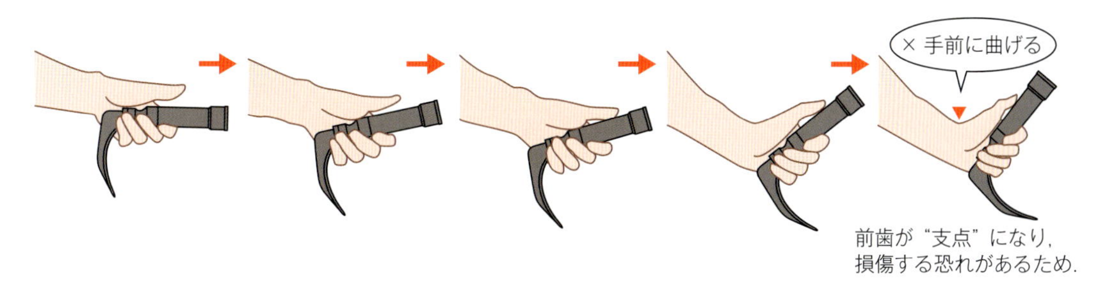

図10 後方に倒れてしまう時の動き（悪い例）

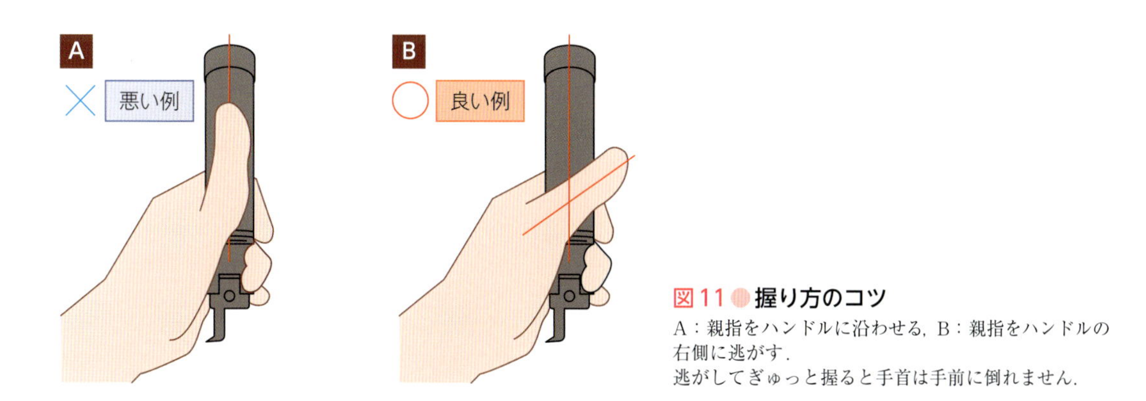

図11 握り方のコツ
A：親指をハンドルに沿わせる，B：親指をハンドルの右側に逃がす．
逃がしてぎゅっと握ると手首は手前に倒れません．

3 さらに進んだコツ

喉頭鏡を口腔内に挿入したあと，どうしても後方に倒してしまうクセが抜けないとスランプに陥ります．後方に倒せば，歯牙損傷を引き起こすのが常です．後方に倒れるとは，気管挿管時に手首を手前に曲げてしまう場合です（図10）．

こうなるには，明らかな理由があります．図11Aの左側のように，親指をハンドルに沿わせてもって喉頭鏡を持つ手をぎゅっと握ってみてください．反射的に手首は後方に倒れます．しかし，図11Bのように親指をハンドルの右側に逃がしてぎゅっと握る（親指を伸ばす）と手首は手前に倒れません．

マッキントッシュでの気管挿管にこだわらない

かつてはマッキントッシュ型喉頭鏡が気管挿管の標準的な道具でした．いまだにマッキントッシュ型喉頭鏡による気管挿管は研修医がマスターすべき必須手技ではありますが，現在では，ほかにも多数の気管挿管デバイスがあります．気管挿管が難しいときには，マッキントッシュ型喉頭鏡にこだわって何度も挿管を試みるのは愚の骨頂です．何度も喉頭展開をくり返せば，咽頭浮腫，喉頭浮腫を引き起こします．かつて，若かりし頃，喉頭展開をくり返して術後に咽頭浮腫をつくった苦い経験があります．抜管時に，浮腫に気づき生命に問題は生じませんでしたが，危うく大変なことになるところでした．2回失敗したら，別の手段に切りかえる[10]ことを忘れてはいけません．

文献

1）Macintosh RR：A new laryngoscope. Lancet, 1：205, 1943
2）「Dr.讃岐流気管挿管トレーニング：ビデオ喉頭鏡でラクラク習得!」（讃岐美智義／著），学研メディカル秀潤社，2013
3）Walker JD：Posture used by anaesthetists during laryngoscopy. Br J Anaesth, 89：772-774, 2002
4）Isono S：Common practice and concepts in anesthesia：time for reassessment：is the sniffing position a "gold standard" for laryngoscopy? Anesthesiology, 95：825-827, 2001
5）Bannister FB & Macbeth RG：Direct rlaryngoscopy and tracheal intubation. Lancet, 2：651-654, 1944
6）「麻酔科研修チェックノート第6版」（讃岐美智義／著），羊土社，2018
7）Cormack RS & Lehane J：Difficult tracheal intubation in obstetrics. Anaesthesia, 39：1105-1111, 1984
8）Knill RL：Difficult laryngoscopy made easy with a "BURP". Can J Anaesth, 40：279-282, 1993
9）Yamamoto K, et al：Left-molar approach improves the laryngeal view in patients with difficult laryngoscopy. Anesthesiology, 92：70-74, 2000
10）「日本麻酔科学会気道管理ガイドライン2014」（日本麻酔科学会，他／編），2014 https://anesth.or.jp/files/pdf/20150427-2guidelin.pdf

4 器具を用いた気管挿管②
マックグラスマック編

藤井智子

- 使い方はマッキントッシュ型喉頭鏡とほぼ同じ
- スタイレットで気管チューブとブレードの弯曲を合わせよう！
- 喉頭展開はとにかく正中を意識しよう

はじめに

McGRATH MACビデオ喉頭鏡（以下，マックグラス）は日本では2012年に承認されたビデオ喉頭鏡です．画像を他の人と共有できること，特殊な技術がなくても手軽に使用できることが特徴です．初期研修医が気管挿管をマスターするのにまず使用したい器具です．

1 手技の基本手順

1）準備

● 画面・光源・バッテリの確認

ハンドルの側面についている電源を押して，光源がつき画面がきちんと映ることを確認しましょう．画面右下端の数字はバッテリ残量で最大が250（分）です．5（分）以下になると点滅するのでバッテリを交換します．電源の消し忘れに注意してください（図1）．

● ブレードの装着

サイズ展開は1（新生児～），2（小児～），3（成人），4（大柄な成人），X3（X-blade，挿管困難用）です（図2）．日本人の成人はサイズ3，大柄な患者ならばサイズ4でもよいでしょう．挿管困難用ブレードのX3は厚さが薄くてブレードの弯曲も強めになっています．ブレードは本体のクリップ部にしっかりと装着します．ブレードはディスポーザブル（使い捨て）です．

図1 マックグラスの全体図（McGRATH™ MAC AO3ビデオ喉頭鏡）
写真提供：コヴィディエンジャパン株式会社.

ブレードの種類とサイズ	ブレードの形状	特徴
マッキントッシュ型喉頭鏡 サイズ3		
マックグラス サイズ3	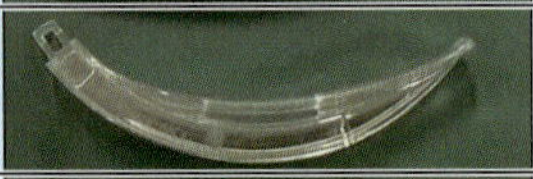	マッキントッシュ型ブレートと比較し弯曲がやや強い. その分，直視下の喉頭展開での視野は悪い[8].
マックグラスのX-blade （X3，挿管困難用）	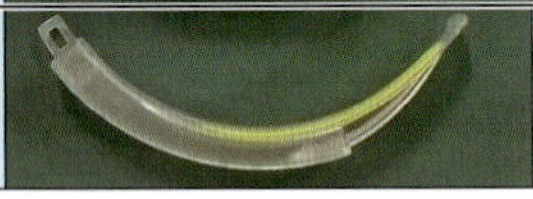	ブレードの厚みが薄く，弯曲が強い. 直視下の喉頭展開はできない.

図2 ブレードの弯曲の違い

●挿管チューブにスタイレットを入れて曲げておく

重要なポイントです．**ブレードのカーブに合わせて**挿管チューブを曲げておきます（図3）．必ずスタイレットを使いましょう[1, 2]．

ここがポイント　気管チューブの曲げ方

カフの少し上，黒いラインがはいっているあたり（図3A→）をホッケースティック型に曲げます．マッキントッシュ型喉頭鏡で挿管するときより弯曲を強めにする必要があります[2]．曲げすぎるとスタイレットを抜くときに引っかかるので気をつけましょう．チューブ全体を丸く緩やかなカーブをつけるのもよい方法です（図3B）．いずれもブレードのカーブに合わせることが一番のポイントです．

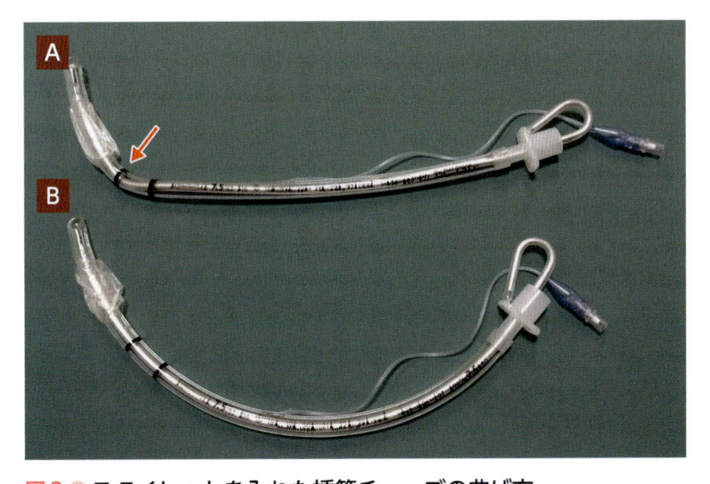

図3 スタイレットを入れた挿管チューブの曲げ方
A：ホッケースティック型（L型）．角を緩やかにしたJ型もある．
B：全体を丸くしたC型．

2）気管挿管の手順

● 開口・後屈

患者の頭部を正面に向けて可能ならしっかりと後屈させます．クロスフィンガー（**第2章-3参照**）で大きく開口させます．後屈ができない患者の場合は，機器の口腔内挿入時に患者の胸部にぶつからないようにモニターを少したたむなど工夫が必要です．

● マックグラスの挿入

口腔内を確認し，右口角からブレードを挿入します（図4A）．舌を左側に寄せるようにして正中に移動させます．そのまま舌に沿わせて先端を喉頭蓋谷のあたりまで（透明なブレードが上端1～3 cmを残して口の中に入るまで）**正中を意識して進めます**（図4B）．このときに深く進めすぎてしまうことが多いようです．先端の位置がどのあたりまで進んでいるのかを想像しながら慎重に進めましょう（図5）．

● 喉頭展開

適切な位置に機器があればモニター画面の中央上方に喉頭蓋があるはずです（図6）．ブレードが喉頭蓋谷に浅くかかっているときは慎重に喉頭蓋谷まで進めます．**喉頭蓋を確認したら**喉頭展開を行います（図7）．喉頭蓋を前上方に挙上させ声門を確認します．下顎全体をマックグラスで優しく持ち上げるイメージです．

● 気管チューブの挿入

右口角から気管チューブを挿入します．ブレードのカーブに沿って，**ブレードから離れないように挿入**しましょう．画面右側にチューブの先端が誘導できたら先端を声門の前まで進めます（図8A）．

● 気管挿管

気管チューブの先端が声門を通過したらスタイレットを抜き（図8B）チューブをゆっ

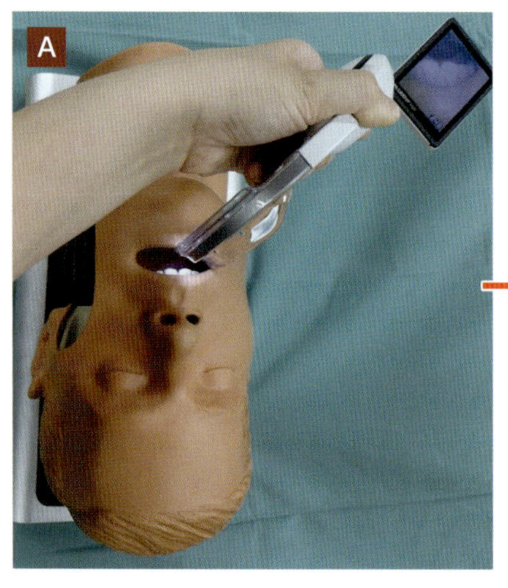

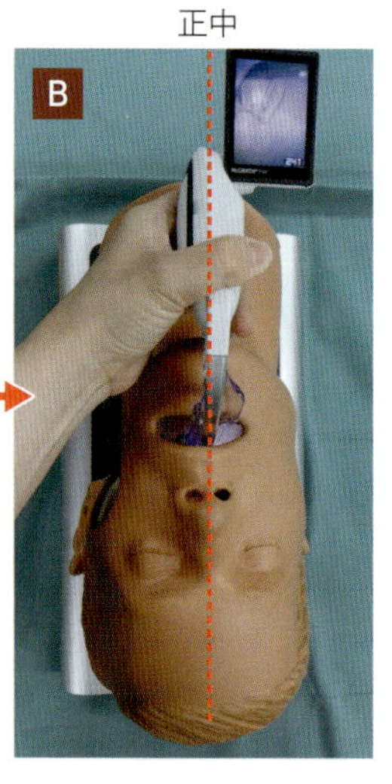

図4 マックグラスの挿入

A：右口角から挿入．
B：舌を避けて正中へ戻す．このまま正中を意識して進める．このときはまだモニターは見ずに全体を見て進める．

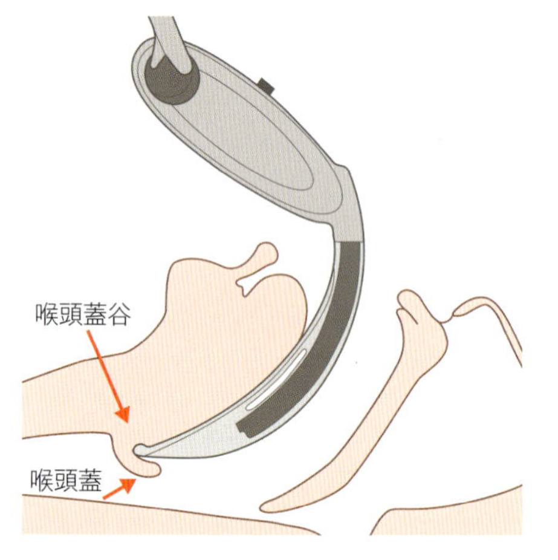

図5 ブレードの先端の位置

慎重に喉頭蓋谷までブレードを進める．
コヴィディエン ジャパン株式会社の画像を元に作成．

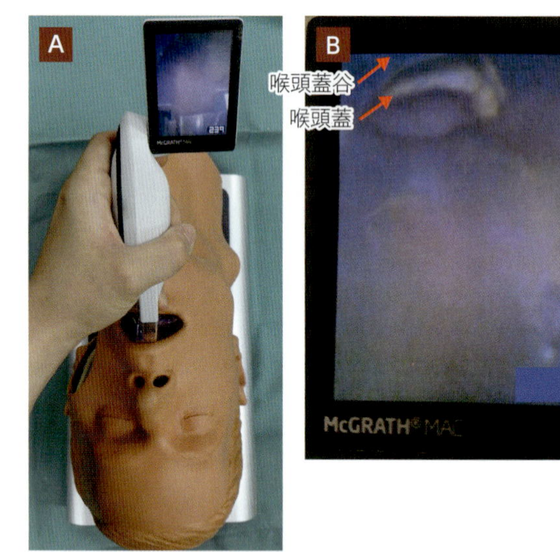

図6 喉頭蓋の位置確認

A：ブレードを喉頭蓋谷まで慎重に進める．
B：画面を見ると中央上方に喉頭蓋がある．

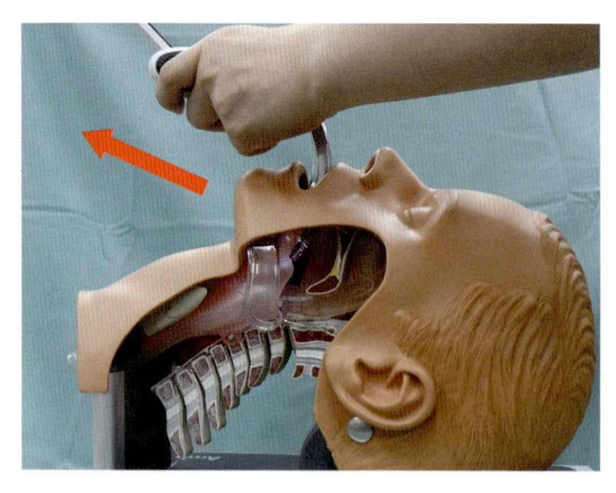

図7 喉頭展開

マックグラスで下顎全体を前上方に優しく持ち上げる．

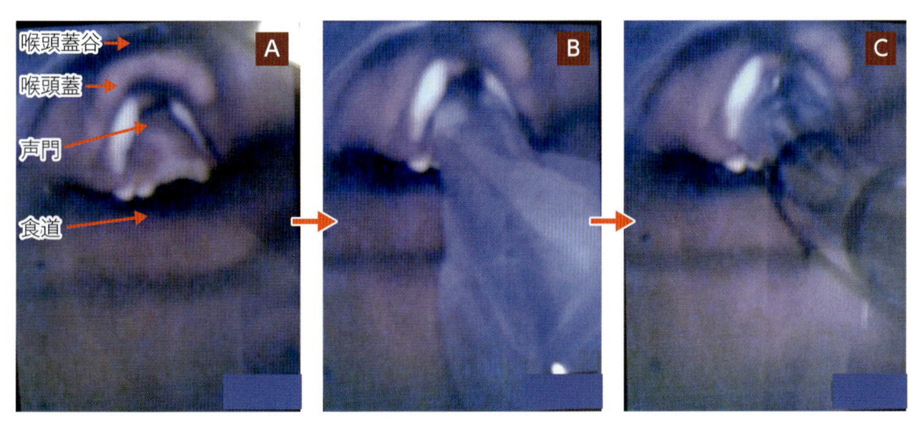

図8 気管挿管
A：声門を確認.
B：チューブの先端が入ったらスタイレットを抜いてもらう.
C：適切な深さまで優しく進める．引っかかるときはチューブを少し回転させてみる.

くり優しく進めます（図8C）．チューブの先端が声門を通過したのに気管前壁に当たって進まないときはチューブを回転させると入ります．気管チューブを適切な深さまで挿入したら機器を慎重に抜きます.

2 よくあるトラブルと解決法

1）画面が映らない，ぼやける

ブレードの装着が不完全だったり、患者の唾液や血液でブレードが汚れると画面がぼやけてしまいます．ブレードを確認しましょう.

2）喉頭蓋が見つからない

ブレードの先端を進めすぎていることが多いようです．画面を見ながらゆっくり抜いてくると画面上方から喉頭蓋が落ちてきます．また，機器が右を向いていませんか．右の前庭ヒダ（声帯の横，図9①）や梨状陥凹（食道の入り口，図9②）に突き当たっていることもあります（図9）．ブレードの先端を少し引いてから正中に戻しましょう．喉頭蓋が見えていないのに無理に喉頭展開をすると喉頭や声帯を傷つける可能性もあり危険です.

3）喉頭蓋が邪魔で声門が見えない

喉頭展開に慣れていないと喉頭蓋の挙上が不十分になりがちです．対処法は，ブレードの位置を調整する，枕を高くする，BURP法（甲状軟骨部を後方・上方・右方に押す，**第2章-3**参照）などがあります．それでもダメなとき，例えば嚢胞の存在や喉頭蓋の形状など解剖学的な理由で声門が見えない場合は挿管デバイスを変更する必要があります．こうなると経験がものを言う場面ですのでいろいろな先輩に対処法を聞いてみてください.

4）チューブを画面に誘導できない

非常に多いトラブルです．スタイレットの曲げ方が甘いとチューブを画面に誘導できま

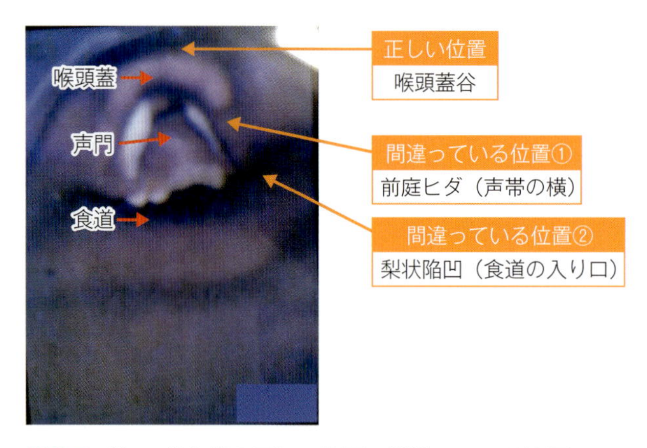

図9 ブレード先端の正しい位置・間違っている位置

せん．少し弯曲を強くしてみましょう．また，チューブを口に入れるときは**ブレードの溝に沿って離れないように**挿入してみてください．このとき，喉頭展開している左手は動かさないように気をつけましょう．

3 さらに進んだワザ

◆ マックグラスでマッキントッシュ型喉頭鏡のトレーニング！

筆者の施設の麻酔科研修1カ月目の研修医には，気管挿管全例にマックグラスを使用してもらっています．喉頭展開時の視野を指導医と共有することで初心者でも良好な視野を得られて安全な気管挿管を行うことができるからです[3, 4]．以前と比べ，当院では研修医が担当した症例の歯牙損傷，食道挿管，挿管困難は激減しました．

しかし，マッキントッシュ型喉頭鏡での気管挿管をマスターすることも重要です[5, 6]．マックグラスで喉頭の解剖を理解し喉頭展開の動作に慣れることでマッキントッシュ型喉頭鏡での気管挿管のために効果的なトレーニングになります[7]．

前回の「挿管は容易」⇒何の器具で挿管したのか必ずチェック！

患者に手術歴があれば前回の麻酔記録を必ず確認します．あるとき，担当患者の前回の麻酔記録を見ると麻酔担当は1年目の研修医で「Cormack 分類：1，気管挿管：容易，挿管器具：マックグラス」と記載がありました．筆者（麻酔専門医）がマッキントッシュ型喉頭鏡で気管挿管しようとしたところ，Cormack 分類3（**第2章-3**参照）で全く声門が見えず慌ててマックグラスに切り替えて挿管した症例がありました．マックグラスの威力に驚くとともに，前回の挿管に用いた器具は必ずチェックするべきだと痛感した例です．

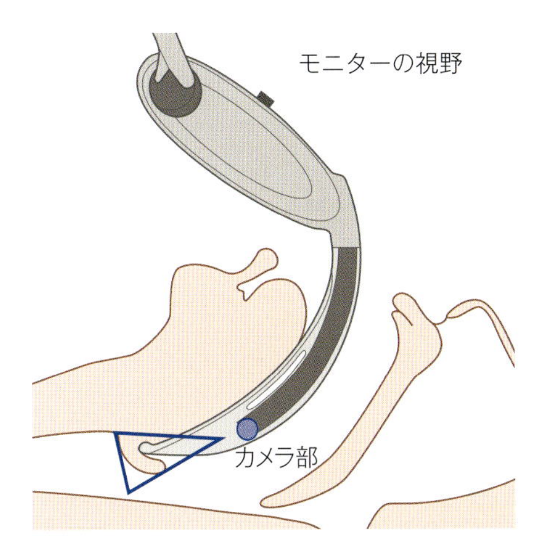

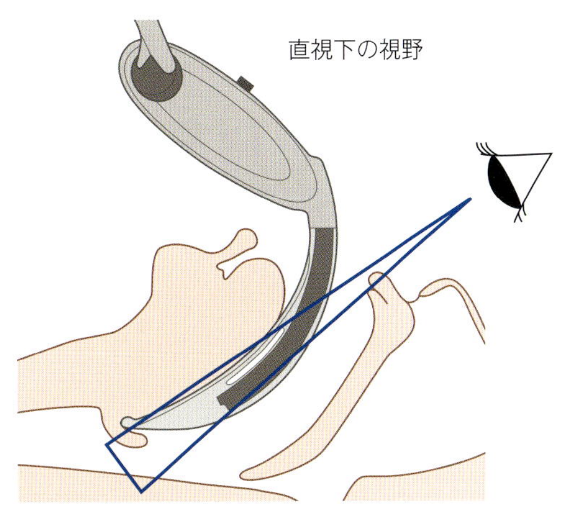

図10 モニターと直視下の視野の違い
コヴィディエン ジャパン株式会社の画像を元に作成.

ここがポイント　マックグラスのモニターの視野と直視下の視野の違い

マックグラスは直視下での使用も可能です．しかし，ブレードの先端にカメラがついているモニターの視野と直視下の視野はかなり異なります（図10）．同様にマッキントッシュ型喉頭鏡の視野とも異なります[8)]．モニターでの視野ほど声門の全体がはっきり見えないことを理解しましょう．また，マックグラスの挿管困難用X-bladeは弯曲が強いので直視下に喉頭展開はできません．

文献

1）McGRATH MAC ビデオ喉頭鏡 添付文書
▲ 販売元のコヴィディエン ジャパンのホームページから使用方法の動画や添付文書が閲覧できる.

2）遠藤聖子，他：小児100症例におけるmcGRATH MACビデオ喉頭鏡の有用性の検討．麻酔，64：1097-1100, 2015
▲ 小児でもマックグラスの有用性の報告が出てきた．スタイレットの弯曲の調整が必要だったと記載がある.

3）Shippey B,et al：Use of the McGrath® videolaryngoscope in the management of difficult and failed tracheal intubation . Br J Anaesth , 100：116-119, 2008

4）Taylor AM, et al：The McGrath® Series 5 videolaryngoscope vs the Macintosh laryngoscope: a randomised, controlled trial in patients with a simulated difficult airway. Anaesthesia, 68：142-147, 2013
▲ 2つとも挿管困難での視野が格段に改善するとしてマックグラスの有用性を書いた論文.

5）「日本麻酔科学会気道管理ガイドライン2014」（日本麻酔科学会，他／編），2014
▲ 2014年に改訂された日本麻酔科学会が発表した気道管理ガイドライン．レジデントには難しいところもあるが一度は目を通してみよう．日本麻酔科学会のホームページから閲覧できる.

6）浅井 隆：エアウェイスコープの現状と未来―マッキントッシュ喉頭鏡は今や無用の長物か？―．日本臨床麻酔学会誌，30：611-618, 2010
▲ マックグラスは出てこないが気管挿管や喉頭鏡の開発の流れが書いてある．マッキントッシュ型喉頭鏡は無用の長物なのか，指導医と話してみるのもおもしろいだろう.

7）若杉佳子，他：McGRATH MACはマッキントッシュ型喉頭鏡を用いた気管挿管手技の習得に有用である．麻酔，64：1091-1096, 2015
▲ 初心者がマッキントッシュ型喉頭鏡による気管挿管手技を習得するためにはマックグラスでの挿管経験が効率的であるという報告.

8）Wallace CD, et al：A comparison of the ease of tracheal intubation using a McGrath MAC® laryngoscope and a standard Macintosh laryngoscope. Anaesthesia, 70：1281-1285, 2015
▲ マックグラスの直視下，モニター下，マッキントッシュ型喉頭鏡それぞれの視野について比べてある．マッキントッシュ型喉頭鏡よりマックグラス直視下の方が視野が悪いのが興味深い.

5 声門上器具を用いた気道確保①
i-gel編

木村哲朗

- エア注入不要の声門上器具である
- 挿入のコツは「潤滑剤」→「スニッフィング位」→「開口」→「硬口蓋方向」
- 適切な麻酔深度（鎮静・鎮痛）を心がける
- i-gelを経由して気管挿管もできる

はじめに

声門上器具（supraglottic airway device：SGD）は気管チューブと同様に非常に重要な気道確保器具です．多くの種類のSGDが発売されていて，どれを選ぶべきか麻酔科医でも迷うことも多いと思います．本項で紹介するi-gelはエアを注入しないタイプで，SGD初心者にもお薦めできます．

i-gelを含めたSGDの用途としては，**全身麻酔中の気道管理，挿管・換気困難時や蘇生中の気道確保**があげられます．本項ではi-gelの特徴，挿入手順，よくあるトラブルと解決法について概説します．

1 手技の基本手順

1）SGDの適応

i-gelの適応は基本的には他のSGDと共通します．主な利点と欠点を表1に示します．

気道確保困難時の有用性はSGDの重要な役割の1つにあげられます．米国[1]，英国[2]，日本[3] など各国の困難気道管理に関するガイドラインではいずれもSGDを緊急気道確保時の必須デバイスとして強調しています．次に述べるように「迅速かつ容易な挿入・高いシール圧・胃管留置・経SGD挿管」といった特徴を兼ね備えるi-gelは，現時点で最も理想に近いSGDの1つと言えます．初心者でも使用しやすいi-gelの取り扱いにはぜひ慣れ

表1 SGDの利点と欠点

利点	欠点	禁忌
● 気管挿管より侵襲が少ない ・喉頭展開が不要 ・気管内に留置しない ・術後の咽頭痛，嚥下痛が減らせる ● 術入に特別な道具を必要としない ● 困難気道時に換気を改善できる可能性がある	● 気道と食道の分離作用が弱い ・誤嚥に弱い ● 位置ずれが起こりやすい ● 声門より先の閉塞に弱い ・声門閉塞，喉頭痙攣 ・喉頭や気管での気道閉塞	● 開口障害 ● 喉頭や気管での気道閉塞

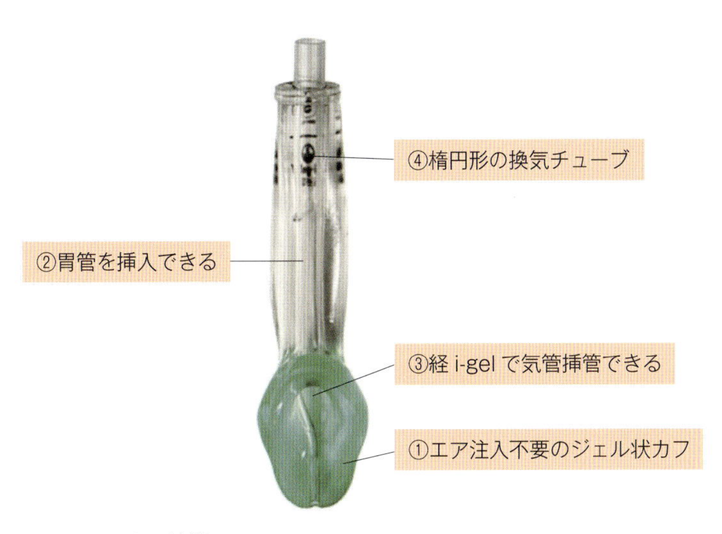

図1 i-gelの特徴
写真提供：Intersurgical Limited.

ておきましょう．

2）i-gelの特徴（図1）

● エア注入不要のジェル状カフ

エア注入不要カフを採用している点が最大の特徴です．他のSGDで生じがちなカフ先端のめくり返りによる挿入・換気困難がなく，挿入が比較的容易です．エア注入が不要なので挿入後の手順が少なく，術中カフ圧管理も不要です．特殊なジェル状素材でできていて，体温により喉頭への密着度・シール圧が高まります[4)]．

● 胃管を挿入できる

換気用と胃管用の二腔構造となっています．胃管を留置することで，SGDの弱点である誤嚥のリスクを減らせる可能性があります．胃管用ルーメン径はやや狭いため，サイズ#3・#4で12 Fr，サイズ#5で14 Frまでしか挿入できないことに注意します（表2）．

● 経i-gelで気管挿管できる

カフ内部に開口する換気ルーメン経由での気管挿管が可能です（148ページ **3 さらに進んだワザ**参照）．

表2 i-gelの選択ガイド

サイズ	カラーコード	適用患者の体重（目安）	気管内チューブ対応内径（目安）	胃管カテーテル対応外径（目安）
#1	ピンク	2～5 kg	最大3 mm	挿入ポートなし
#1.5	青	5～12 kg	最大4 mm	最大10 Fr
#2	グレー	10～25 kg	最大5 mm	最大12 Fr
#2.5	白	25～35 kg	最大5 mm	最大12 Fr
#3	黄	30～60 kg	最大6 mm	最大12 Fr
#4	緑	50～90 kg	最大7 mm	最大12 Fr
#5	橙	90 kg以上	最大8 mm	最大14 Fr

● **楕円形の換気チューブ**

ねじれにくく挿入が容易で，閉塞リスクも軽減されています．バイトブロック機能も有しています．

● **シングルユースである**

滅菌することでカフのジェル部分が劣化し，適切なシール力が得られない可能性があります．再滅菌しての使用は避けるべきです．

3）患者評価～準備

● **患者評価**

①気道確保困難の予測

気道確保困難の危険因子を評価します（**第2章－総論**参照）．カフ近位部の最大前後径が約30 mm（#4，筆者計測による）とボリュームがあるため，**開口制限や動揺歯**がある場合には挿入は難しくなります．スニッフィング位（図3C参照）をとれない**頭頸部の可動域制限**がある患者でも，挿入が難しい場合があります．口腔・咽頭に病変がないかも確認します．フルストマックや胃食道逆流症を有する患者では誤嚥のリスクが高いので，相対的に禁忌となります．

ここがポイント

開口制限，動揺歯，頭頸部可動域制限があると挿入が難しくなる．

②サイズ選択（表2）

成人から新生児まで対応しています．**成人男性で #4，女性で #3** を選択することが多いです．

◆ **準備**（図2）

❶使用期限，滅菌袋の破損がないことを確認した後に開封する

❷プラスチックカバーをとり，カフの背面，前面，側面にしっかりと潤滑剤をつける

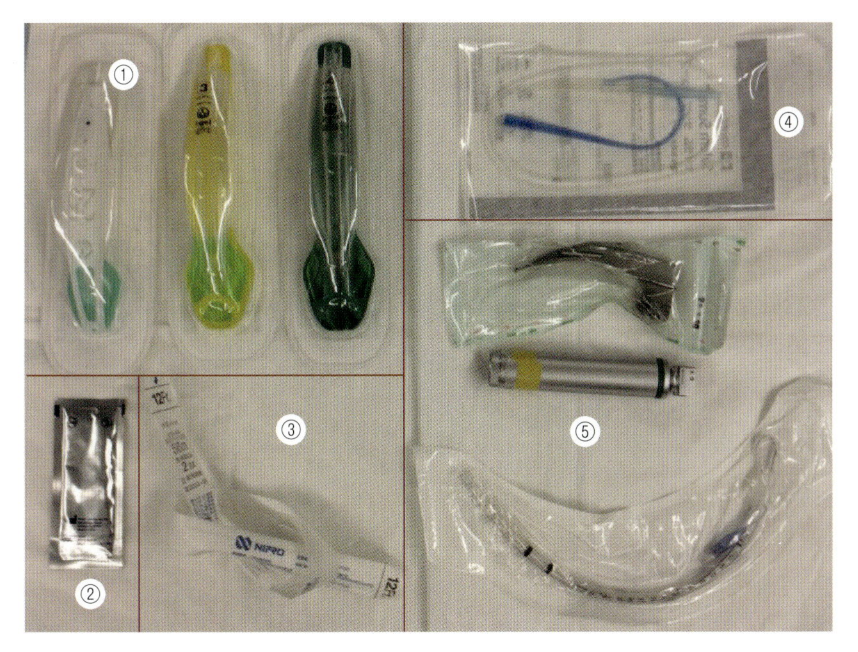

図2 準備物品
①i-gel本体：予備のために前後のサイズも準備
②水溶性潤滑剤：リドカイン含有しないもの
③吸引チューブ
④胃管：胃管ルーメンはやや狭いため，適応サイズを確認
⑤喉頭鏡，気管チューブ：i-gelのトラブルに備えて

気道の有害反射（喉頭痙攣・声門閉塞）を誘発する危険があるため，**開口部には塗らない**ように注意します．

ここがポイント

カフ部分にしっかりと潤滑剤をつける．ただし，開口部には塗らない．

4）挿入手順

i-gel挿入時のコツや「お作法」は他のSGDに比べて少ないです．ラリンジアルマスクの挿入（**第2章-6**参照）とは異なり，基本的に口腔内に指を入れる必要はありません．以下，**4）挿入手順**～**6）覚醒～抜去**は全身麻酔時の使用を想定して説明します．

● 麻酔導入

気管挿管時と同様に，まずは十分に酸素化します．有害反射の抑制のために50～100 μgのフェンタニルを静注し，数分後にプロポフォール2.5 mg/kg程度を投与します．高齢者では投与量を減らします．就眠を確認した後にマスク換気を行います．慣れないうちは筋弛緩薬を併用した方が管理は容易です．

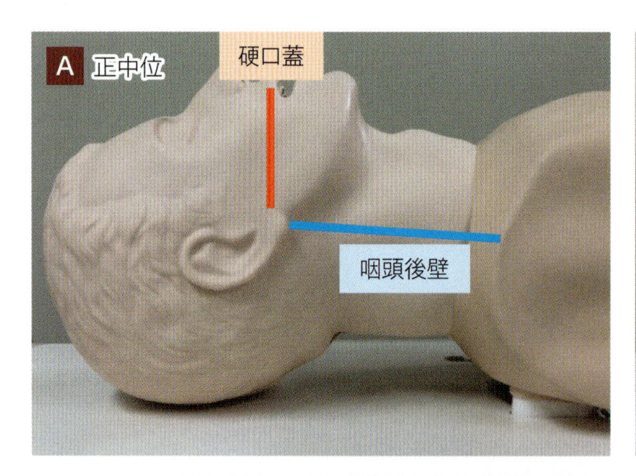

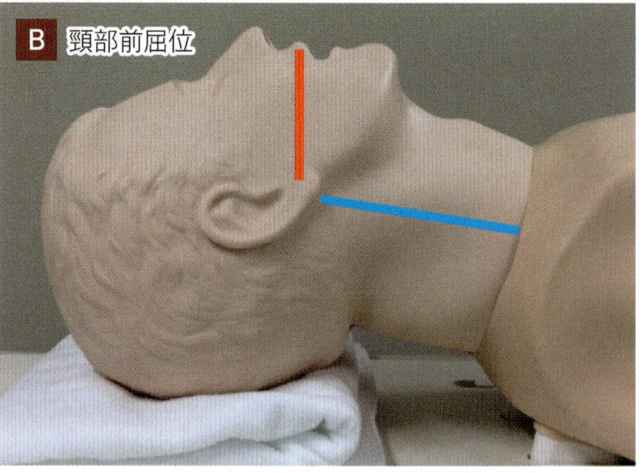

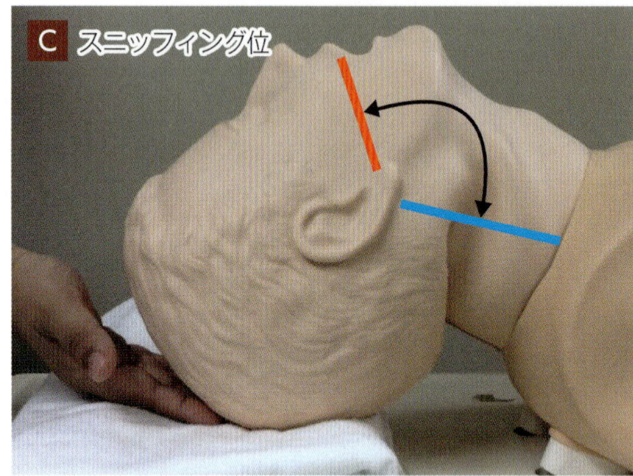

図3 頭頸部の体位の比較
A：正中位.
B：頸部前屈位.
C：スニッフィング位（匂いを嗅ぐ姿勢：頸部前屈＋頭部後屈）
i-gelを含めたSGDは硬口蓋（━）と咽頭後壁（━）の表面を滑るように挿入される．正中位Aから枕を高くして頸部前屈位Bにするだけでは硬口蓋と咽頭後壁のなす角度はあまり変化しない．頭部後屈を加えてスニッフィング位（C）にすることで角度が大きくなり，挿入しやすくなる．

◆ i-gelの挿入の手順

❶ 頭頸部体位をスニッフィング位（頸部前屈＋頭部後屈）とする

スニッフィング位では口腔と咽頭が直線に近くなるため，気管挿管だけでなくSGDの挿入に適しています（図3）．

❷ 両手で下顎を押し下げて十分に開口させる

開口を左手で保持し，右手でi-gelを受けとります．

❸ シャフト上部の固い部分を保持し，硬口蓋方向に挿入する（図4A）

口腔に垂直に挿入すると舌と干渉しやすくなります．

❹ 硬口蓋に押し当てるイメージで，目標の深さで抵抗を感じるまで押し進める

スニッフィング位をとり，しっかりと開口させ，硬口蓋に押し当てるように進める．

❺ 蛇管に接続し，胸郭の動き・呼吸音の聴診・呼気終末二酸化炭素濃度波形で良好な換気が行えていることを確認する

❻ ずれないようにしっかりとテープで固定する（図4B）

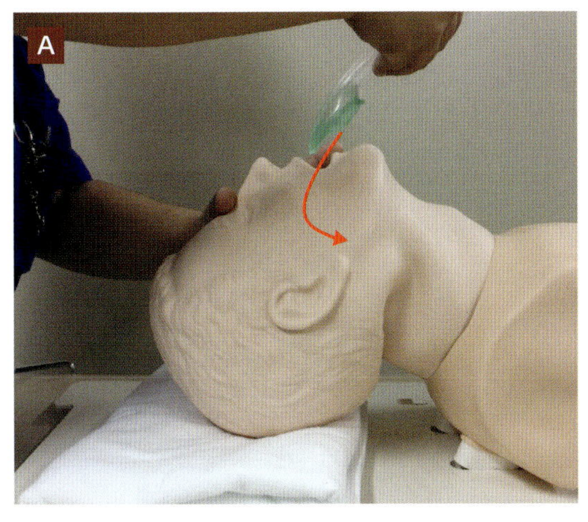

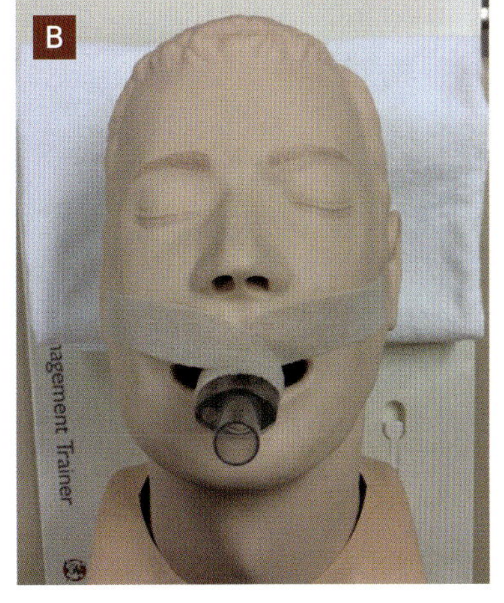

図4 i-gelの挿入
A：i-gelは硬口蓋の方向に挿入し，押しつけるようにして進める（⟶）.
B：上顎から上顎にテープを巻き，下に押しつける形で固定する.

❼胃管を挿入する

#3は10 Fr，#4は12 Frが入れやすいです．胃管用ルーメンは細いので，潤滑剤をしっかりと塗らないと挿入できません．胃液が吸引できれば，適切な位置に留置できている目安になります．

5）術中の麻酔維持

浅麻酔では，喉頭痙攣や声門閉鎖などの気道の有害反射を誘発する危険，体動などによるi-gel位置ずれの可能性があります．**適切な麻酔深度（鎮静・鎮痛）を維持します**．

ここがポイント

適切な麻酔深度（鎮静・鎮痛）を維持する．

6）覚醒～抜去

十分に覚醒するまで刺激しないようにします．自分で開口してもらえる程度まで麻酔から覚醒している状態での抜去が理想です．

2 よくあるトラブルと解決法

1）歯列や舌と干渉して挿入しづらい

カフのボリュームが大きいため歯列や舌と干渉し，挿入しづらいことがあります．スニッフィング位をとり，しっかりと開口させます．**一人での開口保持が難しければ，介助者に補助してもらいます**．

カフが歯列を超えたら，硬口蓋に向けて押し当てるように進めます．潤滑剤塗布が不十分だと，舌との摩擦が大きくなります．**挿入時に抵抗がある場合には無理な挿入は禁物です**．

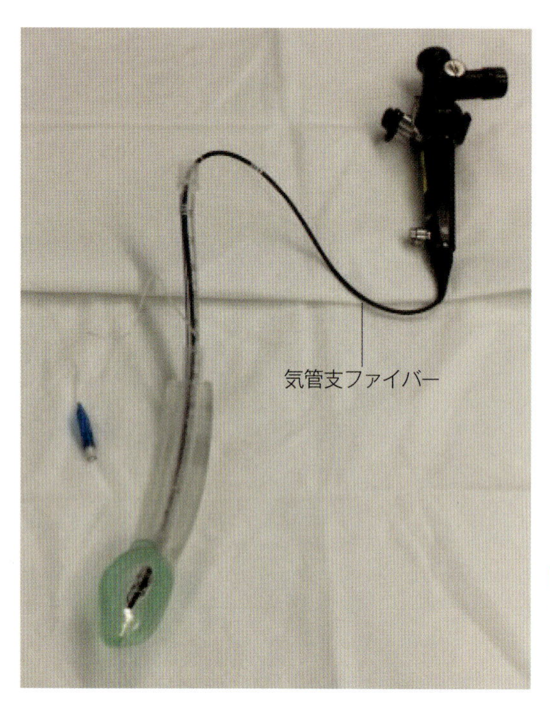

図5 i-gelを用いた気管挿管
経i-gelで盲目的に気管チューブを進めると，出口の向きの都合で気管チューブが披裂軟骨や喉頭後方に向かうことが多い．気管支ファイバーを併用することで気管挿管の成功率が向上する．

2）挿入時に体動がある

咽頭・喉頭反射が適切に抑制されている必要があります．**下顎挙上で体動が見られない程度の鎮静レベル**がSGD挿入に必要との報告[5]があるため，挿入するタイミングの参考になります．

3）挿入したが換気ができない，換気はできるがリークがある

原因①：気道の有害反射（喉頭痙攣，声門閉鎖）

慌てて抜去せず，ゆっくり10～15 cmH_2O程度の圧をかけながら換気すると解除されることがあります．改善しなければプロポフォール0.5～1 mg/kg程度を追加投与します．声門閉鎖や喉頭痙攣であればこの時点で解除されます．筋弛緩薬投与でも対応できます．

原因②：喉頭蓋の落ち込み

i-gel全体を数cm出し入れすると解除されることがあります．i-gel挿入の際に下顎挙上を併用すると，喉頭蓋の落ち込みを防止できる可能性が高まります．

原因③：サイズの不一致

わずかなリークであれば，時間とともにフィットする場合もあります．いろいろ試みてだめならサイズを変えるか，気管挿管への変更も検討しましょう．**i-gelに固執しすぎないことも重要です**．

3 さらに進んだワザ

◆ 経i-gel気管挿管

i-gelはカフ内部に開口する換気ルーメンを経由した気管挿管が可能です（図5）．盲目的に気管チューブを進めるのではなく，**気管支ファイバーガイド下で行う**ことで気管挿管の成功率が高まり[6]，挿管後の気管チューブの適正位置の確認にも有用です．開口の補助，i-gelや気管支ファイバーの受け渡しなど，一連の手順をあらかじめ介助者と確認しておきます（具体的な手順などは，**文献7**などを参照）．

ここがポイント

経i-gel挿管の際には，気管支ファイバーを併用する．

i-gelに救われた経験

病棟や救急外来などでも挿管や換気が難しい症例に出くわす可能性があります．上級医や麻酔科医をコールしてもすぐには来ない，目の前の患者に生命の危機が迫っている．そんな状況をi-gelが助けてくれるかもしれません．筆者も挿管・換気困難症例でi-gelを挿入した途端に換気が改善し，ことなきを得た経験があります．i-gelの使用に慣れていて本当によかったと思いました．麻酔科研修中には気管挿管だけでなく，i-gelも経験しておくことをお薦めします．

文献

1）Apfelbaum JL, et al：Practice guidelines for management of the difficult airway: an updated report by the American Society of Anesthesiologists Task Force on Management of the Difficult Airway. Anesthesiology, 118：251-270, 2013

2）Frerk C, et al：Difficult Airway Society 2015 guidelines for management of unanticipated difficult intubation in adults. Br J Anaesth, 115：827-848, 2015

3）「日本麻酔科学会気道管理ガイドライン 2014」（日本麻酔科学会，他／編），2014
https://anesth.or.jp/files/pdf/20150427-2guidelin.pdf

4）林 健太郎：成人麻酔患者におけるi-gelとLMA Prosealの比較．麻酔，62：134-139, 2013

5）Drage MP：Jaw thrusting as a clinical test to assess the adequate depth of anaesthesia for insertion of the laryngeal mask. Anaesthesia, 51：1167-1170, 1996
▲ 下顎挙上法がラリンジアルマスク挿入のタイミングの目安になることを示した論文．

6）Theiler L：Randomized clinical trial of the i-gel™ and Magill tracheal tube or single-use ILMA™ tracheal tube for blind intubation in anaesthetized patients with a predicted difficult airway. Br J Anaesth, 107：243-250, 2011

7）「Difficult Airway Management—気道管理スキルアップ講座」（中川雅史，上農喜朗／編），克誠堂出版，2010
▲ 挿管用ラリンジアルマスクを用いた挿管手順が詳細に記載されていて，経i-gel気管挿管とほぼ共通している．

6 声門上器具を用いた気道確保②
ラリンジアルマスク編

羽場政法

- 声門上器具を使用する目的（緊急時の酸素投与！）を明確にする
- 挿入後の胸郭の上がりを確認し有効か無効かを判断する
- シミュレーションにて挿入から換気までのトレーニングを行う

はじめに

ラリンジアルマスクエアウェイ（laryngeal mask airway：LMA）による気道確保はすでに確立された方法で，全身麻酔手術や救急救命士の緊急気道確保で日常的に使用されています．しかし，喉頭の入り口をふさぐ形で留置するLMA（図1）は気管挿管と比べ容易にズレが生じます．LMAで気管挿管と同じレベルの換気状態を維持する技術は気管挿管する技術と同様，そう簡単に身につくものではありません．普段からLMAを使用して

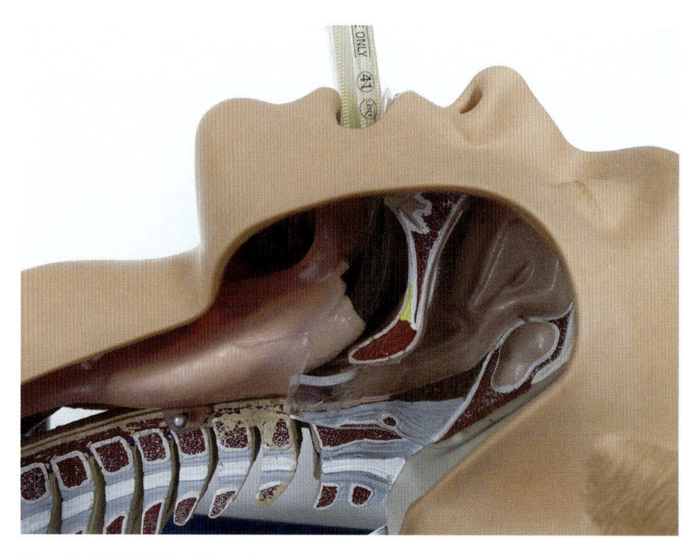

図1 適正位置に挿入されたLMA

いる部署以外では気管挿管の代替方法としてはオススメしません．

しかし，**一時的に酸素を投与するエアウェイとしては非常に容易に使用することができます**．低酸素は数分で致命的な合併症を引き起こします．LMAを知ることで，これらの合併症を回避することができるでしょう．

JSA-AMAガイドラインでも換気困難，挿管困難があれば迅速な声門上器具の挿入が推奨されています[1]．

LMA使用の目的を**緊急時の酸素投与技術**と考えた場合には研修医が必ず習得すべき手技です．

1 LMAの種類（図2）

最初のLMAはBrain医師により作成されました[2]．その後同様の機能をもった製品がさまざまなメーカーから作成され，これら一連の製品を気管チューブと区別し，「ラリンジアルマスク」とよびました．しかし，現在は，これら一連の製品を「声門上器具」あるいは「上喉頭デバイス」とよび，LMAという名称はBrain医師が作成した声門上器具のみを指します．

1) LMA Classic™

最初に製作された最もシンプルなLMAです．

2) LMA Flexible™

カフから伸びるチューブがスパイラルチューブで自由に曲げることができます．頭頸部手術や扁桃摘出術で使用されます．チューブが自由に曲がるため外的な力によるカフのズレが少ないです．小児の気道確保に愛用する医師が多いです．

3) LMA ProSeal™

LMAの欠点である胃からの圧を口腔外に逃がすようにカフ先端から口腔外に伸びる

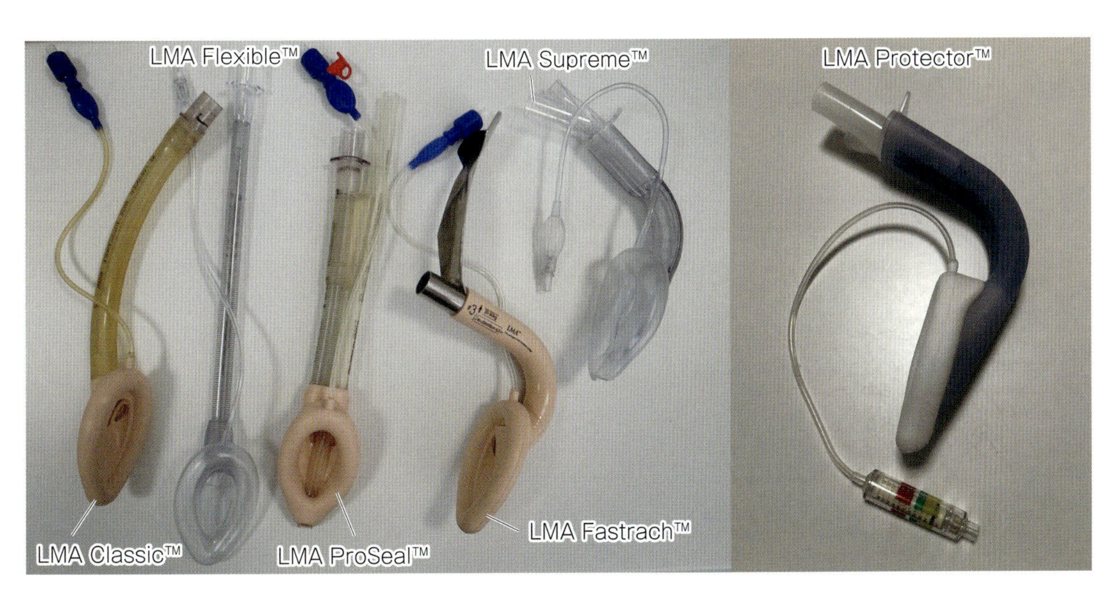

図2 LMAの種類

チューブがついています．胃管の挿入も可能です．背面にカフをつけることにより高い陽圧換気にも対応できます．チューブはほどよい柔らかさをもち，チューブが歯牙により閉塞しないようにバイトブロックがついています．

4) LMA Fastrach™

挿管用のLMAです．挿入し気道確保した後，チューブ内に気管チューブを挿入し気管挿管ができます．チューブが金属製であるため，力を加えて挿入することができます．

5) LMA Supreme™

LMA ProSeal™をさらに進化させ，食道と気道を分離する先端形状と挿入を容易にする薄さ・弯曲が特徴です．

6) LMA Protector™

LMA Supremeをさらに進化させ，チューブ内を通して挿管が可能になりました．カフ圧もカフPilotにより目視可能で，素材もシリコンに変更されフィットがよく，高圧での換気が可能となりました．Brain医師の考えた最も新しいLMAです．

それぞれにおいて特徴があり，手術時の気道確保では最適な製品を選ぶ必要があります．しかし先述した**緊急時の酸素投与を目的とする場合は製品を選びません**．いずれのタイプも有用です．緊急時には挿管できるタイプのものが選ばれることも多いですが，LMA Supreme™は経験の浅い医師の初回からの成功率が非常に高く緊急時に有用です[3, 4]．

2 手技の基本手順

手技の基本は以下のようなa～d 4つの手順に分けられます．

a 道具の準備

❶サイズを選択する（表1，column：サイズ選択参照）

❷カフを完全に脱気させる（図3A）

❸カフ背面に潤滑剤を塗布する（図3B）

b LMAの挿入

❶挿入に際しては頭部を後屈させる

❷人差し指を添えてカフを把持する（図3C）

❸硬口蓋に押しつけながら進める（図3D）

硬口蓋に沿って進めると中咽頭で自然と先端が尾側に向かいます．

❹抵抗があるまで進める

LMA先端が適正位置である食道入口部にあたると，それ以上進めることができなくなります．

❺LMAが抜けないように把持しながら，挿入した指を引き抜く

表1 ● LMAのサイズ選択ガイド例とカフ最大注入量

サイズ	患者の体重（目安）	カフ最大注入量	LMA Supreme™	サイズの有無					
				LMA Classic™	LMA Flexible™	LMA ProSeal™	LMA Fastrach™	LMA Supreme™	LMA Protector™
＃1	～5 kg	4 mL	5 mL	○		○		○	
＃1.5	5～10 kg	7 mL	8 mL	○		○		○	
＃2	10～20 kg	10 mL	12 mL	○	○	○		○	
＃2.5	20～30 kg	14 mL	20 mL	○	○	○		○	
＃3	30～50 kg	20 mL	30 mL	○	○	○	○	○	○
＃4	50～70 kg	30 mL	45 mL	○	○	○	○	○	○
＃5	70～100 kg	40 mL	45 mL	○	○	○	○	○	○

LMA Supreme™は上記表のようにカフ最大注入量が少し違う．
添付文書より引用．

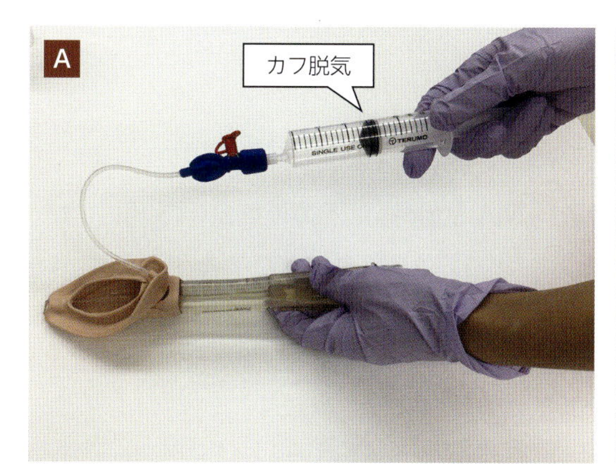

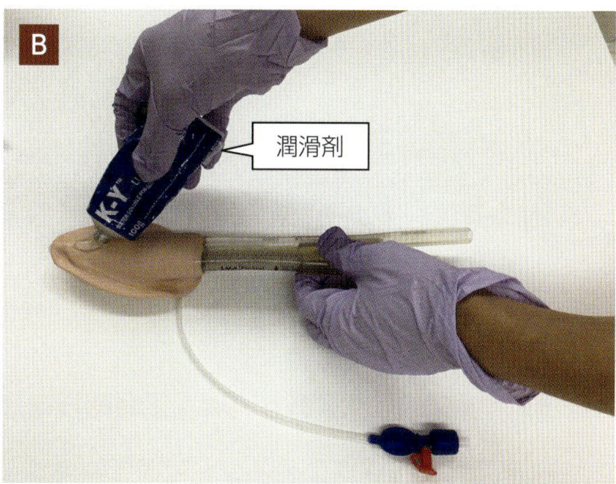

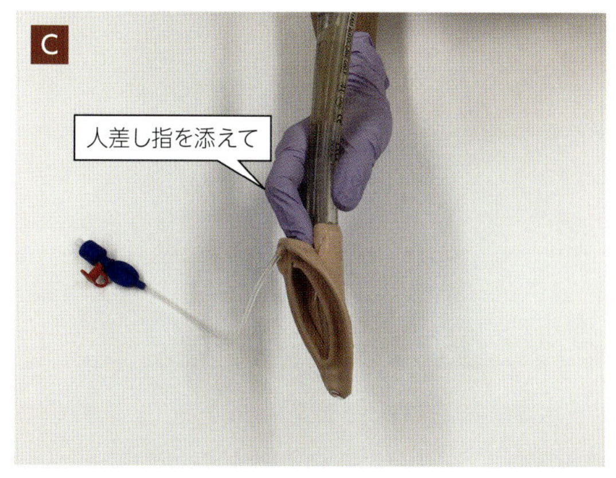

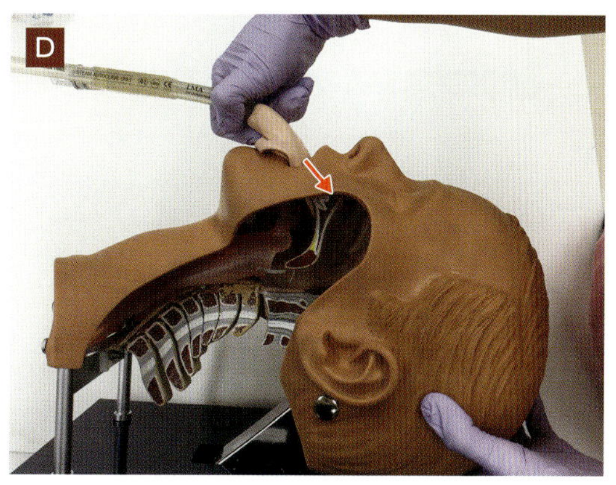

図3 ● 基本手順

A：カフを脱気させる，B：潤滑剤を背面のみに塗布，C：人差し指をカフに添えて持つ，D：→の方向に力を加え進める．

C カフへの空気注入

❶ カフに空気を注入する際にはLMAに触れないようにする

カフの膨張時に適正位置にLMAがずれるため，その動きを邪魔しません．

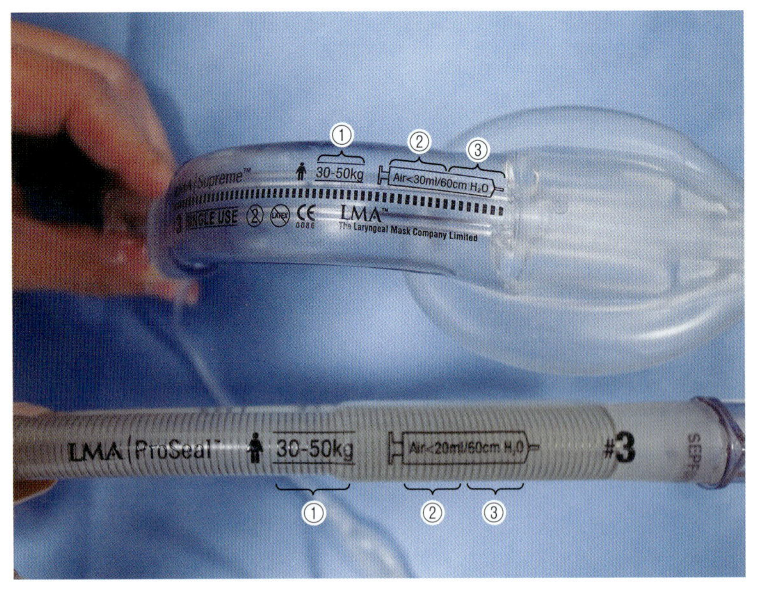

図4 チューブには必要な情報が記載されている
①適応体重・②カフ内への空気最大注入量・③最大カフ圧.

❷カフに，チューブ記載の最大空気量の半分量（LMA Supreme™のみ＃3：15 mL，＃4：20 mL）を注入する（図4，表1）.

d 換気の確認

❶バックバルブ，あるいは人工呼吸器を接続し胸郭の上がりを視認，呼吸音を確認する

モニターではカプノグラムの波形が最も信頼できます．酸素飽和度は1分ほど経ってから変化しはじめるため直後の確認には不適切です.

❷口腔内に空気のリークが認められた場合にはカフ内の空気量を調節する

サイズ選択

添付文書では表1のようにサイズ選択が決められています．しかし実臨床では体重で選択しても適切なサイズとならないことがあります．おおよその目安は女性がサイズ3または4．男性がサイズ4または5と考えておけばよいでしょう．しかし，一刻を争う緊急時にはこの限りではありません．目的は酸素投与で，おそらく成人であれば3～5のいずれのサイズでも酸素投与が可能です．同じシミュレーターに違うサイズのLMAを挿入し，すべてのサイズで酸素投与が可能であることを確認してほしいと思います（注意：胸郭の上がり具合はサイズによって変わるので適正なサイズは存在します）.

3 よくあるトラブルと解決法

1）反対の手の指をLMAと硬口蓋の間に挿入！

挿入がうまくいかない原因の多くは中咽頭でLMA先端が尾側に向かないことによりま

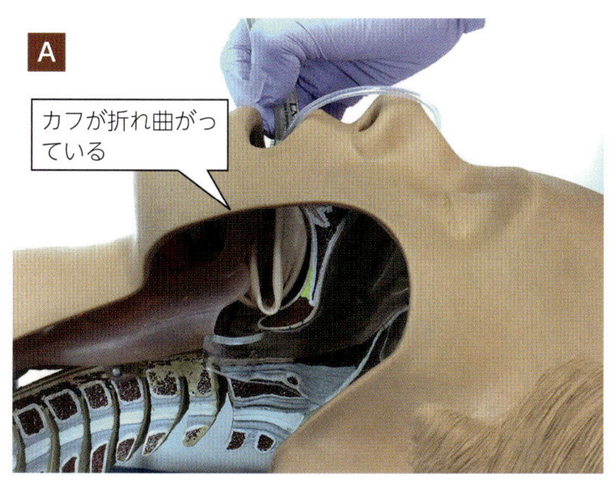

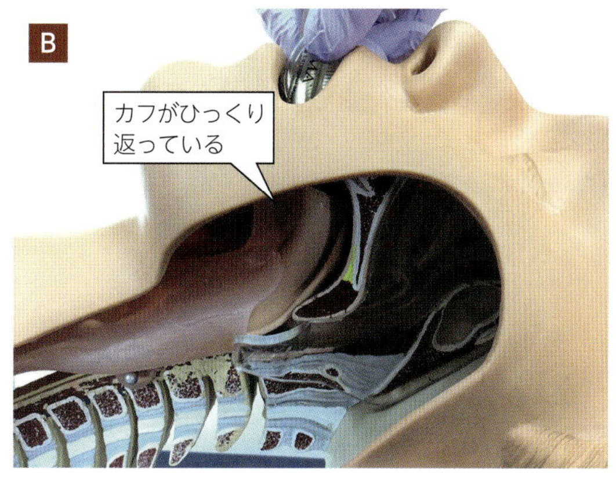

図5 LMA挿入失敗例
A：カフが折れ曲がっている，B：カフがひっくり返っている．

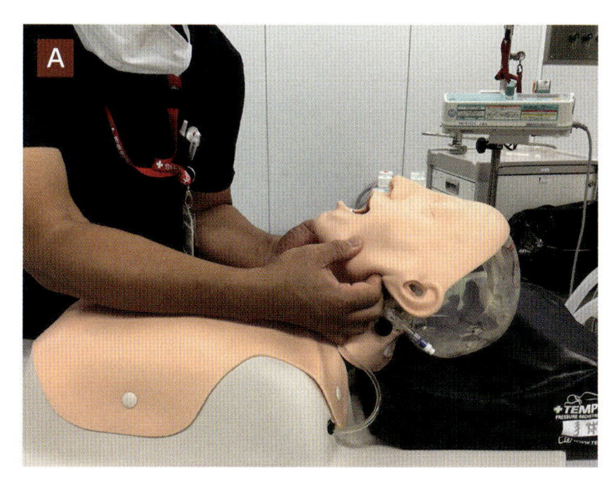

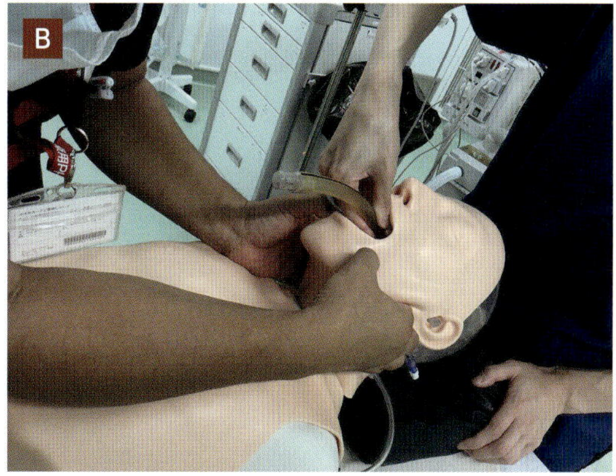

図6 トリプル・エアウェイ・マニューバによる挿入補助
A：トリプル・エアウェイ・マニューバ：後屈，開口，下顎前方移動．
B：開口は挿入を容易にさせ，下顎前方移動は挿入障害となる舌根を持ち上げる．

す．無理に入れようとすると，先端が頭側に向き，折れ曲がったまま挿入されたり（図5A），LMAがひっくり返ったりします（図5B）．咽頭後壁を傷つけ口腔内出血をきたす場合もあるので注意が必要です．

やや咽頭側壁方向にずらして舌根部を避け挿入したり，カフを少し膨らませて挿入したり，脱気の際に形状を変えたりとさまざまな工夫がありますが，最も簡単なのは，反対の手の指をLMAと硬口蓋の間に挿入し，先端を物理的に尾側に曲げ挿入する方法ではないかと思います．

また，人手がある場合には，図6のように開口させると口腔内，舌根部に大きなスペースができるため挿入が容易となります（**第2章-2**参照）．

2）換気できていなければ迷わず抜去！

注意してほしいのが，挿入後の確認です．深さが適正な位置まで入ったとしても，換気が適正に行われていない場合もあります．原因はさまざまですが（**column：換気ができない原因**参照），**普段使い慣れていない場合にはその原因にたどり着くことは困難です．原因を**

考えるのではなく，**換気の確認をしっかり行い，換気ができていないと判断すれば，迷わず抜去**し再挿入，あるいは輪状甲状間膜穿刺（**第2章-7**参照）を検討する必要があります．

4 さらに進んだワザ

挿入が難しい場合には喉頭鏡により舌根部を持ち上げ挿入スペースを確保する方法もあります．喉頭鏡を使うという操作はLMA使用において一見矛盾するように感じますが，喉頭展開ではなく，舌根部を避ける手段として用いるため，挿入の際に声門の確認は不要で，喉頭展開技術を必要としません．

LMA ProSeal™やLMA Supreme™では胃管用のポートに胃管を挿入し，先に胃管を食道に入れ，ガイドとして進める方法もあります．

まとめ：いざというときに使うためには！

気道確保を専門としない医師が声門上器具を使用する目的は緊急時の酸素投与です．

挿入後うまくいったかの判断は換気による胸郭の上がりを確認します．胸郭の上がりがみられなかった場合は原因を考えるのではなく，再挿入あるいは他の手技を考えます．

緊急的にLMAを使用する機会はなかなか訪れないため，経験を積むことができません．そして実際に使用するときには，極度のストレスのなかで対応することとなります．残念ながら知識だけでは，こういった状況に対応できません．日頃からシミュレーターを用いてトレーニングすることによりこれは解決ができます．

いざというときに実行するために，**本項を読んで知識をつけたあなたが行うべき行為は，勇気を出して自施設の麻酔科医にLMA挿入換気シミュレーショントレーニングの相談を行うことです．**

換気ができない原因

挿入したのに換気ができない原因はさまざまです．声帯が閉じてしまうと換気ができません．生理的な反応による喉頭痙攣やカフを膨らませすぎることにより周りからの圧迫で声門を閉じてしまうこともあります．③のように挿入時カフがひっくり返っていたり，折れ曲がったりすることもあります．カフが喉頭蓋を下方に押し進めたり，カフ先端が声門に当たる場合もあります．肺のコンプライアンスが低い状態や気管内異物がある場合には正常に挿入されていても換気ができません．残念ながら普段使い慣れていないと原因がどれに起因するか判断することは困難です．

文献

1）日本麻酔科学会気道管理ガイドライン2014(日本語訳)
http://www.anesth.or.jp/guide/pdf/20150427- 2guidelin.pdf
2）Brain AI：The laryngeal mask--a new concept in airway management. Br J Anaesth, 55：801-805, 1983
3）Ragazzi R,et al：LMA Supreme™ vs i-gel™--a comparison of insertion success in novices.
4）Henlin T, et al：Comparison of five 2nd-generation supraglottic airway devices for airway management performed by novice military operators. Biomed Res Int, 2015：201898, 2015

7 外科的気道確保

二階哲朗

- 外科的気道確保とは，外科的皮膚切開または穿刺を行うものであり，待機的に行うものと緊急で行うものに分けられる
- 侵襲的行為であるため，その適応を十分見定めることが必要である．特に輪状甲状膜穿刺と輪状甲状膜切開はcannot be ventilated, cannot be intubated (CVCI)による気道確保困難に対しての最終打開手技になる
- 短時間で行わなくてはならない，超緊急の手技である．普段から解剖学的知識や手技について知っておくだけでなく，豚の喉頭やシミュレーターを用いたトレーニングが必要である

はじめに

気道管理のなかでも，外科的気道確保を行うことは患者にとって侵襲的なことであり，十分な適応，合併症に対する対応を考えなくてはなりません．外科的気道確保とは待機的に行う外科的気管切開も広義として含まれますが，狭義には緊急に気道確保の必要があるにもかかわらず，マスク換気・気管挿管が不能になった場合に行う観血的手技を指します．本項では，**超緊急時**に行う外科的気道確保の解説を行います．

ここがポイント

緊急なのか非緊急なのかで手技が異なります！

1 外科的気道確保とは

外科的気道確保（surgical airway management）は**待機的に行うものと緊急時に行うもの**に区別して考えなくてはなりません．待機的に行う外科的気道確保は**外科的気管切開（surgical tracheostomy）**と経皮的穿刺から気管切開口を拡張しチューブを挿入する**経皮**

表1 ● 外科的気道確保

●待機的
外科的気管切開(surgical tracheostomy)
経皮的気管切開(percutaneous dilatational tracheostomy:PDT)
●緊急時外科的気道確保
輪状甲状膜穿刺
輪状甲状膜切開

的気管切開(percutaneous dilatational tracheostomy:PDT)に分類されます.それに対して緊急時に行う外科的気道確保として**輪状甲状膜穿刺**と**輪状甲状膜切開**があります(表1).

● 待機的に行う外科的気道確保の適応

上気道の機械的閉塞,下気道の分泌物貯留,排出困難による気道閉鎖,上気道や口腔咽頭領域の手術時(術中・術後)の気道確保,神経筋疾患などによる呼吸筋力減弱,呼吸不全や意識レベル低下など長期間人工呼吸管理から離脱できない場合に行われ,患者予後の改善が見込まれる場合に施行します[1, 2].頸部に傷ができる美容的な問題,声を出すことができないことによる精神的な苦痛などのデメリットはありますが,経口的気管挿管を行う人工呼吸管理と比較して,死腔が少なくなるため,呼吸仕事量が減り人工呼吸器からの離脱が容易になります.また,喀出吸引が容易である,口腔内の清潔が保たれ人工呼吸関連肺炎が減少するなどのメリットが存在します[2, 3].

切開時の合併症として出血,声帯麻痺,チューブの誤挿入による気胸・縦隔気腫・皮下気腫,これらによる換気困難,低酸素血症があげられます.高濃度酸素投与時の電気メスの使用は,気道熱傷の可能性があります[4, 5].気管切開後は感染,腕頭動脈気管瘻,肉芽形成による気管狭窄,声帯麻痺などがあげられます.挿入早期に事故抜去してしまった場合の再挿入は難しく,無理をするとチューブの縦隔迷入などの合併症につながる可能性があります[6].

相対的な禁忌としては出血傾向があげられます.また縦隔炎は致命的となるため感染が起きている場合や胸骨切開を行った心臓手術後などは十分な期間をあけて気管切開を行うことが必要です.

PDTと外科的気管切開に関してどちらが有効かは結論を得ていませんが,術後の創感染や出血に関してPDTの方が少ないと考えられています[5~8].いずれにしろ合併症が存在する手技としっかり認識し,術前の**インフォームドコンセント**を行い,手技を行うにあたっては気道管理ができる医師を患者の頭元に配置するなど,緊急時の対応を行わなくてはなりません.

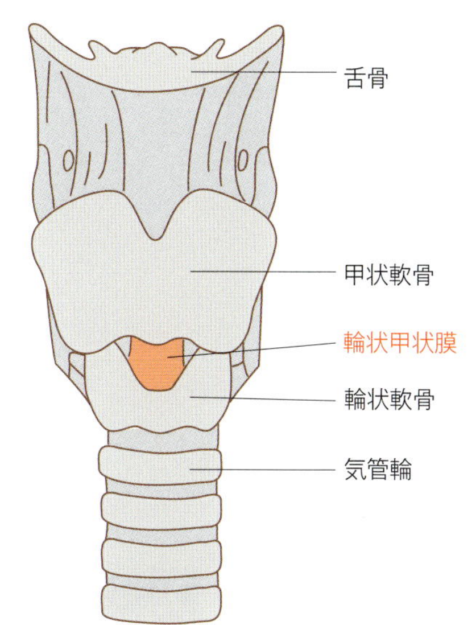

図1 輪状甲状膜の解剖

2 輪状甲状膜穿刺と輪状甲状膜切開の基本的手技

1）気道管理のアルゴリズム

次に緊急時に行う本手技について解説します．実際に行うことはできれば避けたい手技ですが，前述したCVCI時には行う可能性が高いため，困難気道に対するアルゴリズムを熟知しておくことが必要です．アルゴリズムとしては米国麻酔学会ASA-DAMアルゴリズム[9]や英国のDAS（Difficult Airway Society in UK）のアルゴリズム[10]などさまざまなものがありますが，本項では**日本麻酔科学会のAirway Management Algorithm（JSA-AMA）**[11]に従い解説します．

JSA-AMAでは，患者はリスクに応じて，マスク換気は十分できるが気管挿管ができないグリーンゾーン，換気不十分のイエローゾーン，そして換気不能挿管不能のCVCIの状態になった場合の**レッドゾーン**に分けられます（**第2章－総論**参照）．このレッドゾーンでは外科的気道確保を躊躇せず行うことが肝要となります．患者は低酸素血症から心停止に移行する可能性が高く，蘇生行為を行うことと同時に一刻も速く酸素を送り込むため輪状甲状膜穿刺か輪状甲状膜切開のいずれかを行わなくてなりません．2つの手技の違いは言葉の通り，穿刺と切開の違いです．**両方の手技に共通点して重要なのは，いかに速く，いかに確実に行えるかです．挿入時間の目標は1分以内（可能な限り速く）です．**

2）輪状甲状膜の解剖

穿刺する輪状甲状膜の解剖と手技については熟知しておかなくてはなりません．

輪状軟骨と甲状軟骨の間に位置するこの膜は，皮膚表面の浅い場所に位置し，血管のない領域といわれています（図1）．

3）輪状甲状膜穿刺

穿刺の場合は患者の左側に術者は立ち，輪状甲状膜を触知し穿刺，Seldinger法でガイドワイヤーを挿入しカテーテルを挿入することになります（図2A）．また直接穿刺する

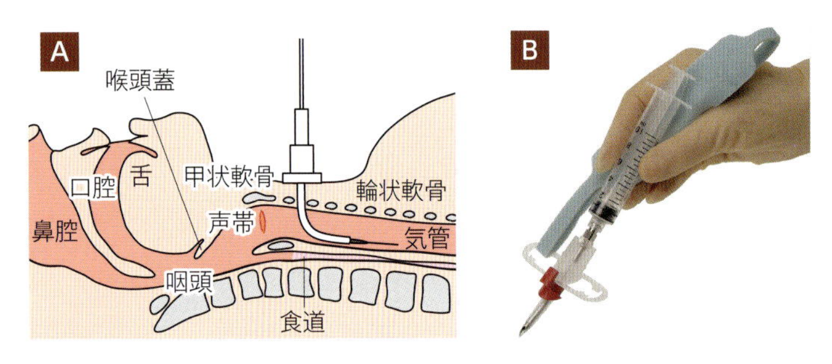

図2 輪状甲状膜穿刺
A：Melker緊急用輪状甲状膜切開用カテーテルキット（写真提供：Cook Medical社）.
B：緊急用輪状甲状膜穿刺キット クイックトラック（写真提供：スミスメディカル・ジャパン株式会社）.

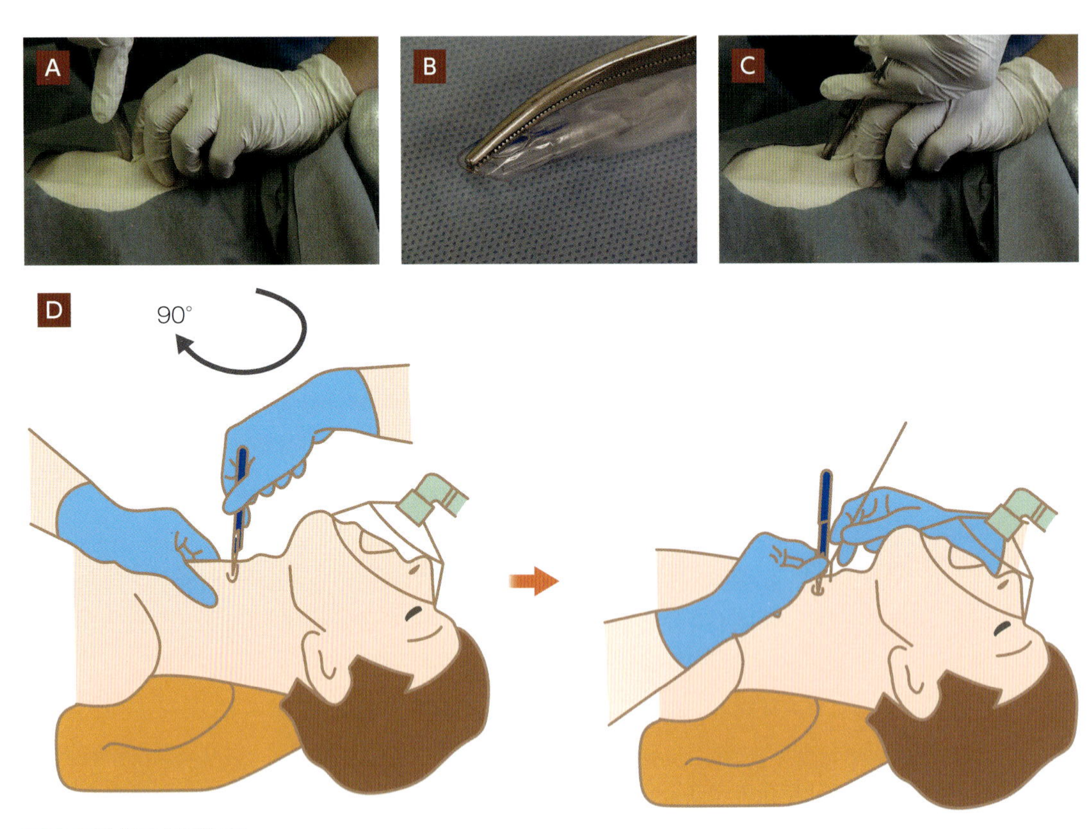

図3 輪状甲状膜切開
A：皮膚切開後鉗子にて剥離.
B：鉗子を気管チューブMurphy孔にセット.
C：気道の角度に合わせるよう倒しながら挿入.
D：scalpel cricothyroidotomy．皮膚切開の後，メスを気管内に向け刺し90°ローテションし切開部を拡張（左），その隙間に気管ブジー（gum elastic bogie）を挿入し，それをガイドに気管チューブを挿入する（右）．文献12より引用.

セットもあります（図2B：クイックトラック）．気管後壁の損傷には注意です．

4）輪状甲状膜切開の手技

切開の場合は患者の右側に立ち，輪状甲状膜の上で皮膚を縦2～3 cm切開し，輪状甲状膜を横1.5 cm切開し鉗子を用い挿管チューブを挿入することになります（図3）．縦切

表2 輪状甲状膜穿刺の合併症

穿刺時
・穿刺針による声帯損傷，気管後壁の損傷，食道損傷 ・カテーテル異所挿入留置（気管傍，縦隔，胸腔） ・出血 ・低酸素症，換気不全，高二酸化炭素血症 ・気胸，皮下気腫，縦隔気腫 ・誤嚥，血液などの垂れこみ
穿刺後
・縦隔／肺の感染 ・声帯機能不全，嗄声 ・声門下肉芽形成，声門下狭窄

開を加えるのは輪状甲状膜の横に位置する血管の損傷を防ぐためです．皮膚切開では挿入する気管チューブ（内径4.5～5.5 mm）は鉗子が挟めるMurphy孔付きを使用すること，1回でチューブが挿入できるように皮膚切開は十分に広く・深く行うことが重要です．切開口からガムエラスティックブジーを挿入し，ガイド下に挿管チューブを入れる方法も有効です（図3D）．

また，イギリスのDifficult airway society（DAS）ではscalpel cricothyroidotomy（図3D）が推奨されています[12]．まだ十分な科学的根拠には乏しいかもしれませんが，成功率の高さが報告されています[13]．

5）輪状甲状膜穿刺と切開におけるメリットの比較

穿刺の長所としてSeldinger法を用いるため外科の経験が少ない医師にとっても，施行しやすい，またチューブの挿入が気管中央からずれにくく，異所性迷入や気管後壁の損傷が少ないことがあげられます[14, 15]．輪状甲状膜切開より，挿入時間がかかるといわれています[16, 17]．

6）注意事項

挿入部より下気道の狭窄・閉塞では意味はなしません．また小児症例は相対的禁忌です．

合併症は多く存在しますが，本手技は救命手段であるため，失敗は患者の死につながるものであり躊躇せず行う勇気と，本手技が合併症を生じ患者の致命的な傷害にならないようにしなくてはなりません．本手技で起こり得る合併症を列挙します（表2）．また，これらの手技を行っている際に患者は低酸素血症，高CO_2血症のため心停止を生じる可能性が高くなります．手技を行うことと同時に，心停止の際の蘇生の体制を整えることが必要です．

3 よくあるトラブルと解決法

緊急の外科的気管切開（輪状甲状膜穿刺・輪状甲状膜切開）を行わなくてはならない状況に陥ることは稀で，多くの麻酔科医も実際の臨床現場で経験しているわけではありませ

表3 外科的気道確保困難の予想因子：SHORT

S	Surgery/disrupted airway	術後，破壊で解剖学的に異常があるもの
H	Hematoma or infection	血腫・感染
O	Obese/access problem	肥満や頸椎異常などで触知不能例
R	Radiation	放射線治療後
T	Tumor	腫瘍

ん．しかしCVCI時，患者を救命するためには絶対に行わなくてはなりません．緊急時に行った，本手技の成功率はわずか36％であったとの報告もあります[18]．どのようにすれば成功率を上げ，合併症を軽減できるのでしょう？

1) 気道確保前の診察

手術前などすでに全身麻酔が予定されている患者の術前診察に，外科的気道確保困難がないかチェックしておくことが重要です．SHORTとして覚えておくとよいです（表3）．

本手技の失敗症例の大半が間違った位置へのチューブ挿入が原因といわれています[19]．位置を間違える要因として輪状甲状膜の触知困難例が存在します．輪状軟骨が小さい女性や頸部の皮下脂肪が多い肥満患者では触知できない場合もあり，気道管理に熟練した麻酔科医でさえ誤認することが報告されています[20]．

ここがポイント

気道確保する前には輪状甲状膜位置を確認しておきましょう！

2) 普段からのトレーニングを行っておくことの必要性

いつCVCIに遭遇し本手技をするかわからないため，事前にシミュレーションを行っておくことが必要です．日本医学シミュレーション学会が主催するDAM実践コースなどで実際の豚喉頭を用いたトレーニングができます（図4）．人形とは異なり，皮膚切開，挿入など生の感覚を得ることができます．ぜひ受講しておくことを勧めます．前述したように，かなりスピードを要求される手技ではありますが，トレーニングを行うことでのラーニングカーブは急峻で有効性は高い[21]といわれています．

集中治療部などでは排痰目的のミニトラキオストミーを行うことがありますが，本手技の非緊急版であるため，そこで経験しておくのも有用です．

また各施設では，医師だけでなく周囲の医療スタッフと一緒に緊急外科的気道確保のシミュレーションを行うことをお勧めします．本手技を行う状況は極度の低酸素血症に陥った蘇生現場です．各医療スタッフの役割分担を決めるのにシミュレーショントレーニングは大変有効な手段です．

ここがポイント

めったにしない手技です．シミュレーショントレーニングを必ず行っておきましょう！

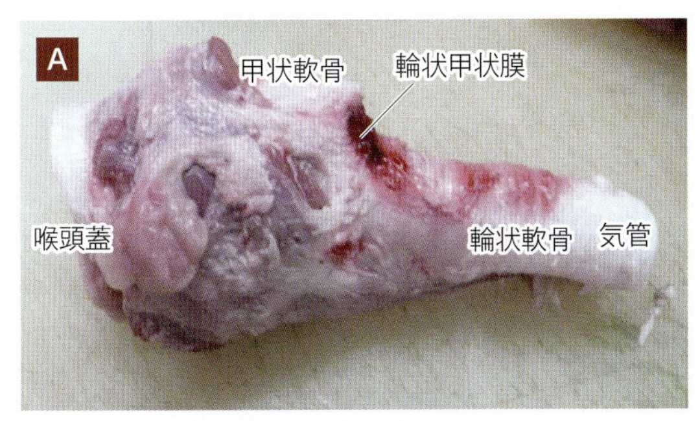

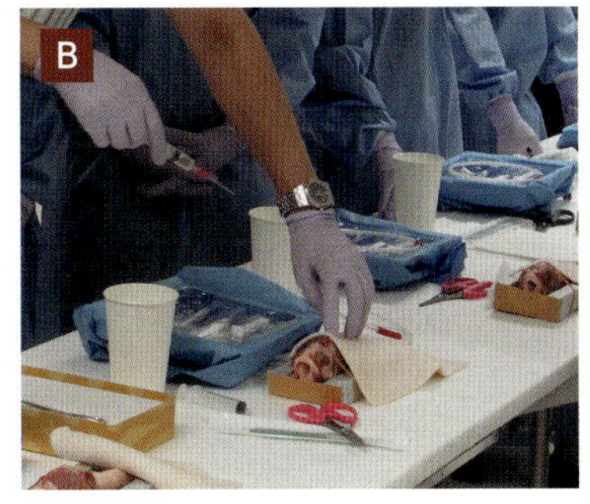

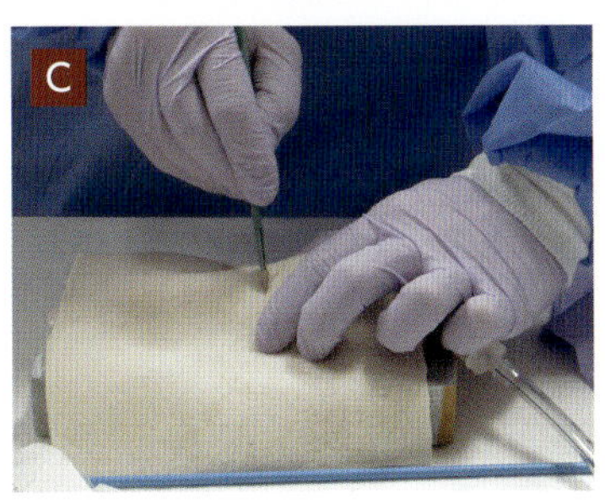

図4 豚喉頭を用いたシミュレーションセミナー
A：豚喉頭の解剖.
B：豚の皮膚を被せ，穿刺・切開のトレーニングを行う.
C：切開のトレーニング．実際の切開と似た感覚やコツを習得できる.

4 さらに進んだワザ：超音波検査の応用

先ほど述べた，位置異常や血管誤穿刺を防ぐため，近年，超音波装置を用いた気道エコーの有効性が高まっています[19]．CVCIの超緊急時に超音波装置を用いることはできませんが，輪状甲状膜の事前の位置同定は確実です（感受性100％）．また通常，輪状甲状膜の手前には大きな血管はないのですが，ときに浅頸静脈が中央に位置することもあり，それを見つけるのにも気道エコーは有効です．緊急ではない経皮気管切開術ではリアルタイム穿刺も可能です．挿入後の出血，気胸の有無など合併症の確認にも超音波検査を用いることができます．図5に気道エコーの実例を示します.

ここがポイント

気道エコーは短いトレーニングで獲得できる手技です．穿刺・切開位置の同定，血管の走行などに積極的に気道エコーを応用してみてください！

外科的気道確保のシミュレーションを

緊急の外科的気道確保には合併症ありと肝に銘じておいてください．外科的気道確保が最終手段となるように気道確保の戦略を考えていかなくてはなりません.

CVCIを避けていくためには気道確保前の評価や，その前のJSA-AMAのアルゴリズムにおけるイエローゾーンの状況下で対処することがきわめて重要です．実践時に慌てないためにも，事前に手技のシミュレーション体験を行っておいてください.

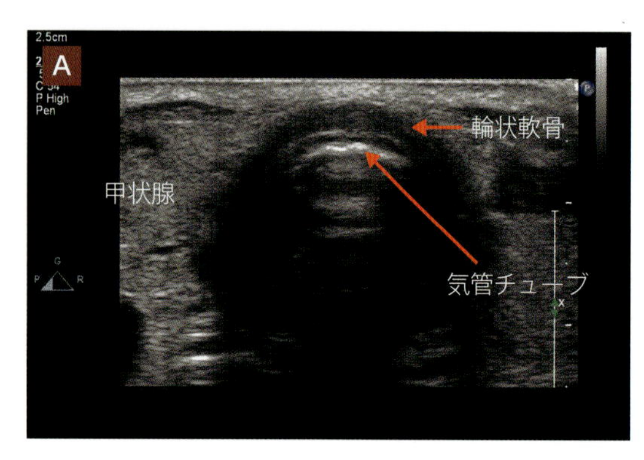

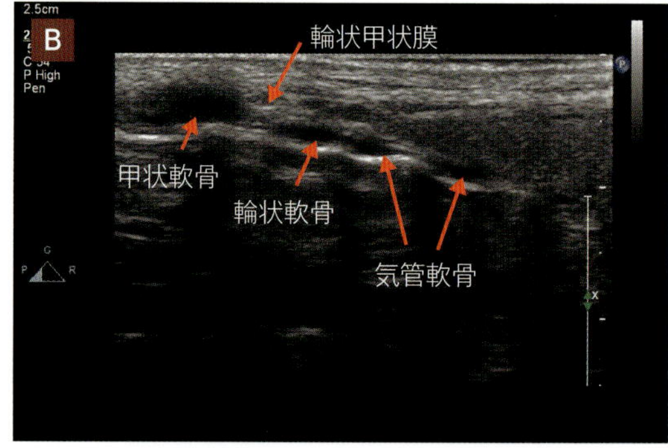

図5 気道エコー

A：長軸像，B：短軸像（輪状軟骨レベル）.
短軸像では位置の同定および気管までの距離，それまでに位置する血管の有無が明らかになります．長軸像では輪状甲状膜およびその他の軟骨の位置の同定が確実となります．

文献

1）Hsu CL, et al：Timing of tracheostomy as a determinant of weaning success in critically ill patients: a retrospective study. Crit Care, 9：R46-R52, 2005

2）難波義和：気管切開の虚像と真実① 離脱における気管切開の役割. INTENSIVIST, 4：736-746, 2012

3）「人工呼吸管理に強くなる」（讃井將満，他／編），羊土社，2011

4）片岡英幸，他：気管切開術の基本手技と合併症対策．日気食会報，63：201-205, 2012

5）武居哲洋：気管切開の虚像と真実② 気管切開のテクニック．INTENSIVIST, 4：747-763, 2012

6）尾崎孝平，他：気管切開チューブトラブル：気切チューブ交換時に死亡した症例. INTENSIVIST, 1：74-77, 2009

7）Higgins KM & Punthakee X：Meta-analysis comparison of open versus percutaneous tracheostomy. Laryngoscope, 117：447-454, 2007

8）Putensen C, et al：Percutaneous and surgical tracheostomy in critically ill adult patients: a meta-analysis. Crit Care, 18：544, 2014

9）Apfelbaum JL, et al：Practice guidelines for management of the difficult airway: an updated report by the American Society of Anesthesiologists Task Force on Management of the Difficult Airway. Anesthesiology, 118：251-270, 2013

10）Frerk C, et al：Difficult Airway Society 2015 guidelines for management of unanticipated difficult intubation in adults. Br J Anaesth, 115：827-848, 2015

11）Japanese Society of Anesthesiologists：JSA airway management guideline 2014：to improve the safety of induction of anesthesia. Japanese Society of Anesthesiologists. J Anesth, 28：482-493, 2014

12）Frerk C, et al：Difficult Airway Society 2015 guidelines for management of unanticipated difficult intubation in adults. Br J Anaesth, 115：827-848, 2015

13）Aziz S, et al：Emergency scalpel cricothyroidotomy use in a prehospital trauma service: a 20-year review. Emerg Med J, 38：349-354, 2021

14）Mariappa V, et al：Cricothyroidotomy: comparison of three different techniques on a porcine airway. Anaesth Intensive Care, 37：961-967, 2009

15）Schaumann N, et al：Evaluation of Seldinger technique emergency cricothyroidotomy versus standard surgical cricothyroidotomy in 200 cadavers. Anesthesiology, 102：7-11, 2005

16）Heard AM：The formulation and introduction of a 'can't intubate, can't ventilate' algorithm into clinical practice. Anaesthesia, 64：601-608, 2009

17）Schober P, et al：Emergency cricothyrotomy-a comparative study of different techniques in human cadavers. Anaesthesia, 61：565-570, 2006

18）Cook TM, et al：Major complications of airway management in the UK: results of the Fourth National Audit Project of the Royal College of Anaesthetists and the Difficult Airway Society. Part 1: anaesthesia. Br J Anaesth, 106：617-631, 2011

19）Kristensen MS, et al：Ultrasonographic identification of the cricothyroid membrane: best evidence, techniques, and clinical impact. Br J Anaesth, 117 Supple 1：i39-i48, 2016

20）Lamb A, et al：Accuracy of identifying the cricothyroid membrane by anesthesia trainees and staff in a Canadian institution. Can J Anaesth, 62：495-503, 2015

21）Wong DT, et al：What is the minimum training required for successful cricothyroidotomy?: a study in mannequins. Anesthesiology, 98：349-353, 2003

8 抜管

新屋苑恵

- 抜管時の患者の気道は，導入時より危険な状態になり得る！
- 抜管の計画は，麻酔導入前に立てる
- 抜管できるかできないかの判断を慎重に行う

はじめに

手術が無事に終了したら，全身麻酔から覚醒させて，さあ，抜管．しかし，抜管時の患者の状態や，それをとり巻く環境は，麻酔導入時とは異なっていることがほとんどで，患者の気道はときに挿管時よりも危険な状態となります．そのため，麻酔導入前から抜管の計画と準備をし，手術終了時に抜管できるかどうかの判断を適切に行うことが重要です．

本項では，手術室での一般的な抜管についての考え方や手順を説明します．

1 抜管の基準について

手術室での抜管の明確な基準を示すガイドラインは，現在日本には存在していません．海外では手術室抜管に特化したガイドラインとして2012年にDifficult Airway Society（DAS）が発表したものがあります[1]．抜管の基準および手順を，**抜管の計画，準備，施行，抜管後のケア**と4段階に分けて，アルゴリズム化しています．以下，ガイドラインにしたがって説明します．

1）抜管の計画

麻酔導入の前から，抜管の計画を立てておきます．抜管時のリスクとなり得る，気道および全身のリスクを検討し（表1），リスクがなければ「低リスク」，それ以外は「高リスク」と考えます．

表1 気道・全身的なリスク因子の検討

気道のリスク因子	・すでにわかっている困難気道 ・周術期の気道の悪化（手術による解剖の変化，出血，浮腫） ・気道へのアクセス制限（ハローベスト，頸椎固定，顎間固定など） ・肥満・睡眠時無呼吸症候群 ・誤嚥のリスク
全身的なリスク因子	・心血管系，呼吸器系，中枢神経系 ・代謝異常（体温，電解質異常など） ・外科的・内科的に特殊な状況

文献1を参考に作成.

2) 抜管の準備

気道および全身的なリスク因子の最終評価を行い，抜管に向けて最適な状態に整えます.

● 最終評価項目[1)]

①気道のリスク因子

- **上気道**：抜管後にマスク換気ができるかどうか，判断しなくてはいけません．浮腫や出血など，口腔内の観察を喉頭鏡で行います.
- **喉頭**：カフリークテストを行い，喉頭浮腫の評価を行います.

カフリークテストの方法

気管チューブのカフを抜いてリークの程度を評価する方法です.

評価法がいろいろ報告されていますが，手術室で行われる簡単な方法として，カフを抜いて陽圧をかけ，20 cmH_2O 未満でリークがあるかどうかを見ます．適切なチューブサイズにもかかわらずリークがない場合は安全な抜管は難しいと考えます．しかし，リークがあっても必ずしも安全ではないことを知っておきましょう.

必ず口腔内吸引をしてから行います.

- **下気道**：下気道の外傷，出血など，抜管できない下気道の因子を評価します．胸部X線撮影で，肺病変の有無などを確認しましょう.

②全身的なリスク因子

筋弛緩薬の拮抗状態，呼吸・循環動態，体温，鎮痛など，全身状態の評価を行いましょう.

③抜管を施行するときの環境

挿管時と同じように気道確保に必要な物品やモニターを準備しましょう．抜管は上級医とともに実施しますが，さらに人手があることも確認しておきます．「高リスク」と考えられる患者の抜管に対応するとき，麻酔科医や外科医，看護師とのコミュニケーションが重要です.

この時点でリスク因子がなく，普通に抜管できる「低リスク」患者，抜管に危険を伴う可能性のある「高リスク」患者の判断を行います．「高リスク」と考えられる患者の抜管

表2 抜管・再挿管に必要な物品

抜管に必要	・換気システム（麻酔器・麻酔回路，ジャクソン・リース回路など） ・吸引チューブ（気管内用・口腔内用） ・カフ用注射器 ・マスク
再挿管に必要	・エアウェイ ・喉頭鏡（場合によってはビデオ喉頭鏡） ・細めの気管チューブ ・スタイレット ・気管チューブイントロデューサー（ガムエラスティックブジー） ・チューブエクスチェンジャー

表3 覚醒下抜管の基準

①自発開眼や簡単な指示動作が可能など，麻酔からの覚醒を確認できている
②体温が36℃未満になっていない（36℃未満では抜管しない）
③バイタルが安定している
④筋弛緩薬の作用から回復している
⑤咳反射，嚥下反射など気道防御反射を認める
⑥自発呼吸下で十分な呼吸回数，換気量を保てている
⑦抜管しても気道閉塞，誤嚥のリスクがない

文献2，3を参考に作成．

については，慎重に対応しましょう．そもそも抜管できるか？の判断が重要になってきます．抜管できなければ，挿管のまま集中治療室に移送，または気管切開を考えなければなりません．

2 抜管で使用するデバイスと基本手順

十分な気道・全身のリスク評価および抜管に向けての最適化を行った後に，抜管可能と判断されれば，抜管に移ります．

抜管の施行前に，抜管に必要な物品，再挿管に必要な物品を準備します（表2）．また，抜管施行時の感染防御のため，手袋は必ず装着し，必要に応じてゴーグルなども準備しましょう．

1) 抜管の施行

抜管方法には，**覚醒下抜管**と**深麻酔下抜管**があります．深麻酔下抜管は，文字通り，深麻酔下で抜管します．抜管時の咳などの強い気道反射の影響を避け，循環動態の変動を少なくすることができますが，抜管後の気道閉塞や誤嚥のリスクがあり，高度なテクニックを要します．覚醒下抜管では意識が保てている状態なので，抜管後の気道維持ができます．一般的には覚醒下抜管を選択します．

低リスクで，覚醒下抜管の基準（表3）をすべて満たしていれば抜管します．

◆ 覚醒下抜管の手順[1]

❶人工呼吸のまま100％酸素にし，十分に酸素化しておく

❷口腔内吸引（必要に応じて気管内吸引）しておく

口腔内吸引は理想的には直視下で行います．

❸挿管チューブの閉塞防止のため，バイトブロックを挿入しておく

❹患者の体位を適正にする

肥満や睡眠時無呼吸症候群の患者では頭高位が有用です．

❺気管チューブを固定しているテープの端を少しはがしておく

チューブを引き抜くときにテープをはがす操作が円滑にできます．

❷〜❺は麻酔薬中止前に行っておく。

❻必要に応じて筋弛緩薬の拮抗薬を投与し，自発呼吸を促す

❼頭頸部の動きは最小限にして，刺激することなく麻酔から覚めるのを待つ

❽自発開眼や，指示動作可能など，麻酔からの覚醒を確認する

❾口腔内をしっかり吸引した後，バッグを加圧し陽圧をかけて，カフを抜き，抜管する

❿マスクなどで酸素投与し，気道開存と呼吸が十分であることを確認する

2）抜管後のケア

抜管後，それは，最も合併症が起こる危険な時期です．十分注意して，患者の呼吸や循環，意識などを観察しましょう．

患者が手術室を退室する際に，病棟の看護師への申し送りを適切に行うことは重要です．**患者移送時は酸素投与，モニターを継続しましょう．**

3 よくあるトラブルと解決法

全身状態は問題なく，抜管しようと思えば抜管できなくはない．しかし，抜管後の気道開存が確実でない可能性や，再挿管が困難である可能性がある「高リスク」患者の抜管には，チューブエクスチェンジャー（図1）を使用した抜管を行います．

◆ チューブエクスチェンジャーを使用した抜管の手順[1]

❶抜管前にチューブエクスチェンジャーを挿入する長さを決める

この際，先端は気管分岐部上になるようにします．必要があれば，挿管チューブ先端から気管分岐部までの距離を気管支鏡で確認しましょう．成人で，25 cm以上挿入してはいけません．

❷抜管の準備が整ったら，チューブエクスチェンジャーを❶で決めた長さ分だけ，挿管チューブの中を通して挿入する

抵抗があるときは，それ以上進めてはいけません．

❸口腔内吸引を行う

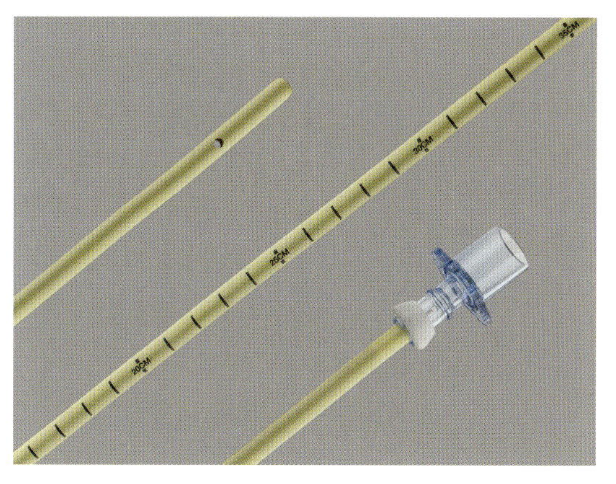

図1 気管チューブ交換用カテーテル
(チューブエクスチェンジャー)
写真提供:Cook Medical社

❹ チューブエクスチェンジャーの位置を保持しながら，気管チューブを抜去する

❺ チューブエクスチェンジャーを頬または額に，テープで固定する

❻ 口角（もしくは歯牙，口唇）でのチューブエクスチェンジャーの深さを記録する

胃管などと間違えないようにラベリングします．

❼ 患者を集中治療室で観察する

❽ マスク，もしくは鼻カニューレで酸素投与する

❾ チューブエクスチェンジャーが原因で咳が続くときは，先端の位置を確認する

必要があれば，チューブエクスチェンジャーを通して，リドカインを投与します．

❿ 気道のリスクがなくなれば，チューブエクスチェンジャーを抜去する

⓫ チューブエクスチェンジャー留置は72時間まで

それ以上必要な場合は再挿管を考えましょう．

チューブエクスチェンジャーを留置したあと，やはり再挿管が必要になった際には，このチューブエクスチェンジャーを使用した再挿管を行います．手順は以下の通りです[1]．

◆ チューブエクスチェンジャーを使用した再挿管

❶ 患者の体位を適正にする

❷ マスクで100％酸素投与を行う

❸ 気管チューブは細めで，柔らかく，先端が鈍な斜端のものを選ぶ

❹ 必要に応じて麻酔薬や局所麻酔薬を投与する

❺ 喉頭鏡で舌をよけ，チューブの通り道をつくって，チューブエクスチェンジャーに挿管チューブを通して（チューブの斜端が前になるように），再挿管する

挿管完了は，カプノグラムで確認しましょう．

4 先輩医師のコツ

「高リスク」と考えられる患者の抜管については，慎重に対応しましょう．そもそも抜管できるか？の判断が重要になってきます．これは，患者の状況だけではなく，そのときの環境（時間帯や手術室の人員など）によっても大きく影響されます．「抜管しない」勇気をもつことも必要なことがあります．

文献

1）Difficult Airway Society Extubation Guidelines Group, et al：Difficult Airway Society Guidelines for the management of tracheal extubation. Anaesthesia, 67：318-340, 2012

▲ 手術室抜管に特化したガイドラインです．

2）「気道管理に強くなる」（上嶋浩順，他／編，大嶽浩司／監），羊土社，2016

▲ 気道管理に必要なガイドラインなどの知識から実践まで，わかりやすく書かれています．

3）「麻酔科医のための気道・呼吸管理」（廣田和美／編），pp142-149，中山書店，2013

▲ 抜管について詳しい説明がわかりやすく書かれています．

4）磯野史朗：覚醒に向けた対応と抜管の方法．レジデントノート，23：1577-1582，2021

▲ 他の章も含め，麻酔導入後から抜管までの管理のポイントがわかりやすく書かれています．

第3章

鎮静のこれだけは身につけてください。

総論

鎮静の基礎知識
ガイドラインを中心に

駒澤伸泰

- 「鎮静」と「全身麻酔」の連続性と危険性を認識することが第一
- 鎮静の3大合併症に呼吸抑制，循環抑制，嘔吐がある
- 処置時の中等度鎮静の指標として米国麻酔科学会によるガイドライン（ASA-SED2018）を理解しよう

はじめに

1993年に米国麻酔科学会（American Society of Anesthesiologists：ASA）は「非麻酔科医のための鎮静・鎮痛薬投与に関する診療ガイドライン」を発表しました．その後，四半世紀の時を経て，2018年に米国麻酔科学会，米国口腔外科学会，米国放射線医学会などが合同で「処置時の中等度鎮静」を対象とした新たなガイドライン（Practice Guidelines for Moderate Procedural Sedation and Analgesia 2018：ASA-SED2018）を発表しました[1) 2)]．本項では，主に処置時中等度鎮静を対象としたこのガイドラインの骨子を紹介していきます（表1）．

1 まずは鎮静の連続性と危険性を認識すること

最初に，“鎮静は，意識レベルがクリアでバイタルサインも安定している「軽い鎮静」の状態から，呼吸循環のサポートが必須の「全身麻酔」まで連続性がある”というセントラルドグマを理解しましょう（表2）．鎮静の連続性の観点からは「軽い鎮静が検査時の不動化」，「中等度以上の鎮静は処置目的」というイメージです．

ここがポイント

鎮静と全身麻酔には連続性がある！

表1 「処置目的の中等度鎮静に関するガイドライン2018年度版」(ASA-SED2018)の概要

項目	具体的内容
1. 鎮静前患者評価	● 既往歴，現病歴の評価 ● 身体診察や血液検査データ評価 ● 全身合併症や気道管理困難が予測される場合は麻酔科医に相談
2. 鎮静前患者同意	患者や法定代理人に危険，利益，限界を説明し同意を取得
3. 術前絶飲食	清澄水2時間前，母乳4時間前，人工乳・調整粉乳・軽食は6時間前，揚げ物や脂肪分の多い食事はそれ以上の時間を設定
4. モニタリング	**換気と酸素化のモニタリング** ● 「定期的に」口頭指示への反応を評価 ● パルスオキシメーターで酸素化を評価 ● カプノグラフィー（呼気二酸化炭素モニタリング）で換気を評価 **循環動態のモニタリング** ● 血圧と心拍数を定期的に測定 ● 心疾患を有する患者には心電図モニタリングを行う
5. 鎮静担当者	● 術者以外に，患者をモニタリングするための鎮静担当者を配置
6. 酸素投与	● 処置に対し禁忌でない限り，酸素投与
7. 緊急対応	**システム面** ● ベンゾジアゼピンやオピオイドに対する拮抗薬が迅速に使用できる体制 ● 緊急気道確保器具が使用可能な体制 ● 二次救命処置が即時依頼可能な体制 **鎮静現場の医療者に求められるスキル** ● 使用鎮静薬と他薬物との相互作用についての理解 ● 最低でも1名が患者の気道確保可能で陽圧換気可能（バッグバルブマスクなど）
8. 薬物投与原則	● 鎮静薬を静脈内投与する場合は，処置中および呼吸循環抑制リスクがなくなるまで静脈ライン（静脈路）を維持 ● 薬物処方は効果を評価するため，「十分な時間間隔」を置いて用量を漸増 ● 静脈以外から鎮静薬投与を行う場合，追加投与まで「十分な時間間隔」を確保 ● 不意の深い鎮静や全身麻酔状態に陥った場合に救助可能な体制
9. 拮抗薬の準備	● ベンゾジアゼピンやオピオイド投与の場合，拮抗薬を迅速に投与 ● 患者が低酸素状態になった場合， ①深呼吸を行うように促す ②補助酸素を投与する ③自発呼吸が不十分な場合は陽圧換気を施行 ● 自発呼吸が不十分な場合は拮抗薬投与を考慮 ● 拮抗薬投与後は，再効果発現による心肺抑制を防ぐために十分な時間観察
10. 回復期への意識	● 患者に低酸素の危険性がなくなるまで酸素化を持続的にモニタリング ● 退室・退院まで定期的に換気と循環を観察 ● 中枢神経系と呼吸循環抑制の危険を最小限にするための適切な退院基準作成
11. 鎮静医療安全構築のために	● 国・地域・病院での鎮静副作用報告による鎮静の質向上システムの稼働 ● 院内急変対応システムなどの緊急対応システムの整備

文献1を参考に作成.

表2 ● ASA-SED2018による鎮静の深さの定義

	主に検査	主に処置・手術		
	軽い鎮静	中等度鎮静	深い鎮静	全身麻酔
反応性	呼名で正常反応	口頭指示に対し意図のある動き	痛み刺激で意図のある動き	痛み刺激を受けても覚醒しない
気道	無影響	介入必要なし	介入が必要な可能性	介入必要
自発呼吸	無影響	十分である	不十分な可能性	不十分
循環	無影響	通常保持される	通常保持される	破綻の可能性

文献1を参考に作成.

新旧どちらのガイドラインも，コアメッセージは，「処置の侵襲度や患者の状態により個々の患者の反応は変化するため，鎮静深度の事前予測は難しくなる．常に患者状態を評価し，過鎮静になった場合の早期異常認識と対応が必要」です．

ASA-SED2018は対象とする医療者を「すべての医療現場のすべての職種」とし，対象とする鎮静を「処置時の中等度鎮静」と明確化されています．すなわち，ガイドライン実践には鎮静医療安全は医師や歯科医師だけでなく，看護師をはじめとする多くの医療職の関与が必要なのです．

2 処置目的の中等度鎮静ガイドライン（ASA-SED2018）の概要

ASA-SED2018は，処置目的の中等度鎮静におけるさまざまな指針となっています．表1に，ASA-SED2018の要旨を示します．

1）鎮静前評価と絶飲食

ASA-SED2018は，鎮静開始前に，術前の病歴聴取およびリスク評価を推奨しています．病歴には，全身合併症の有無，鎮静の既往，内服薬剤，アレルギーなどの確認が含まれます．鎮静鎮痛による呼吸抑制が発生すれば，人工呼吸器による調節換気や陽圧換気が必要となるため，気道管理に関する最低限の診察（いびきの有無や顎の大きさの観察など）も有効です（表3）．

また，意識レベル低下により嘔吐や誤嚥などのリスクも上昇するため，術前絶飲食時間の基準も推奨しています．待機的な処置における術前絶飲食は，食事は6時間前停止，飲水は2時間前停止が基本です（表4）．

本書を読んでいる研修医の皆さんは「麻酔科での術前診察と同じではないか」と思われる人もいるかもしれません．まさにその通りで，中等度鎮静は全身麻酔と連続性があるため同様の評価が必要なのです．

ここがポイント

処置のための中等度鎮静では全身麻酔と同様の評価が必要．

表3 処置時鎮静のための気道評価方法

全身麻酔や鎮静の既往
● 以前の全身麻酔や鎮静における問題点 ● いびき，睡眠時無呼吸症候群の有無（顎の大きさ） ● 関節リウマチや染色体異常などの有無
身体診察
● 体型を観察して 高度肥満など ● 頭頸部を観察して 短頸，頸部伸展障害，気管の偏移，顔面容貌異常（ピエールロビン症候群など） ● 口腔内を観察して 開口障害（成人で3 cm以下），歯牙欠損，動揺歯，巨舌，扁桃肥大など ● 顎を観察して 小顎症，下顎の後退など

文献1を参考に作成.

表4 米国麻酔科学会による術前絶飲食に関する推奨まとめ

摂取物	最小絶飲食期間
清澄水	2時間
母乳	4時間
調整粉乳	6時間
人工乳	6時間
軽食	6時間
揚げ物など脂肪分の多い食事	さらに長い絶飲食時間を設定 (例として8時間以上)

文献1を参考に作成.

2) モニタリングの注意点

処置の侵襲度や患者状態により，相対的に鎮静深度は変化していきます．例として同じ濃度の鎮静薬投与でも，術者が刺激の強い処置をしている時は相対的に鎮静深度は浅くなりますし，その逆もしかりです．ですから常に患者状態を評価し，予想より浅い鎮静になった場合は鎮静追加を行います．逆に深い鎮静になった場合も，早期の異常認識と適切な対処が必要です．最初から深い鎮静が必要な場合，呼吸や循環抑制から危機的状態に陥る可能性が高いことを多職種で認識し，綿密な準備とモニタリングを行うべきです．

中等度鎮静から深い鎮静は，呼吸抑制だけでなく循環抑制も惹起するため，全身麻酔時と同様のモニタリングおよび緊急時対応の準備と訓練が大切です．

鎮静時のモニタリングは，パルスオキシメーター，心電図，血圧計，カプノグラフィーなどの呼吸・循環系統が中心です．さらに，患者自身の呼吸努力と意識が保持されるため「呼びかけや口頭指示に対する反応」と呼吸パターンに対する視診や聴診も有用です．全身麻酔の場合は人工呼吸器で呼吸管理を行いますが，鎮静の場合は自発呼吸維持が基本です．ゆえに，客観的なモニタリングであるパルスオキシメーター（SpO_2）やカプノグラフィーなどの客観的指標と視診・聴診・応答性などの主観的指標を多角的に組み合わせ，酸素化と換気を評価する必要があります．

ここがピットフォール

鎮静により自発呼吸抑制が起こるため，パルスオキシメーターやカプノグラフィー，視診など多角的評価が必要．

3）緊急時対応器具

鎮静時の緊急時対応セットは，通常の救急カートと同じように吸引，適切な大きさの気道確保器具，陽圧換気器具，静脈確保器具，蘇生用薬物が含まれます（表5）．さまざまな年代と体型の患者に対応するため，それぞれに対応できるサイズの気道管理器具の準備が推奨されています．例としては声門上器具i-gel（**第2章-5参照**）を乳児から成人まで対応できるようにサイズ1～5まで揃える，などです．

救急カートに常備する薬剤は，エピネフリンやアミオダロンに代表される心肺蘇生関連薬，アレルギーもしくはアナフィラキシーショックなどに対応する薬剤に加え，オピオイドを拮抗するナロキソンやベンゾジアゼピン系薬剤を拮抗するフルマゼニルなどの拮抗薬が推奨されています．ただし，これらの拮抗薬のほとんどは半減期が短いため鎮静薬の再効果発現に注意する必要があります．

ここがピットフォール

拮抗薬は鎮静薬よりも半減期が短いため，再効果発現に注意．

4）薬剤投与の基準

ASA-SED2018は，特定の薬剤の投与量や投与間隔について言及していません．薬剤投与量は，患者さんの全身状態や術者の処置，併用薬などにより影響されるため，一元的推奨は不可能だからです．皆さんも初期臨床研修の間で，個々の患者さんにおける薬物反応性の多様性を経験すると思います．

ASA-SED2018には，「投与量」ではなく「鎮静薬投与方法の原則」を提示しています．まず，鎮静と鎮痛の作用の違いについて明確に認識すること，を推奨しています．すなわち，鎮静の現場にいる担当者全員が「不安を減少させ，眠気を促すための」鎮静と「痛みを緩和するための」鎮痛の差を強く認識することです．

ここがポイント

鎮静と鎮痛の違いを認識する．

鎮静における薬剤の投与方法としては，①基本は静脈路をとる，②作用発現時間を考慮，③十分に間隔をおいて用量を漸増，④相互作用から鎮静薬と鎮痛薬を両方用いた場合適宜用量を削減する，の4点を推奨しています．

表5 処置時鎮静における緊急時の準備器具

【拮抗薬が緊急時の特効薬となり得ることがポイント！】

項目	具体的内容
点滴器具	・手袋 ・駆血帯 ・アルコール消毒 ・点滴セット ・輸液 ・薬物吸引および筋肉内投与用針 ・注射シリンジ ・固定用テープ
基本的な気道管理器具	・圧縮酸素（流量計もしくは調節器つきボンベ） ・吸引器具 ・ヤンカー型吸引 ・フェイスマスク ・自己膨張型のバッグバルブマスク ・経口もしくは経鼻エアウェイ ・潤滑剤
高度な気道管理器具	・声門上器具（ラリンジアルマスクやi-gelなど） ・喉頭鏡とブレード ・気管チューブ ・スタイレット
拮抗薬	・ナロキソン ・フルマゼニル
緊急薬品	・エピネフリン ・エフェドリン ・バソプレシン ・アトロピン ・ニトログリセリン ・アミオダロン ・リドカイン ・グルコース ・ジフェンヒドラミン ・ヒドロコルチゾン，メチルプレドニゾロン，デキサメタゾン ・ベンゾジアゼピン ・β遮断薬 ・アデノシン（ATP）

文献1を参考に作成．

オピオイドやベンゾジアゼピンを投与するとき，拮抗薬であるナロキソンとフルマゼニルが必要な際に即時手に取れるようにしましょう．

5）回復期の注意点

ASA-SED2018は，術前評価，術中のモニタリング，緊急対応だけでなく，回復期のケアと退室・退院基準の遵守も強調しています．退室や退院前には，何らかのスコアリング

表6 ● 処置時鎮静の回復および退室基準の例

一般的原則
● 医師は，中等度鎮静における回復および退院に関する管理に責任をもつ
● 回復室は十分なモニタリングや蘇生器具を常備する
● 中等度鎮静後の観察時間は，鎮静の内容，患者状態，処置内容によって異なる
● 呼吸抑制リスクが消失するまで呼吸状態および酸素化指標（SpO_2）をモニタリングする
● 観察者は，意識レベル，バイタルサイン，呼吸状態および酸素化指標（SpO_2）を定期的に記録する
● 退室まで「合併症認識」と「初期救急対応可能」な医療者がその場を離れない

文献1を参考に作成．

や評価を行い，呼吸抑制リスク消失まで継続します（表6）．

回復室では，再鎮静や呼吸抑制のリスクがあるため，十分なモニタリング装置や蘇生器具，酸素投与器具を常備します．

ASA-SED2018では回復観察のための数値的推奨はなくなりました．かわりに，患者の意識レベルと呼吸循環状態を回復判断の基準としました．これは各施設による手技および鎮静医療安全体制の多様性を考慮してのことと考えられます．

ただし，拮抗薬使用症例では，ナロキソンやフルマゼニル使用後に再鎮静の可能性もあるため，最低2時間はモニタリングする必要があるでしょう．

3 ASA-SED2018を基本として部署・施設ごとの鎮静医療安全構築が必要

ASA-SED2018はさらに，鎮静および鎮痛を施す施設では，それぞれの手技に適した回復および退院基準を作成し，訓練することの必要性を示唆しています[3) 4)]．ガイドラインを各施設の現状に合わせて実践応用することが期待されています[5) 6)]．次項（**第3章-1**）では，このガイドラインの具体的イメージをもっていただくために，内視鏡室やERを中心に記載したいと思います．

ここがポイント

多職種で鎮静トレーニングを行い，鎮静医療安全を高めよう！

文献

1）Practice Guidelines for Moderate Procedural Sedation and Analgesia 2018: A Report by the American Society of Anesthesiologists Task Force on Moderate Procedural Sedation and Analgesia, the American Association of Oral and Maxillofacial Surgeons, American College of Radiology, American Dental Association, American Society of Dentist Anesthesiologists, and Society of Interventional Radiology. Anesthesiology, 128：437-479, 2018

2）駒澤伸泰，他：米国麻酔学会「処置目的の中等度鎮静に関するガイドライン2018年度版」の紹介．臨床麻酔，42：721-729, 2018

3）駒澤伸泰，他：非麻酔科医を対象としたSED実践セミナー（セデーショントレーニングコース）の展開 ―学習目標の作成を含めて―．麻酔，63：582-585, 2014

4）駒澤伸泰，他：教育工学に基づいた鎮静トレーニングコース（SED実践セミナー）の改良～模擬患者を用いた評価型シナリオの導入～．麻酔，66：996-1000, 2017

5）「鎮静ポケットマニュアル」（安宅一晃／監，駒澤伸泰／編），中外医学社，2018

6）「臨床現場に活かす！非麻酔科医のための鎮静医療安全～ガイドラインから多職種での訓練まで」（羽場政法／監，駒澤伸泰／編），日本医事新報社，2020

1 手術室外（内視鏡室・ER）での鎮静

駒澤伸泰

- 手術室外の多様な環境でガイドラインに沿った安全な鎮静をイメージしよう
- 救急救命室（ER）での鎮静は鎮静前準備・評価が不十分なためリスクが高いことを理解しよう
- 鎮静医療安全向上には「医療者個人の努力」と「システム改善」が必要

はじめに

手術室外における処置時鎮静は，「侵襲度や患者状態により反応性が多様」なだけでなく「処置の内容や急変対応システムも部署ごとに多様」なため，予想よりも過鎮静になった場合の早期異常認識と対応が必要です[1) 2)]．ここでは前項の総論で紹介した鎮静ガイドライン（ASA-SED2018：**第3章－総論**参照）を総括した後，内視鏡室・救急救命室（ER）の状態に応用して紹介したいと思います．

1 手術室外の鎮静に必要な知識

1）鎮静前評価と絶飲食

ASA-SED2018は，鎮静開始前の鎮静同意書取得を推奨しています．病歴聴取には，全身合併症の有無，鎮静の既往，薬物療法，アレルギー確認が含まれます．鎮静鎮痛による呼吸抑制が発生すれば，頭部後屈や顎先挙上による気道開通やバッグバルブマスクによる陽圧換気が必要となります．ゆえに，鎮静前に「気道管理困難かどうかを確認しておく」ことが非常に大切です．

また，意識レベル低下により嘔吐や誤嚥などのリスクも上昇するため，術前絶飲食設定が基本です．

2）モニタリングの注意点

中等度鎮静より深いレベルの鎮静は全身麻酔に近くなるため，呼吸抑制だけでなく循環抑制も起こします．ゆえに，鎮静時モニタリングは，パルスオキシメトリー，心電図，血圧計，カプノグラフィーなどの通常の全身麻酔で使用される組み合わせが基本です．さらに，患者自身の呼吸努力と意識が保持されるため「呼びかけや口頭指示に対する反応」と呼吸パターンに対する視診や聴診も有用です．

3）緊急対応システム

鎮静医療安全に対応するため，救急カートには基本的な気道管理器具だけでなく，心肺蘇生関連薬，アナフィラキシーショックなどに対応する薬剤に加え，オピオイドに対するナロキソンやベンゾジアゼピン系薬剤に対するフルマゼニルなどの拮抗薬が必要です．「これらの薬剤が手術室外でどのようにして迅速準備できるか」などを事前把握しておきましょう．また，緊急時には院内急変対応システムを起動させることも大切です．鎮静前に，「どこに電話すればいいか」など院内急変対応システムの起動方法を理解しておく必要があります．多職種でこれらの緊急対応システムをイメージしておくことが大切です．

4）回復期の注意点

ASA-SED2018は，術前評価，術中のモニタリング，緊急対応のみならず，回復期のケアと退室・退院基準の遵守も強調しています．退室や退院前には，何らかのスコアリングや評価を行い，呼吸抑制のリスクが消失するまで行います．

回復室では，再鎮静による呼吸抑制などのリスク対応のため，十分なモニタリングや緊急対応薬剤，酸素を含む基本的気道管理器具を常備します．拮抗薬使用症例では，ナロキソンやフルマゼニル使用後に鎮静薬の再効果発現に備えることが必要でしょう．

ここがポイント

手術室外の多様な環境でいかにガイドラインに沿った鎮静を実践できるかを考えましょう．

2 内視鏡検査・治療時における鎮静とよくあるトラブル

内視鏡検査による観察のみの場合は表面麻酔のみで鎮静は不要，もしくは鎮静薬単剤での鎮静が主となります．しかし，腫瘍切除など内視鏡的治療の場合は，鎮静薬と鎮痛薬を併用する場合が多くなります．

内視鏡室における待機的処置のための鎮静では，術前気道評価や準備を行う時間を十分に有するため，同意書の取得を含めてしっかりと説明することが必要です．特に内視鏡室での鎮静で日帰りの場合は退室・退院基準を十分に遵守する必要があります．「自動車を運転しないように誓約してもらう」「付き添いがいない場合の日帰り鎮静はできない」ことは当然です．

また，モニタリングに関しても内視鏡室での検査は通常部屋を暗くして行うために，視

表1 ● 内視鏡検査の鎮静に求められる条件

- 内視鏡検査・処置の苦痛が軽減し，患者満足度が向上すること
- 内視鏡検査・処置の診療精度を高め，内視鏡担当医の満足度が向上すること
- 呼吸器・循環器系の高度抑制を起こさず合併症や偶発症がないこと
- 鎮静からの覚醒が早く，回復時間が短いこと

文献3を参考に作成.

診で呼吸評価を行うことは困難であり，カプノグラフィーの使用や手を握ってもらうなどの口頭指示によるモニタリングが重要でしょう．また，緊急対応に関してもベンゾジアゼピン系などの拮抗薬であるフルマゼニルなどが有効ですが，再鎮静に留意が必要です．また，当然のこととして，上部消化管内視鏡時は声が出しにくいことも忘れてはなりません．

内視鏡検査の鎮静に求められる条件を表1に示します．内視鏡検査・処置の内容や術者間の侵襲の差，個々の患者の反応性，内視鏡室の医療安全体制を考慮しながら進める必要があります．

ここがピットフォール

日帰り鎮静の際に付き添いなしは禁忌，自動車の運転も禁忌！

3 ERにおける鎮静とよくあるトラブル

救急外来における鎮静の目的としては，「患者の苦痛緩和」だけでなく「安静維持による手技成功率向上」があげられます．具体的には救急外来での鎮静は脱臼・骨折の整復，電気的除細動，デブリドマンなどがあげられます．しかし，ERの場合，術前評価を行う時間は限定され，絶飲食時間を設定することは現実的に不可能です．ゆえに，ERの場合は特に鎮静時の嘔吐に注意すべきでしょう．また，緊急性の観点から，高リスクの病態評価が不十分なこともしばしばであり，鎮静薬投与後のバイタルサインへの影響により状態悪化につながる可能性もあります．ですので，ERにおける中等度鎮静はさまざまなリスクを有するため，緊急時気管挿管による全身麻酔もしくは集中治療への移行をためらってはいけません．

また，軽症の場合でも鎮静を行った場合モニタリングしながら1泊入院という選択肢も有効かもしれません．もちろん，帰宅させる場合でも，内視鏡検査・治療時の鎮静と同様に，**鎮静後の車の運転などは絶対に許可してはなりません**．帰宅後の緊急連絡先を伝えておくことも必要不可欠でしょう．

ここがピットフォール

ERでの鎮静は鎮静前準備・評価が不十分なためリスクが高い．

ERでも脳卒中やショックなど患者状態によっては意識レベルが確認しづらいことがあ

表2 米国救急医学会からの勧告

ERにおける処置前絶飲食は嘔吐・誤嚥のリスクを減らすか？
→絶飲食時間を設けたとしても，嘔吐や誤嚥のリスクを軽減することはできない
カプノグラフィーの使用は呼吸器系の合併症を減らすか？
→SpO_2単独に比較して，カプノグラフィーを併用することで早期に換気量低下や無呼吸を検出できる
救急外来において安全に使用できる薬剤は？
→ケタミン，プロポフォールは小児，成人に対して安全に使用できる 注：日本では低出生体重児，新生児，乳児，幼児または小児に対する安全性は確立していない（使用経験が乏しい）．集中治療における人工呼吸中の鎮静においては，小児等には投与しない．

文献4を参考に作成．

ります．それぞれの部署におけるモニタリングの特性と評価方法を多職種でディスカッションし，コンセンサスを得ておくことが大切でしょう．表2に米国救急医学会からの勧告を示します．日本と米国では医療環境が異なるために一概に応用することは難しい（小児へのプロポフォール投与は本邦では適応がないなど）ですが，参考にしてもらえればと思います．

4 各領域における鎮静医療安全向上のために

消化器や呼吸器の内視鏡検査や歯科治療，小児MRI検査など，鎮静は手術室外でも頻繁に行われています．現在の鎮静医療安全に対する意識は高まってきていますが，「緊急時対応設備が不十分な場所で行われること」も多く，「施設間や診療科間ごとに統一性がない」のが現状です．

それぞれの部署における鎮静医療安全の向上には，鎮静・鎮痛薬に対する知識と経験が豊富な麻酔科医と各診療科の協力が大切です．鎮静の有害事象の要因としては図1のように，①患者要因，②環境要因，③メディカルスタッフ要因，の3つがあります．①に関しては術前に十分評価し，③に関しては研修医の立場でも十分に呼吸モニタリングなどを行う必要があります．内視鏡室でもERでもこれらの①，②，③をイメージして研修を行うことが大切です．

鎮静医療安全向上には，①，③のように医療者個人の努力だけでなく，②の医療システム改善が重要です．医療システム改善の例としては，経皮的酸素飽和度，カプノグラフィー，心電図に加えて，呼吸数やパターン記載の義務づけなどが考えられます．さらに，各部署の特性を反映した鎮静後退室基準の構築も大切です．

ここがポイント

鎮静医療安全向上には個人の努力とシステム改善が必要！

図2のように，鎮静医療安全向上には，医療者個人による鎮静に対する学習だけでなく，病院の医療安全システム改善の両方が重要です[5]．現在，全国的に鎮静トレーニングコー

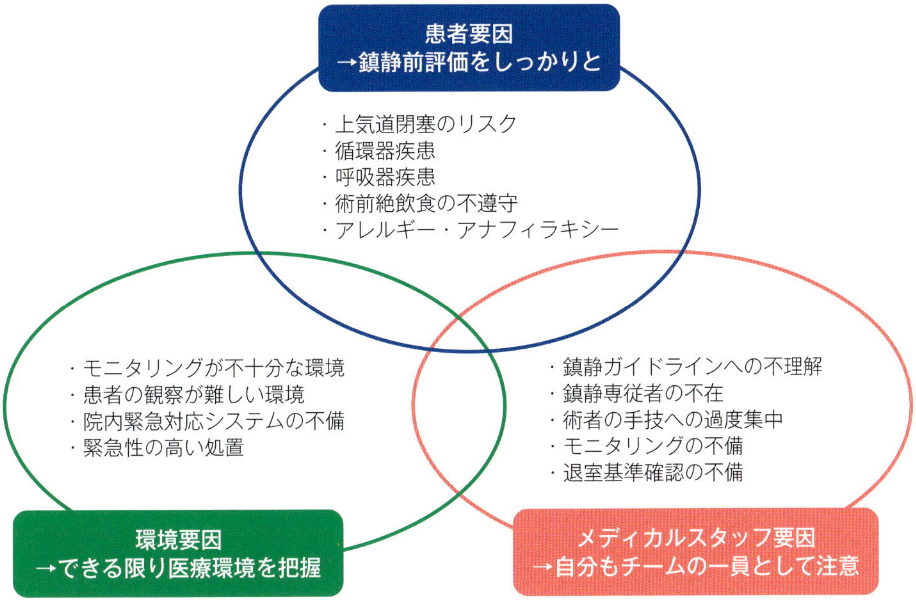

患者要因
→鎮静前評価をしっかりと

・上気道閉塞のリスク
・循環器疾患
・呼吸器疾患
・術前絶飲食の不遵守
・アレルギー・アナフィラキシー

・モニタリングが不十分な環境
・患者の観察が難しい環境
・院内緊急対応システムの不備
・緊急性の高い処置

環境要因
→できる限り医療環境を把握

・鎮静ガイドラインへの不理解
・鎮静専従者の不在
・術者の手技への過度集中
・モニタリングの不備
・退室基準確認の不備

メディカルスタッフ要因
→自分もチームの一員として注意

図1 鎮静有害事象の発症要因の分類
文献3を参考に作成.

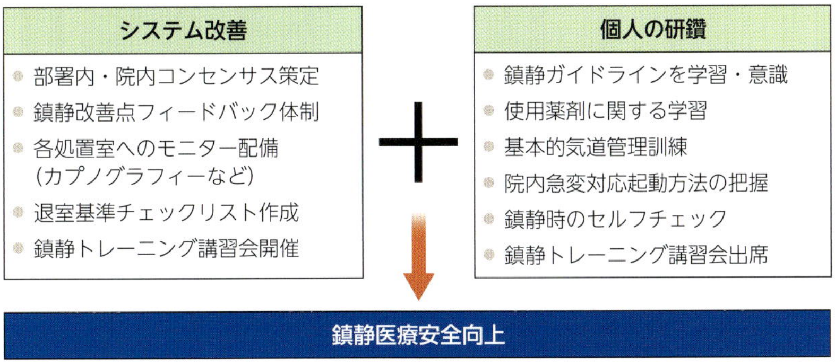

システム改善	個人の研鑽
部署内・院内コンセンサス策定	鎮静ガイドラインを学習・意識
鎮静改善点フィードバック体制	使用薬剤に関する学習
各処置室へのモニター配備（カプノグラフィーなど）	基本的気道管理訓練
退室基準チェックリスト作成	院内急変対応起動方法の把握
鎮静トレーニング講習会開催	鎮静時のセルフチェック
	鎮静トレーニング講習会出席

＋
↓
鎮静医療安全向上

図2 鎮静医療安全向上にはシステム改善と個人の研鑽が必要
文献3を参考に作成.

スが普及しており[6) 7)]，皆さんも機会があれば受講されるのはいかがでしょうか？

ここがポイント

鎮静医療安全向上には多職種参加型の鎮静トレーニングが有効！

文献

1）Practice Guidelines for Moderate Procedural Sedation and Analgesia 2018: A Report by the American Society of Anesthesiologists Task Force on Moderate Procedural Sedation and Analgesia, the American Association of Oral and Maxillofacial Surgeons, American College of Radiology, American Dental Association, American Society of Dentist Anesthesiologists, and Society of Interventional Radiology. Anesthesiology, 128：437-479, 2018

2）駒澤伸泰，他：米国麻酔学会「処置目的の中等度鎮静に関するガイドライン2018年度版」の紹介．臨床麻酔，42：721-729, 2018

3）小原勝敏，他：内視鏡診療における鎮静に関するガイドライン．日本消化器内視鏡学会雑誌，55：3822-3847, 2013
▲ 2020年に第2版が発行されている．

4）Godwin SA, et al：Clinical policy: procedural sedation and analgesia in the emergency department. Ann Emerg Med, 63：247-58.e18, 2014

5）「麻酔科研修 実況中継！第3巻 手術室急変対応と周辺領域編」（南 敏明／監，駒澤伸泰／著），中外医学社，2018

6）駒澤伸泰，他：初期研修医を対象とした鎮静に関する意識調査－侵襲的処置に対する鎮静トレーニングコースの意義－．日本臨床麻酔学会誌，32：582-587, 2012

7）駒澤伸泰，他：教育工学に基づいた鎮静トレーニングコース（SED実践セミナー）の改良～模擬患者を用いた評価型シナリオの導入～．麻酔，66：996-1000, 2017

2 小児検査時における鎮静

安宅一晃

- 小児特有の解剖と生理に基づいた患者評価
- 目標とする鎮静度と患者評価に基づいた鎮静計画
- 鎮静担当者によるくり返しの患者評価
- 検査終了は鎮静終了ではない
- 緊急時の対応の確認

はじめに

小児患者が検査を受ける際に鎮静を必要とする場面は，MRIや超音波などの検査からルート確保などの処置の場合までさまざまです．成人では鎮静薬を用いる必要のない検査でも，小児の場合は不動化だけのための鎮静が必要な場合があります．特にMRIは患者の呼吸状態が十分観察できないうえに，30分以上の不動化が必要で不適切な鎮静による死亡例も報告されています．小児に対して鎮静を行う場合には小児の解剖，生理，薬理の特徴を把握したうえで，理解やコミュニケーションなどの行動学的な側面も把握が必要となります．

1 小児鎮静の特徴

検査時に鎮静が必要となる小児は年齢の幅が大きく，成長・発達を考えて鎮静を考える必要があります．解剖と生理に関してはその発達で大きく変化するので鎮静するためには理解しておく必要があります．

1) 解剖

小児における気道あるいは呼吸に関係する合併症が非常に多いです．解剖学的に気道が成人と同じようになるのは思春期で，それまでは成人とは違うという点を知っておくべき

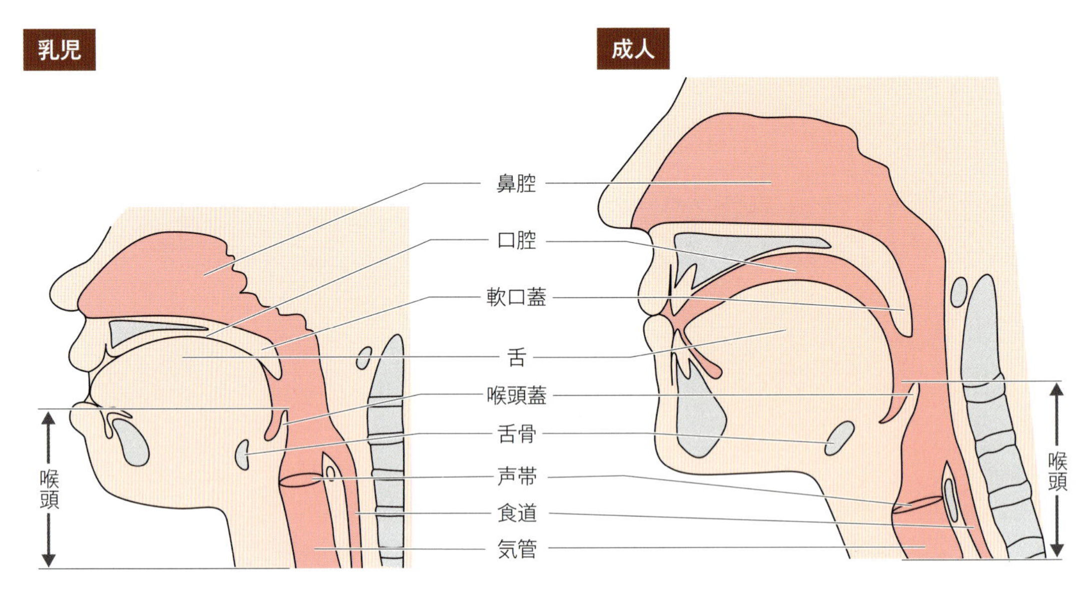

図1 乳児と成人と咽頭部の比較
文献2を参考に作成.

です．新生児期や乳児期は口腔内の舌の占める割合が大きく，喉頭が成人より高く，前方に傾いています（図1）[1)]．このため鎮静が少し深くなるだけで，上気道閉塞を起こしやすいのです．呼吸機能では新生児や年少児は機能的残気量（functional residual capacity：FRC）が減少しています[1)]．鎮静薬投与による呼吸数低下や無呼吸で容易に低酸素になります．また，6歳未満の小児は気道過敏性が高いため喉頭痙攣を起こしやすいとされています．浅い鎮静の場合に喉頭痙攣が多く，深くすると上気道閉塞や無呼吸が起こりやすくなります．このように小児の鎮静で気道関連の合併症が起こりやすいことを念頭においておく必要があります．

2）生理

次に小児は刺激により副交感神経優位になりやすく，さらに心拍出量は心拍数に依存しているために，浅い鎮静では徐脈から容易に血圧低下となってしまいます．このため，アトロピンなどの抗コリン薬の準備が必要です．鎮静薬投与に伴う呼吸や循環への影響は，成人より早期に起こりやすく重篤になりやすいことを知っておくべきです．

3）薬理[1)]（表1）

多くの薬剤で小児に対するエビデンスがないうえに，臨床経験も多くないはずです．臨床では，小児の鎮静薬の選択や投与量を決める場合には年齢，腎機能，肝機能，体内水分量，蛋白結合能，薬剤分布などを考慮します．さらに，成人と同じく検査の侵襲度や時間も考慮に入れる必要があります．安全な鎮静を行うためにはできるだけ単一の薬剤によるプロトコールを作成すべきです．

4）精神発達[1)]

精神発達が年齢によって変化する点が成人とは大きく異なる点です．小児は年齢ととも

表1 小児鎮痛で用いる薬剤

薬物	小児使用量	作用発現時間（分）	作用持続時間（分）	コメント
鎮静・睡眠薬（商品名）				
抱水クロラール（エスクレ®坐剤）	**経直腸投与**：30～50 mg/kg	10～30	40～70	分解物質トリクロロエタノールが作用
トリクロホスナトリウム（トリクロリール®シロップ）	**経口投与**：20～80 mg/kg，最大2 mgまで	60分以内	120～180	分解物質トリクロロエタノールが作用 フルマゼニルで拮抗可能
ジアゼパム〔ホリゾン®，セルシン®（注射液，散剤，錠剤，シロップ）〕	**経静脈投与**：初回投与0.05～0.1 mg/kg, その後最大0.25 mg/kgまで **経口投与**　：0.5～0.7 mg/kg	**経静脈**：4～5 **経口**　：30～45	**経静脈**：60～120	静注では血管痛がある フルマゼニルで拮抗可能
ミダゾラム（ドルミカム®注射液）	**経静脈投与（0.5～5歳）**：初期投与0.05～0.1 mg/kg，その後，最大0.6 mg/kgまで滴定投与 **経静脈投与（6～12歳）**：初期投与0.025～0.05 mg/kg，その後，最大0.4 mg/kgまで滴定投与 **筋肉内投与**：0.1～0.15 mg/kg **経口投与**　：0.5～0.75 mg/kg **経鼻投与**　：0.2～0.5　mg/kg	**経静脈**：2～3 **筋肉内**：10～20 **経口**　：15～30 **経鼻**　：10～15	**経静脈**：45～60 **筋肉内**：60～120 **経口**　：60～90 **経鼻**　：60	シロップは院内で製剤化
プロポフォール（ディプリバン®）	**経静脈投与**：1.0 mg/kg，必要なら0.5 mg/kgずつ反復投与	**経静脈**：＜1	**経静脈**：5～15	低血圧と呼吸抑制の頻度が高い
鎮痛薬				
フェンタニル	**経静脈投与**：初期投与1.0 μg/kg，1回50 μgまで，効果が得られるまで3分おきに反復して滴定投与	**経静脈**：3～5	**経静脈**：30～60	ベンゾジアゼピンと併用する場合は減量する
モルヒネ	**経静脈投与**：初期投与0.05～0.15 mg/kg，1回3 mgまで，効果が得られるまで5分おきに反復して滴定投与	**経静脈**：5～10	**経静脈**：120～180	
解離性麻酔薬				
ケタミン	**経静脈投与**：ゆっくり1分以上かけて1～1.5 mg/kg，必要があれば10分おきに反復投与 **筋肉内投与**：4～5 mg/kg，10分後に2～4 mg/kg反復投与	**経静脈**：1 **筋肉内**：3～5	**経静脈**：解離まで15，回復まで60 **筋肉内**：解離まで15～30，回復まで90～50	多くの使用禁忌がある．悪夢や幻想は小児ではまれ．唾液分泌過剰に対してアトロピンやグリコピロレートを併用することが多い
吸入薬				
亜酸化窒素	30％以上の酸素と混合し，協力的な小児では弁付きマスクを用いた自発呼吸による吸入．非協力的な小児に鼻マスクで持続的に投与する場合は慎重にモニタリング	＜5	投与終了後＜5	特別な投与装置とガス排出設備が必要．多くの使用禁忌がある
拮抗薬				
ナロキソン	**経静脈投与または筋肉内投与**：0.1 mg/kg，1回最大2 mg，必要があれば2分おきに反復投与	**経静脈**：2	**経静脈**：20～40 **筋肉内**：60～90	拮抗薬の効果持続時間が短ければ持続投与が必要になる
フルマゼニル	**経静脈投与**：0.02 mg/kgずつ投与，1 mgまで1分ごとに反復投与	**経静脈**：1～2	**経静脈**：30～60	

文献9より転載．「鎮静・睡眠薬」の薬剤・投与量は本邦の状況にあわせて改変．

にコミュニケーション力，理解力などが発達します．このような発達段階や年齢を考慮に入れて鎮静プランを作成する必要があります．乳児であれば両親にあやしてもらう方法も必要でしょうし，幼児になれば突発的な動きも予想する必要があります．興奮したために追加投与すると，過鎮静になる場合もあります．注意すべきことは「興奮＝鎮静薬が少なくて暴れている」という単純な図式で鎮静薬の追加投与をすべきではないことです．小児患者の精神発達と理解度などを考えながら慎重にすべきです．

2 小児鎮静の実際[1, 3, 4]

1) 患者評価

年齢，体重は薬剤の選択や投与量決定には非常に大切なので必要です．さらに，先天性疾患の有無に関しても知っておく必要があります．基本的には現症として**ABCDEアプローチ**に従って患者評価を行います．特に，**気道（A）**に関する評価は重要です．先天性疾患で気道系に異常のあるPierre Robin症候群などの場合は緊急気道確保が困難であることは容易に想像できますが，単に**アデノイドや扁桃肥大だけでも上気道閉塞の可能性が高くなります**．気道を評価する場合には常に気管挿管をすることを前提にした診察が大切です．当然，**呼吸（B）**，**循環（C）**，**意識（D）**，**体表（E）**も緊急時の対応を念頭においた診察が必要です．これらに基づいて全身麻酔に準じてASA（米国麻酔科学会）の術前評価と同じ評価法を用いることが推奨されています．

2) 鎮静計画

ここが一番重要なポイントです．計画は処置前の経口水分摂取や食事からはじめ，全身麻酔に準じた制限をする必要があります．そして実際の鎮静では，患者評価と検査手技の侵襲度を考えて鎮静の計画を考えます．特に検査に伴う侵襲度から目標とする鎮静深度を決めます（表2）[5]．鎮静薬の種類，投与量，投与経路，投与間隔に関して計画を立てる必要があります．必要な鎮静の深さに応じたモニターも検討すべきです（図2）[1, 6]．特に呼吸のモニターとして経皮酸素飽和度（SpO_2）がよく使用されています．しかし，SpO_2は酸素化の指標で，呼吸数などは反映しない点は注意が必要です[3]．MRIでは30分程度の長時間，不動化が必要で，モニターもMRI対応のものが必要です．さらに，患者の様子はモ

表2 小児鎮静の深さの定義

	最小限鎮静	中等度鎮静	深い鎮静	全身麻酔
反応性	呼名で正常反応	言葉での刺激に対し意図のある動き	連続刺激や疼痛刺激で意図のある動き	疼痛刺激を受けても覚醒しない
気道	無影響	介入必要なし	介入が必要な可能性	しばしば介入必要
自発呼吸	無影響	十分である	不十分な可能性	しばしば不十分
循環	無影響	通常保持される	通常保持される	破綻する可能性あり

文献4より引用．

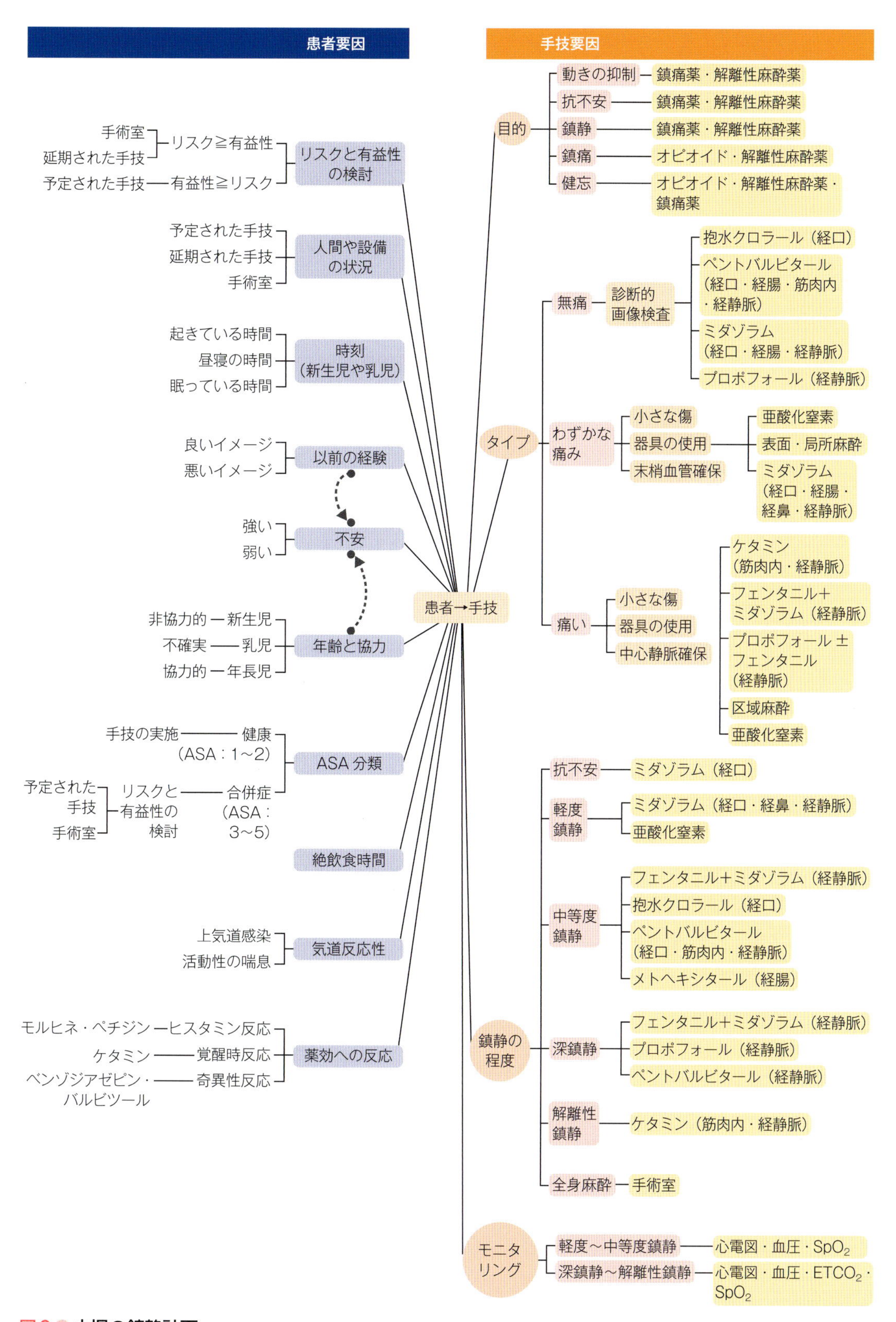

図2 小児の鎮静計画

薬物と鎮痛法を決定するための要因．SpO_2：酸素飽和度，$ETCO_2$：呼気終末二酸化炭素，ASA：American Society of Anesthesiologists．文献9より転載．

第3章 鎮静

ニターを通じてしか確認することができず，非常に危険な検査です．実際小児で死亡例も報告されており，本邦では2013年に日本小児科学会，日本小児麻酔学会，日本小児放射線学会の3学会合同で「MRI検査時の鎮静に関する共同提言」として発表されています[7]．

3) 鎮静実施

鎮静実施において重要な点は鎮静担当者を必ずおく必要があります．鎮静担当者が鎮静計画に基づいて鎮静を行いますが，鎮静前に再度患者評価をしておく必要があります．

◆ 鎮静の手順

❶ タイムアウトを行ったうえで，鎮静を行う

❷ 侵襲度と鎮静の深さを観察しながら鎮静薬の追加を検討する

鎮静の深さを客観的にスケールを用いて評価することは大切です．しかし，小児では年齢により反応が違うなど，単一のスケールで評価することは難しいです．ただし，気道の開存を含めた呼吸状態の評価は必ず必要で，血圧などとともに一定間隔で行うべきです．

❸ 呼吸停止などの緊急時にはすぐに行動する必要がある

小児の場合は低酸素血症やショックから心停止までは短時間に変化するのですぐに検査を中止し，救命処置を行う必要があります．

ここがピットフォール　検査終了が鎮静終了ではない

トラブルなく無事に検査が終了しても，検査後に刺激がなくなり鎮静が深くなる可能性があります．検査終了が鎮静終了ではないことを肝に銘じておくべきです．

4) 鎮静後

検査終了後から患者退室までの時間は実は非常に重要です．鎮静薬の効果が残っているうえに検査などの刺激がないために，検査中より深くなる可能性があります．

小学生以上なら成人と同様にAldreteスコア（表3）を使用することも可能です．幼児以下の場合は活動性と呼吸・循環など総合評価で判断する必要があります．

いずれにしても安全に帰室あるいは帰宅させられる判断を客観的に行えるようにしておくことは大切です．

3 よくあるトラブルと解決法

Craveroの報告では心停止の頻度が10,000件につき0.3～0.4件で，全身麻酔中の0.65件の半分でした[8]．これらを非常に少ないと判断するのは危険です．実際，呼吸に関係するトラブルに対して何らかの処置が必要だったのは89件に1件発生していたとする報告もあります[8]．このようなトラブルを回避する方法を以下に示します．

- 患者評価
- 鎮静計画
- 鎮静実施では鎮静担当者をおく

表3 鎮静後覚醒評価スコア（Aldrete スコア）

評価カテゴリー	評価内容	スコア
身体活動性	命令に従って手足を適切に動かすことができる	2
	命令に従って手足を動かせるが，動きが緩慢である	1
	命令に従って手足を動かすことができない	0
呼吸	深呼吸と十分な咳ができる	2
	呼吸困難もしくは自発呼吸が10/分未満	1
	無呼吸	0
循環	血圧が処置前の値より±20	2
	血圧が処置前の値より±21-49	1
	血圧が処置前の値より±50	0
意識レベル	全覚醒	2
	呼名で覚醒	1
	無反応	0
酸素飽和度	Room Air で酸素飽和度92％以上を維持できる	2
	酸素飽和度92％以上を維持するのに酸素が必要	1
	酸素投与しても酸素飽和度90％未満	0

鎮静後覚醒評価スコアの合計点により，以下のように対応.
① 合計スコア6未満 ⇨ 継続的に患者を監視し続ける
② 合計スコアが6〜8 ⇨ 一般病室に移動可能だが，一般病室移動後もバイタルサイン計測し，患者のバイタルサインが処置前の値に戻るまで監視し続ける
③ 合計スコアが9〜10 ⇨ 帰宅可能
文献7より引用.

- 鎮静薬をできるだけ単一薬剤にする
- 必要なモニターをつけて鎮静中の患者評価をくり返す
- 検査終了後の患者評価をしてから退室・帰宅を指示する
- 緊急時の対応をマニュアル化しておく

基本的には全身麻酔に準じた準備，実施，退室を行うことでトラブルを回避できます.

4 先輩医師のコツ

検査における鎮静では鎮静担当者がどれだけ患者の状態を把握できるかに，成否がかかっています．鎮静担当者が検査を手伝うとか，検査に夢中になるなどはもってのほかです．患者を守る最後の砦が鎮静担当者であるという自覚で臨むのが大事だと思います．危険な状態を察知したら，躊躇せず検査の中止を宣言できることが重要です．また，検査終了＝鎮静終了ではないことは肝に銘じておいてください.

救急カートは要確認！

機器があり，患者のモニターすら置く場所に困るケースが多いと思います．そのような場所で急変があったとき，救急カートはあるのに，いざ使おうとすると引き出しが開かないということがあります．実際患者や検査機器が入った状態で救急カートから物品や薬剤がとり出せるのかも事前に確認しておく必要があります．特にMRIでは不用意に物品を持って入ると強力な磁力のためにとんでもない大事故になることがあるので，緊急時の対応マニュアルは必須です．あなたの施設の緊急時対応マニュアルをもう一度確認してください．

文献

1）Corey E Collins（上園昌一，久米村正輝／訳）：小児の鎮静．「鎮静法ハンドブック：中等度・深鎮静の安全な管理のために」（飯島毅彦，上農喜朗／監訳，Urman RD，Kaye AD／編），pp242-275，メディカル・サイエンス・インターナショナル，2014

2）乳幼児の在宅医療を支援するサイト ～日本小児在宅医療支援研究会～
http://www.happy-at-home.org/6_7.cfm

3）「こどもの検査と処置の鎮静・鎮痛」（堀本 洋，他／編著），中外医学社，2013

4）宇城敦司：小児．「あらゆる場面で使える鎮静・鎮痛Q & A96」（安宅一晃／編），羊土社，2016

5）American Society of Anesthesiologists Task Force on Sedation and Analgesia by Non-Anesthesiologists：Practice guidelines for sedation and analgesia by non-anesthesiologists. Anesthesiology, 96：1004-1017, 2002

6）Coté CJ & Wilson S：Guidelines for monitoring and management of pediatric patients during and after sedation for diagnostic and therapeutic procedures: an update. Pediatrics, 118：2587-2602, 2006

7）「MRI検査時の鎮静に関する共同提言」（日本小児科学会・日本小児麻酔学会・日本小児放射線学会），2020
http://www.jspr-net.jp/information/data/MRI_20200223.pdf

8）Cravero JP, et al：Incidence and nature of adverse events during pediatric sedation/anesthesia for procedures outside the operating room: report from the Pediatric Sedation Research Consortium. Pediatrics, 118：1087-1096, 2006

9）Krauss B & Green SM：Procedural sedation and analgesia in children. Lancet, 367：766-780, 2006

3 集中治療室での鎮静

梅井菜央

- 集中治療室では重症患者の苦痛，不快，不安をとり除くために鎮静管理が必要とされる
- 集中治療室では，ミダゾラム，プロポフォール，デクスメデトミジンなどで持続鎮静を行うが，1日1回は鎮静薬を中止することが推奨される
- 鎮静評価スケールを使用し，患者ごとに目標とする鎮静レベルを設定し，鎮静レベルが適切か評価する

はじめに

集中治療室（以下ICU）での管理が必要な重症患者は，24時間監視される状況におかれ，さまざまな医療機器，モニターの作動音や警報音が24時間鳴り響く環境のなかに晒されています．さらに人工呼吸管理を要する重症患者は，挿管チューブの違和感や気管吸引による咳反射，侵襲的なモニタリング，体位変換，清拭，会話ができないなど精神的な苦痛，不快，不安を感じています．ICUにおける鎮静管理は，これらの精神的苦痛，不快，不安を軽減するために必要不可欠であり，本項ではICUでの鎮静の特徴・方法・評価について概説します．

1 集中治療室の鎮静の特徴

ICUにおける鎮静管理は，危機的状況にある患者を精神的，身体的苦痛から保護するほか，治療を安全かつ円滑に行うために重要です．ICU患者の70％が不安を感じているといわれており，気管挿管をされていない術後の患者でも30％が不安を感じているといわれています．重症の病態や外科的手技，侵襲的なモニタリング，挿管チューブや毎日の清拭はICUの患者が感じる不快なものの一部です．患者の不快や痛みは睡眠障害をもたらし，ストレスを増やし，酸素消費量の増加，免疫抑制，凝固障害まで引き起こします．ICU退室

後のPTSDにも影響します．ICUでは，①**患者の不安や不快をとり除くため**，②**入眠させやすくするため**，③**人工呼吸器との同調をよくするため**，④**着替えや清拭を患者に苦痛を与えずに行うため**，⑤**挿管チューブや中心静脈カテーテルなどを事故抜去しないため**に鎮静薬が使用されます．

2 集中治療室の鎮静の実際

ICUでよく使用される鎮静薬には，**ベンゾジアゼピン，プロポフォール，デクスメデトミジン**があります（表1）．

1）ICUでよく使用される鎮静薬

● ベンゾジアゼピン

本邦で最もよく使用されるベンゾジアゼピンはミダゾラムです．ミダゾラムは脂質溶解度が高く，発現が早いといわれています．半減期は短いので，間欠的に使用する場合は頻回に投与する必要があります．腎機能障害のある患者や肥満患者，低アルブミン血症の患者では鎮静が遷延することがあるので注意が必要です．

● プロポフォール

プロポフォールは発現効果が早く（1分以内），作用時間が短く（3～10分），短時間の外科的手技の際の静脈投与として使用されます．しかし，プロポフォールの血圧低下作用は強く，心収縮力の抑制作用もあるため，心臓血管外科術後の症例や循環血液量が減少している症例では注意して使用する必要があります．また，プロポフォール注入症候群（propofol infusion syndrome：PRIS）として知られていますが，プロポフォールは乳酸アシドーシス，低血圧，不整脈，脂質異常症，横紋筋融解，腎不全，肝不全を呈することがあります．PRISは長期の大量持続投与と関係しており死亡することもあるので注意が必要です．

● デクスメデトミジン

デクスメデトミジンはα_2受容体作動薬であり，不安と苦痛をとり除きます．ベンゾジアゼピンやプロポフォールと違い，デクスメデトミジンは鎮静や健忘を起こす作用は弱く，覚醒した状態で軽く鎮静できるので最近はよく使われます．デクスメデトミジンの半減期は2時間と短いため持続投与する必要があります．肝機能障害がある患者ではデクスメデトミジンを減量する必要があります．

表1 ICUでよく使用される鎮静薬

	ミダゾラム	プロポフォール	デクスメデトミジン
半減期	3～11時間	26～32時間	2時間
間欠的投与	1～5 mg	N/A	N/A
持続投与	0.04～0.2 mg/kg/時	0.3～3 mg/kg/分	0.2～0.7 mcg/kg/時
量の調節が必要	腎臓，肝臓	なし	肝臓
副作用	なし	低血圧，脂質異常症，PRIS	低血圧，徐脈

2）ICU滞在期間を短くする投与法

ICUの鎮静管理として，米国集中治療医学会（Society of critical care medicine：SCCM）の「鎮痛・鎮静のガイドライン」では1日1回は鎮静薬を中止することが推奨されています[1]．言葉刺激に反応するまで完全に鎮静薬を中止し覚醒させ，その後に人工呼吸器の離脱が可能か評価する方法（Awakening and Breathing Control trial）を行うことで，人工呼吸器装着期間が3日短縮し，ICU滞在日数や病院滞在日数が4日短縮したといわれています[2]．

3 集中治療室の鎮静の評価スケール

ICUで鎮静薬を使用する際には，目標とする鎮静深度を患者ごとに明確に定め，鎮静の評価判定の個人差をなくすことが重要であり，客観的な鎮静の評価スケールの使用が望ましいといえます．しかし不安や鎮静の程度を客観的に測定する方法はなく，不安と鎮静を臨床的に点数化する主観的評価スケールを使用するのが一般的です．

1）主観的鎮静評価スケール

● Riker Sedation-Agitation Scale（SAS，表2）

Riker Sedation-Agitation Scaleは成人の重症患者において信頼性があり有効であるとされた最初の鎮静評価スケールです．SASでは意識のレベルと興奮のレベルを7段階の評価で行います．

● Motor Activity Assessment Scale（MAAS，表3）

SASから改良したスケールで刺激に対する患者の反応で評価を行います．

● Ramsay scale（表4）

Ramsay scaleは3つの覚醒のレベルと3つの入眠レベルを評価します．段階ごとの明確な区別と特異的な記述がないと批判されてはいますが，それでも多くのICUで使用されています．

表2 ● Riker Sedation-Agitation Scale（SAS）

点	状態	説明
7	危険な興奮	挿管チューブを引っ張る，カテーテルを抜去しようとする，ベッド柵をこえる，スタッフを殴る，ベッド上をのたうち回る
6	非常に興奮	何度言い聞かせてもおちつかない，身体抑制を必要とする，挿管チューブをかむ
5	興奮	不安で少し興奮している，起き上がろうとする，説明するとおちつく
4	穏やかで協力的	穏やか，簡単に目を覚ます，指示に従う
3	鎮静	覚醒するのが難しい，言葉の刺激や揺さぶりですぐに起きるがすぐに寝る，簡単な指示に従う
2	深鎮静	身体への刺激で覚醒するが意思疎通はできず指示には従わない，自発的な動きはある
1	起きない	痛み刺激で起きない，意思疎通はできない，指示に従わない

文献3より引用．

表3 Motor Activity Assessment Scale（MAAS）

点	状態	説明
6	危険な興奮	外的刺激なしで動き，非協力的で，チューブやカテーテルを引っ張ろうとし，ベッド上をのたうち回り，スタッフを殴り，ベッドから降りようとし，注意してもおちつかない
5	興奮	外的刺激なしで動き，座ったり四肢をベットから出したりする，持続的には支持に従わない（言われたら寝るがすぐに座ったり四肢をベッドから出したりする）
4	落ち着かない/協力的	外的刺激なしで動き，シーツやチューブをつかもうとしたり，シーツをはいだりする，指示には従う
3	穏やか/協力的	外的刺激なしで動き，シーツや服を意識的に整え，指示に従う
2	軽い刺激や名前の呼びかけに反応	軽い刺激や名前の呼びかけで，開眼or眉あげor刺激の方に頭を向けるor四肢を動かす
1	痛み刺激に反応	痛み刺激で開眼or眉あげor刺激の方に頭を向けるor四肢を動かす
0	反応なし	痛み刺激に反応しない

文献4より引用.

表4 Ramsay scale

点	状態	説明
1	覚醒	不安があり，興奮しており，おちつきがない
2	覚醒	協力的で見当識があり，平穏
3	覚醒	指示のみに従う
4	入眠	軽い眉間への刺激，あるいは大きな声に即座に反応
5	入眠	軽い眉間への刺激，あるいは大きな声にゆっくり反応
6	入眠	軽い眉間への刺激，あるいは大きな声に反応せず

文献5を参考に作成.

Richmond Agitation-Sedation Scale（RASS，表5）

Ramsay scaleの長所を生かしつつ，その欠点も改良したスケールで鎮静状態の評価だけでなく興奮状態の評価もできます.

鎮静の適切な深度は患者の急性期の病気の課程や治療介入などにより変化します．つまり，主観的鎮静評価スケールのどのレベルでコントロールをすべきかの明確な推奨レベルはありません．一般的な鎮静の目標は患者が簡単に覚醒し入眠と覚醒のサイクルを維持できるレベルですが，場合によっては呼吸器設定を容易にするために深い鎮静を必要とすることもあります．望ましい鎮静のレベルは治療の最初に決定されるべきであり，患者の状態が変わるごとに再評価し変更していかなければなりません.

2) 客観的な鎮静の評価

血圧や脈拍といったバイタルサインのみを重症患者の鎮静の評価に使用するのはICUでは難しいです．bispectral index（BIS）は手術室においては患者の鎮静度と数値に関係があるといわれていますが，ICUの環境では筋電図が混入すると数値が上昇しますので使用するには限界があります．しかし，鎮静が深いときや筋弛緩薬を使用しているときは客観的な鎮静の評価が必要であり使用することもあります.

表5 Richmond Agitation-Sedation Scale（RASS）

点	状態	説明
＋4	好戦的	明らかに好戦的，暴力的，スタッフへ危険が及ぶ
＋3	高度な興奮	チューブやカテーテルを引っ張る，抜去する，スタッフに対して攻撃的
＋2	興奮状態	頻繁に目的のない動きがみられる，人工呼吸器とのファイティング
＋1	落ち着きがない	不安でそわそわしている，しかし攻撃的でも活発的でもなし
0	落ち着いている	
－1	傾眠状態	完全に清明ではないが，呼びかけに開眼とアイコンタクトで応答する（10秒以上）
－2	浅い鎮静	呼びかけに開眼とアイコンタクトで短時間だけ応答（10秒未満）
－3	中等度鎮静	呼びかけに体動や開眼で応答するがアイコンタクトなし
－4	深い鎮静	呼びかけに無反応，しかし，身体刺激で体動または開眼
－5	昏睡	呼びかけにも身体刺激にも無反応

文献6より引用．

4 よくあるトラブルと解決法

1) 覚醒不良

鎮静薬を持続投与することは，人工呼吸器装着期間の延長やICU滞在日数の延長と関係しており，CTやMRIの検査の頻度も増加させます．またICU滞在中の記憶がない場合や過鎮静で管理を行われた場合は退室後の認知能力に悪影響を及ぼします．**1日1回は鎮静薬を中止し覚醒させることが重要**です．

2) 呼吸抑制

ベンゾジアゼピンやプロポフォールは意識障害や呼吸抑制を引き起こします．挿管されていない患者に使用する場合は，必ず**気道確保の準備**を前もってしなければなりません．

3) せん妄

ベンゾジアゼピンやプロポフォールはせん妄を引き起こします．せん妄は独立したICU患者の死亡因子であり注意が必要です．せん妄を起こした場合は，デクスメデトミジンへの変更を考慮した方がよいです．

4) 脂質異常症

プロポフォールを使用する場合は脂質異常症を併発することがあるため，**トリグリセリドの測定**が必要です．

5) 血圧低下

プロポフォールのボーラス投与ではよく起こり得るため注意が必要です．**低心機能や循環血液量が減少している患者への使用は控えた方が安全**です．

6) 徐脈

デクスメデトミジンやプロポフォールを使用する場合にみられます．投与量を減量するか，他の鎮静薬への変更を考慮しなければなりません．

7) 退薬症状

長期，大量投与後に突然鎮静薬を中止すると，痙攣・振戦・混迷・幻覚・興奮・嘔吐・頻脈・発熱などの症状が発現することがあります．**1週間以上持続投与を続けている場合は漸減していくことが推奨**されています．

5 先輩医師のコツ

ICUの重症患者は病態がよくなるまでずっと深い鎮静状態で管理をしておく方が医療者にとっては楽に思えるかもしれません．しかし，寝たきりの管理は，筋力低下を引き起こし，人工呼吸管理が延長し，最終的にはICU滞在日数が延長します．われわれの施設では，循環呼吸状態がある程度安定すれば，朝に必ず鎮静薬を中止し，端坐位，車いす移乗などのリハビリテーションを積極的にとり入れています．覚醒させるタイミングを逃さず，患者にあった鎮静管理を行い，看護師・薬剤師・理学療法士と協力しリハビリテーションを早期に導入していくことが重要です．

column

重症患者へのデクスメデトミジンの急速な投与は避ける！

デクスメデトミジンの添付文書では，初期負荷量1.0 μg/kgを10分間で投与した後に，0.2～0.7 μg/kg/時で維持すると書かれています．デクスメデトミジンを使用し始めた頃，指導医に初期負荷投与はしないようにと言われたにもかかわらず筆者はこの初期負荷投与を行い，徐脈になりあわてたことがあります．重症患者では，維持量から開始して緩徐に作用発現させた方が安全です．

文献

1）Devlin JW, et al：Clinical Practice Guidelines for the Prevention and Management of Pain, Agitation/Sedation, Delirium, Immobility, and Sleep Disruption in Adult Patients in the ICU. Crit Care Med, 46：e825-e873, 2018

2）Girard TD, et al：Efficacy and safety of a paired sedation and ventilator weaning protocol for mechanically ventilated patients in intensive care (Awakening and Breathing Controlled trial): a randomised controlled trial. Lancet, 371：126-134, 2008

3）Riker RR, et al:Prospective evaluation of the Sedation-Agitation Scale for adult critically ill patients.Crit Care Med,27:1325-1329, 1999

4）Clemmer TP, et al:Origins of the Motor Activity Assessment Scale score: a multi-institutional process.Crit Care Med,28:3124, 2000

5）Ramsay MA, et al：Controlled sedation with alphaxalone-alphadolone. Br Med J, 2：656-659, 1974

6）Sessler CN, et al：The Richmond Agitation-Sedation Scale: validity and reliability in adult intensive care unit patients. Am J Respir Crit Care Med, 166：1338-1344, 2002

第 4 章

救急のこれだけは身につけてください。

総論

救急領域で必要な手技の基礎知識

鈴木昭広

- 救急で必要な手技の基本のほとんどは麻酔業務で実践できる
- 緊急対応に備えるため，平時から医療安全と感染対策を心がける
- 手術麻酔を介して外科医の技とコミュニケーションスキルを盗め
- 超音波は当ててナンボ！ やった数だけうまくなると心得よ
- 災害医療に必須のトリアージは麻酔科で日々特訓するべし

はじめに：感染制御と医療安全こそが手技の基本である

救急領域で必要な手技の基本として，筆者が考える最も重要なことは①**感染制御**と②**医療安全**です．ゆとりのある患者でじっくりと手技や処置を行うのと違い，救急患者対応はときに時間との戦いとなります．救命処置を優先するあまり，手指衛生や消毒などを徹底せず，不潔な手技や処置を行えば，救命した後に感染に悩まされることになります．

一般に，外傷診療においては死に至る3つの山があるといわれ，**第1の山は即死**パターンで，脳損傷や大量出血など，体の損傷が甚大すぎておおむね不可抗力なもの，**第2の山は早期死亡**で，大量出血，胸部外傷，頭部外傷などが含まれ，治療介入することで生命維持につなげられるもの，**第3の山が晩期死亡**で，敗血症や多臓器不全などです（図1）．

1）普段から手技を身につける！

重要なことは，**普段からやろうとしないこと，できていないことは急変対応時に絶対にできるはずがない**，ということです．中心静脈穿刺時のガウンやドレープなども同様で，慌てるあまりどこまでが清潔か不潔かわからないような処置を行ってカテーテルを留置するくらいなら，上腕骨の骨髄針で大容量が投与できる経路を確保し，その後じっくりと中心静脈ラインをしっかり清潔操作下に確保する方がよいです．ヒポクラテスのFirst, Do no harmの言葉通り，自分の処置が感染の原因を作り患者に害をなすことは絶対に避けましょう．今の時代，患者を感染症で苦しめる原因菌がどこからもち込まれたのかトラッキング

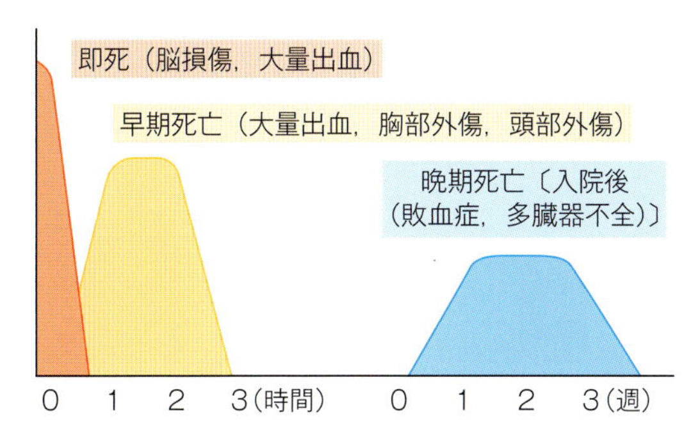

図1 外傷死亡の3つの山
即死は手の施しようがない状況．早期死亡は医療介入で救命が期待できる．しかし，命をつなぎとめてもその後に待つのは晩期死亡である．その火種を自分自身がつくることのないように感染制御などを常日頃から心がけたい．

できます．

もちろん，ポビドンヨード液の「ぶっかけ」の後，即手技に入るような「救命優先」の場面もありえるでしょうが，これは手技ができて当たり前レベルの匠が行う技です．この究極の場面に手技の不確実な初期研修医が練習として処置を行うことはありえないといえます．来るべき日のために処置のその先を見越した感染制御の心構えを平時から徹底的に習慣づけ，育んでもらいたいです．

2）医療スタッフの安全を守る！

また，慌ただしい環境のなかで針刺しなどの事故を起こさないような習慣をつけることも重要です．静脈ラインを確保した後に，血液のついた内針の行き場をなくし，とりあえず床に置く者がいます．なぜ，刺す前に針ボックスを持ってこないのか？ あるいは，刺している最中に，周囲のスタッフに指示を出してボックスを準備してもらわないのか？ 体液汚染物を床に置けば，汚染が広がります．それを片付ける第三者が針刺しトラブルや感染トラブルを負うことになります．

自分がともに働くスタッフを危険にさらすようなふるまいはそもそもチーム医療にふさわしくないといえます．こういったことはトイレにいったら手を洗う，寝る前に歯を磨く，などと同じ，躾レベルのものです．手技習得に心奪われる前に，まず正しい身なり，躾，身のこなしが基本であると心得ましょう．

1 手技の基本は麻酔科で学べ

救急領域で必要な手技のほとんどは麻酔中に実践でき，あるいは手術を見ることで手順を学ぶことができます．そもそも，麻酔を受ける患者は手術が受けられるくらいに健康であり，病棟急変患者や救急外来でバイタルに変調をきたして運ばれる患者と比べ，きわめて状態がいいといえます．つまり，基本を身につけるには最適ということです．

特に麻酔の導入プロセスはたかだか10分程度ですが，きわめて濃厚な体験が詰まった最重要の時間です．歩行入室し，意識清明の患者に対し末梢静脈ルートを確保し，前酸素

図2 クローズドループコミュニケーションの実践

薬液の誤投与はときに致命的な転機をたどり得る．何の薬を何cc,何mg,どのルートから，という情報を常に相手に渡し，内容を反芻させてダブルチェックし，実施報告してもらい，自分の出した指示が実施されたことを確認する．キャッチボールと同じで，ボールを投げっぱなしにせず戻してもらうことを常に心がける．麻酔科の導入時の薬液投与などで徹底的に体に覚えこませよう．

化を実施した後，静脈麻酔薬，筋弛緩薬などを投与します．麻酔中に使う薬のほとんどは劇薬，毒薬ばかりです．薬液の誤投与を防ぐような指示出しとチェックバックを徹底し，常に自分の指示が正しく実施されたか，クローズドループコミュニケーションを構築しましょう（図2）．

1）気道管理から学ぶ

薬の効果が出始めれば患者の意識レベルは目の前で刻々と変わります．呼名開眼レベルから，開眼しないレベルへと，Japan Coma Scale（JCS）の数字が秒単位で増えていき，あるいはGlasgow Coma Scale（GCS）は15点から減少していきます．患者の気道開通性は失われるため用手的気道確保が必要になり，頭部後屈，下顎挙上，開口のトリプル・エアウェイ・マニューバを正しく実践する必要が出てきます．自発呼吸は減弱し，筋弛緩薬の効果により完全に呼吸運動が失われるため，人工呼吸が必要となります．ここではE-C法で漫然と換気してはいけません．蘇生ガイドラインで推奨されるように，両手法の方がより効果的です．麻酔器の人工呼吸を使うなりして，両手法もしっかり鍛えましょう（**第2章-2**参照）．

換気中は胸郭の挙上を目視して換気が適切かどうかを判断しますが，そのときに客観的指標として呼気終末二酸化炭素分圧（$ETCO_2$）や，換気量も参考にして眼を養いましょう．器具を用いた気道管理については手術麻酔ですべての医療の90％近くが行われています．気管挿管後のチューブ位置の確認は聴診（胃泡音，呼吸音左右差），視診（胸郭挙上，チューブの曇り），カプノグラムでの二次確認を小脳レベルで覚えるほどルーチン化しましょう．初期研修医の皆さんにとって，このような気道確保と人工呼吸を行う機会は，今後は急変患者対応という本番でしか実践することはできません．つまり，麻酔科での実践経験がその後の一生の経験の基盤になるのです．

2）意識レベルの評価から学ぶ

さて，気管挿管などの侵襲的行為を行った際に，患者は体動を示したでしょうか？あるいは顔をしかめたでしょうか？…否．患者は反応しないレベルまで至っていたのではないでしょうか？ では，そのような患者の意識レベルはどう評価されるでしょうか？ そう，JCS = 300，GCS = 3の深昏睡です．JCS = 0の患者が300に至るまで，いったい何分かかったでしょう？ おそらくものの5分足らずです．皆さんは病棟の患者や救急外来対応で，たった5分で意識清明から深昏睡に変わるような患者を見ることがあるでしょうか？ おそらく年に1人も経験することがない稀有なイベントのはずです．しかし，麻酔行為によりすべての手術室で，毎日，このような激変が人為的に引き起こされているのです．

麻酔管理を行うなかで，患者をいかに快適に保つかが維持期のミッションです．全身麻酔下の患者は，もうなにも訴えてはくれません．酸素濃度が濃すぎる・低すぎる，呼吸の設定が多すぎる・少なすぎる，のどが渇いた・水分はもういらない，部屋が寒い・暑いすぎる…すべて麻酔担当者のなすがままに患者は置かれます．モニターや血液ガスなどを参考にしながら，少なくとも患者が不満をもらさないであろう範囲にバイタルを保ちます．

3）抗菌薬投与から学ぶ

執刀前にはsurgical site infection（SSI：手術部位感染）対策として抗菌薬が用いられます．なぜセファゾリンなのか？ これは何系？ 第何世代？ 時間依存性？ それとも濃度依存性？ 目標とする菌は何か？ 抗菌薬の決定は本日の手術が清潔手術か，準清潔か，汚染か，はたまた不潔—感染手術かを考える必要があります．そもそも術中に使用する抗菌薬は限られており，麻酔1症例ごとに考えることで，救急ICUで必要な抗菌薬の知識の基盤をつくることができます．

2 手術中に外科医を見て技を盗め

外科や麻酔科での研修中は，外科医の技に注目しましょう．そこで行うことは外科医の技を盗むことです．メスをどう持つのか，解剖構造はどうなっているのか，器具をどう使うのか，例えば腸管はどのように，皮下はどのように，皮膚はどのように縫い，ドレッシングはどうするのか．ドレーンはどのように挿入し，固定はどうするのか．何気なく行うなかにプロの技が光るはずです．また，あわせて外科医の指示出しをよく観察してほしいと思います．いい外科医は感情をあらわにして怒鳴ることなどせず，落ち着いて一手先，二手先の指示を伝えます．予定どおりことが進まない場合に現状をサマライズしてスタッフに伝えるのも上手です．あうんの呼吸，以心伝心という言葉がありますが，黙っていて思っている器具が出てくることばかりではありませんし，考えは口に出さなければ伝わらないものです．さらに，指示は具体的でなければなりません．「3-0ナイロン糸」というのと同じく，救急対応でも「挿管チューブください」ではなく，「7.0の気管チューブください」など具体性を求められるのです．

3 1を見て10を知る：一度見た手技は必ず復習を

救急処置のなかには，短い研修期間ではなかなか経験できないものも多くあります．一度見た手技に関しては，次回，もしチャンスがあれば自分で行えるように，少なくとも器具の名前や使い方などはおさらいしておき，「あとは実践あるのみ」，という状況に自分を高めておきましょう．

例えば，腰椎穿刺を見学したとします．次に髄膜炎疑いの患者が来院し，上級医から「やったことある？」と聞かれた場合に，「いやあ，見たことしかないんで」というか，「前回1度見学して，手順はわかっているつもりです」といえるのかの違いはきわめて大きいでしょう．そこで，「じゃ，説明しながらやるから見ていてね」なのか，「じゃ，できるとこまでやってみようか」，とチャンスがめぐってくるかどうかの大きな違いが生まれます．前者と後者で，1カ月後，3カ月後，初期研修が終わる2年後にどれほど大きな差ができてしまうか想像に難くないはずです．教える側も，針の持ち方から手順に至るまで，覚醒している患者を前に手取り足取り教えるのは心理的プレッシャーが大きいものです．自分ひとりでできること（例えばイメージトレーニング），実践上のコツでやってみなければわからない，会得できないことを明確に分け，自分自身を準備しておくことが重要です．

4 超音波はとにかく使うことが大事

現在，ポイントオブケア超音波という概念が広まり，検査室でフルオーダーするようなものとは別に，必要なときに見たいものを見る手法が広まってきています．例えば，中心静脈，PICC，動脈，静脈の血管穿刺エコーなど，はたまた救急外来で行う外傷時の体腔内の出血検索FAST（focused assessment with sonography for trauma：**第4章-1**参照）なども然りです．超音波はとにかく労をいとわず当て続けることが重要です．特に，FAST

は出血のある，なしをYESかNOかで判断するお手軽なツールであり，慣れ親しむことで体腔内の臓器のオリエンテーションがつき，応用幅を広げるのにもってこいでしょう．

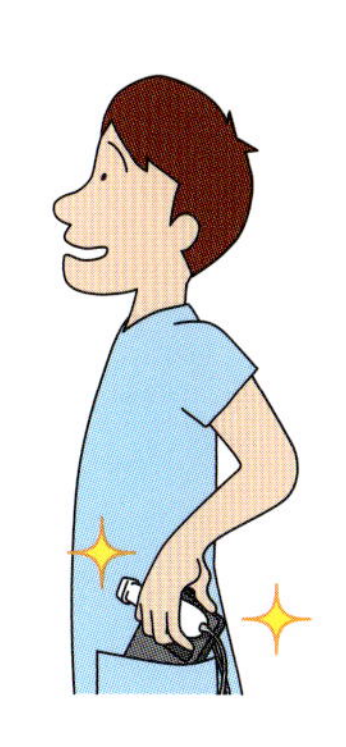

初期研修医の皆さんは，ときに救急初期治療において点滴や採血，あるいはオーダー入力をすることに終始し，FASTの所見をとるチャンスに恵まれない，という方もいるかもしれません．FASTはくり返し行い，経過を追う意味でも重要です．たとえCT検査に行った後でも，時間があれば「変化がないか見てみますね」で当てるもよし，あるいはCTで答えが出ているからこそ所見が見えるはずの部位に当てて確認するもよしです．入院患者も同様です．呼吸が苦しい，血圧が低い，おなかが張る，などきっかけは何でもよい．エコー装置をベッドサイドに運ぶことをいとわず，明らかな異常が見つかればラッキーという考えでもよいです．超音波は視診・聴診・触診・打診などの延長線上にある診療ツールなのです．

5 退室時こそトリアージを訓練する最大のチャンス

医療ドラマでよく見かけるトリアージ，麻酔科でこそ日々鍛えられることをご存知ですか？ 患者の退室前には，モニターばかり見ずに，身体所見を使ったトリアージを実践してみましょう．

❶まずは歩行チェック

術直後の患者はさすがに歩行できないので緑タグになりません．

❷呼吸

呼吸が10回/分未満（麻薬の影響），30回/分以上（疼痛など）なら赤タグです．呼吸数の把握は急変患者の早期発見に重要なスキルですので必ず観察を習慣づけます．10～29回/分なら次に脈をみます．

❸循環

橈骨動脈の触れが弱い，末梢冷感湿潤があれば赤，問題なければ次に進みます．

❹意識

指示に従えなければ赤，従うことができれば黄色タグです．術直後の患者でもし赤の項目があれば，帰室させてはいけない状態と考えます．

通常，トリアージは色が決まった時点で終了ですが，退室前トリアージは必ず❹の意識まで至る最も長い確認プロセスを経るのです．自分が何秒で黄色の判定に至るのか，研修開始から終了まで記録をつけてみましょう．判定に1人1分かかるようでは，100人で100分，とても災害現場で使いものになりません．

いかがですか？ 麻酔科で学べることは数多く，無駄なことは1つもないのです．どのように麻酔業務に向き合うか，1例1例を大切にすることで，皆さんの医師としての基礎体力を培うのが麻酔科研修です．

1 FAST

山田直人，菅　重典

- 超音波検査の入門編としてFASTをはじめよう
- 観察部位と描出のコツを覚えよう
- 上達にはひたすら練習あるのみ！

はじめに

FAST（focused assessment with sonography for trauma）は外傷患者の腹腔内出血または液体貯留の有無を判断する超音波検査です．

FASTの手技は比較的容易であり，超音波診断の入門編として最適です．非侵襲的で放射線被曝と造影剤の副作用がなく，くり返し行っても安全です．

腹腔内出血の診断とショック状態の鑑別に役立つFASTをマスターしましょう！

1 手技の基本手順

◆ 画像抽出の基本手順

観察部位が体腔深部のため，使用プローブはコンベックス型またはセクター型となる（図1）．

❶ 画像描出のはじめには，CTと同様にモニター画面の左側に患者の右側または頭側がくるようプローブマーカーと画面のマークを合わせる（CTルール，図2）

超音波診断装置の使用するボタンは，画面の深さとゲイン（輝度）による画像調整のみである．

参考までに筆者は検査開始時に15 cmの深さではじめ，適宜調整している．

❷ 潤滑剤を塗ったプローブを片手で持って検査開始する

画像がブレないよう患者の体に持ち手の一部を接しながらプローブを操作する（図2）．

❸ もう一方の手は画像調整を行う

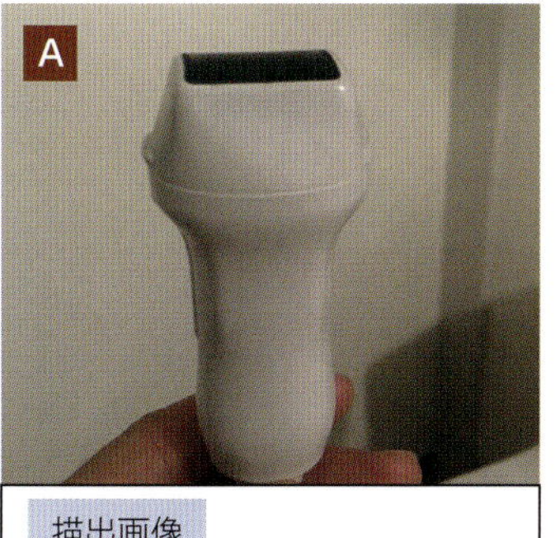
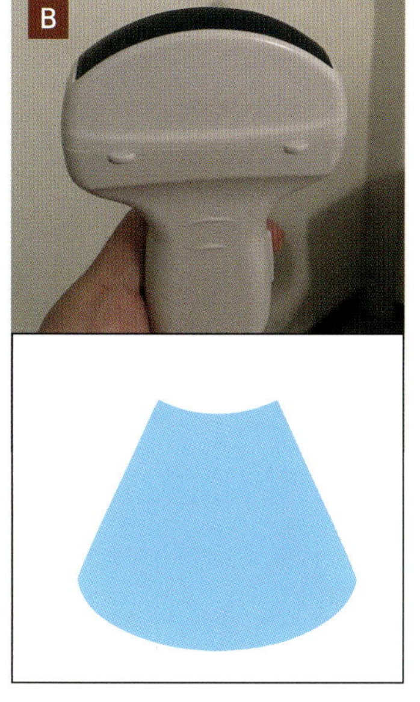

図1 使用プローブ
A：セクター型プローブ，B：コンベックス型プローブ．
コンベックス型は見える幅が広い．セクター型は小さい分，肋間からの観察が楽である．筆者は最初に観察時の深さを15 cmにして，適宜調整している．

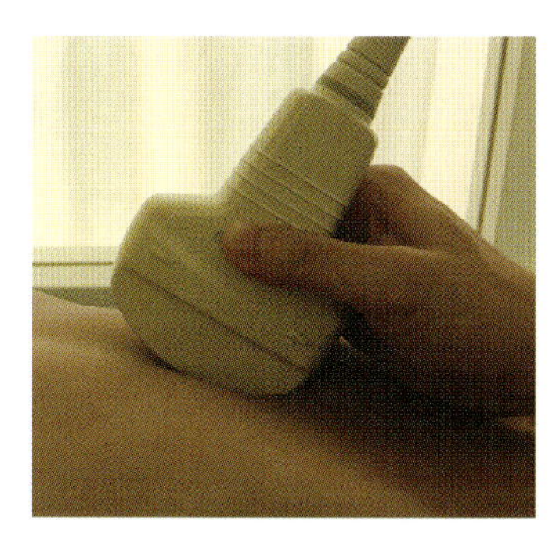
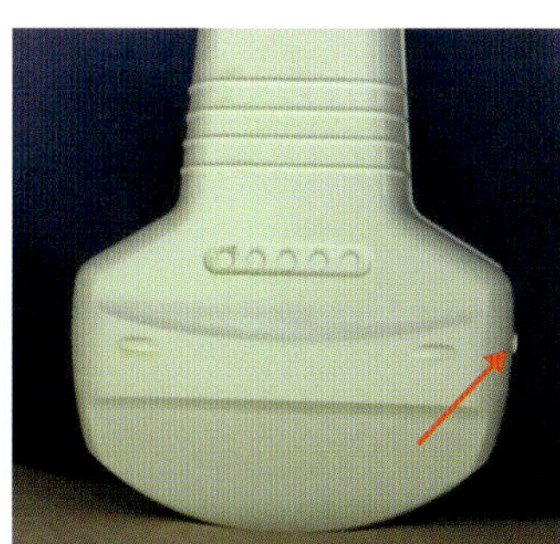
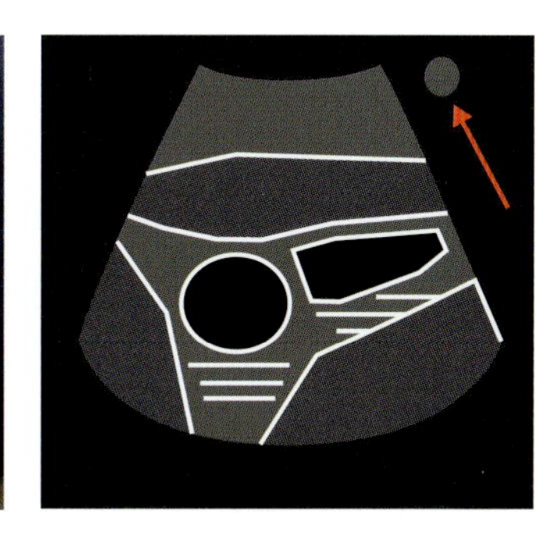

図2 プローブの持ち方とマーカー
→：プローブマーカー（突起部分）と画面上のマーク（●）はプローブと画面の位置関係を示している．観察時は画面の左が頭側または患者の右側となるようにする（CTルール）．プローブは画像がぶれないよう持ち手を患者の体の一部にくっつける．

❹救急外来の重傷患者は画像描出に最適な姿勢がとれない場合が多いため，プローブを動かしながら診断に最適な観察部位を探す

2 各部位の観察所見

◆ 観察手順

FASTの観察部位（図3）と順番を示します．

❶心窩部

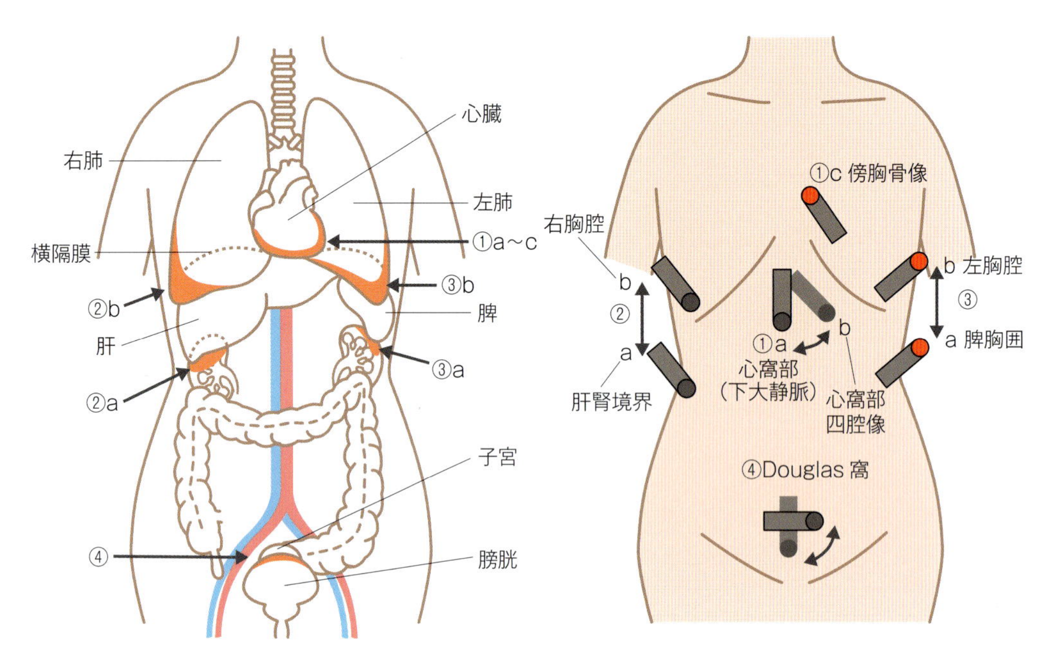

図3 FASTの観察部位
①心窩部，②肝腎境界（a）と右胸腔（b），③脾周囲（a）と左胸腔（b），④Douglas窩，※男性の場合は膀胱直腸窩．
●：マーカーを示す．●：プローブのCTルールに沿わないもの．

❷肝腎境界と右胸腔

❸脾周囲と左胸腔

❹Douglas窩（男性は膀胱直腸窩）

体腔内に液体があると黒く均一な低エコー域（echo free space：EFS）として描出されます．

3 各部位の描出方法

1) 心窩部（図3①）

心嚢内の液体貯留（心タンポナーデなど）を観察します．

剣状突起の左側から肋骨弓裏側にプローブを潜り込ませるようにして描出します．胸骨裏面の心臓に超音波が向かうよう傾けて拍動する心筋外側のEFSを探します（図4）．

2) 肝腎境界（Morrison窩）（図3②a）

右第8～11肋間の中腋窩線から背側にプローブを当てます．肝臓を描出してから頭側に動き，右横隔膜と横隔膜上を観察後，尾側に移動して腎周囲と傍結腸溝を観察します（図5）．

3) 脾周囲（図3③a）

肝腎境界と似た要領で描出します．プローブは第7～9肋間の中腋窩線から背側に当てます．左横隔膜と横隔膜上を観察後，尾側に移動して腎周囲と傍結腸溝を観察します（図6）．

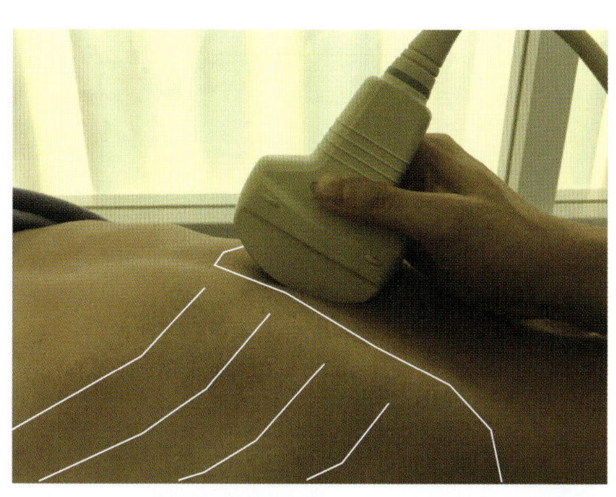

図4 心窩部

心窩部での長軸像．剣状突起の左側を短軸方向（3～4時方向）に向ける（図3①a～c）と心臓の四腔像が見える．
異常画像：心嚢内の出血．

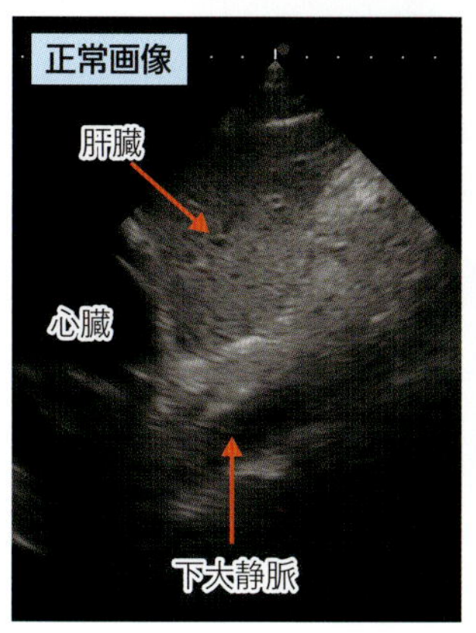

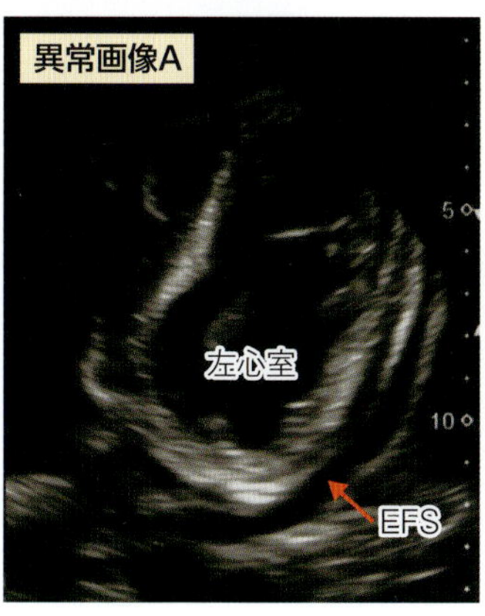

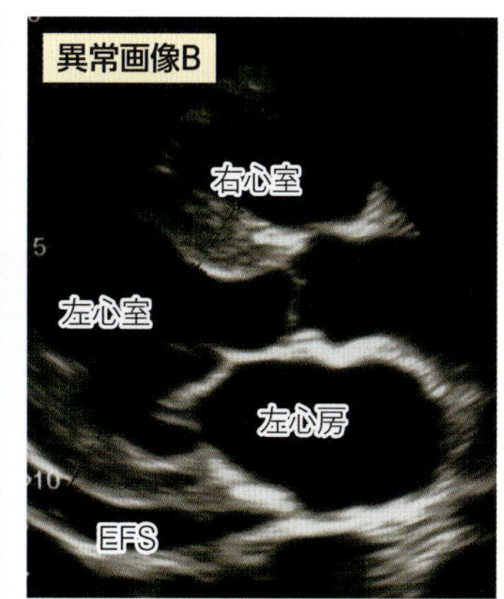

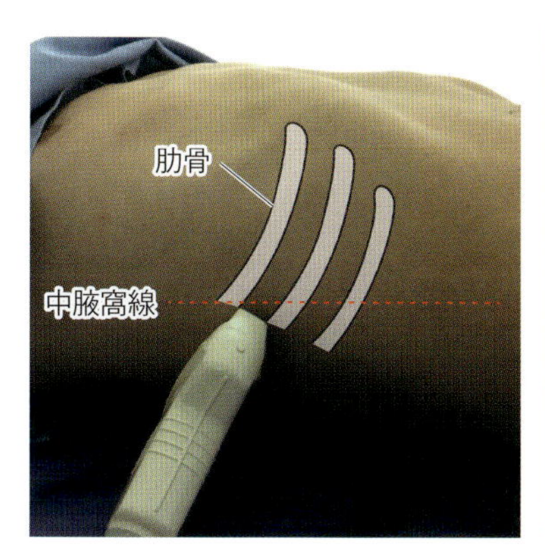

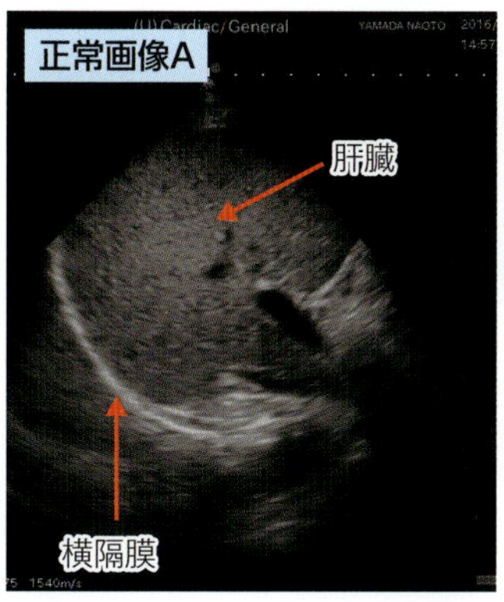

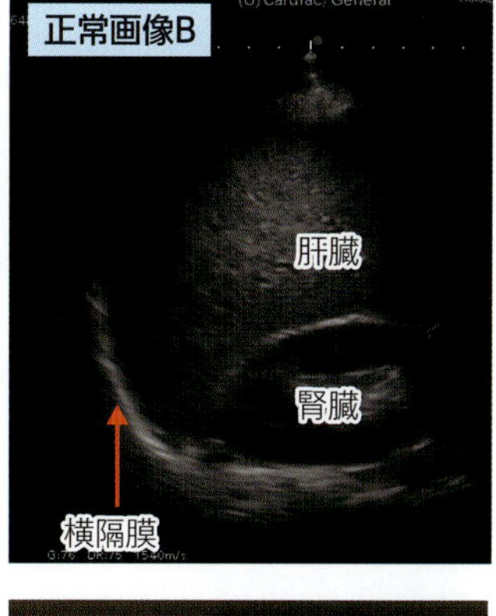

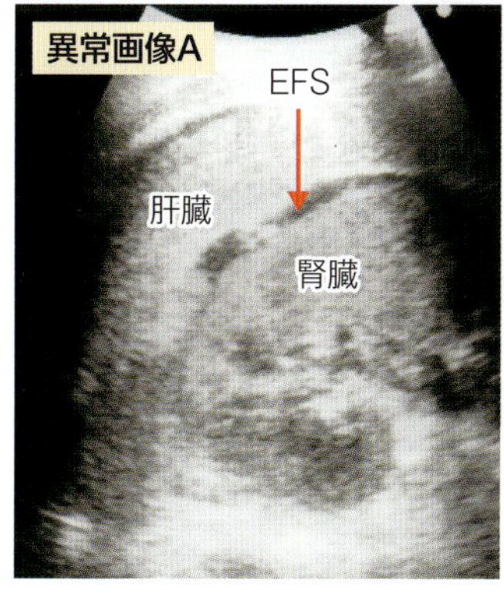

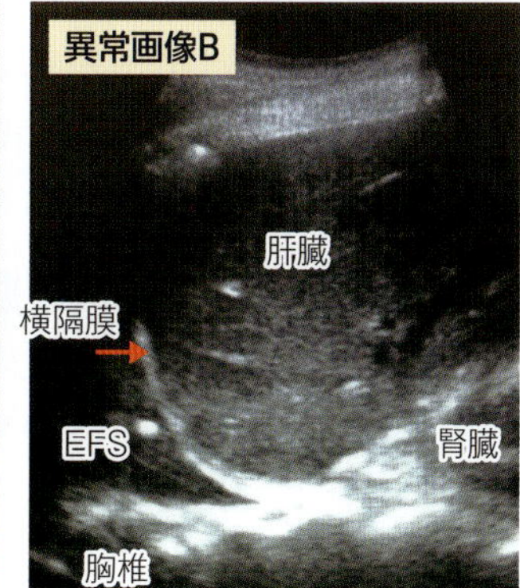

図5 肝腎境界～右胸腔

肋骨と平行にプローブを当てて音響陰影を避ける．扇状にプローブを傾けながら，肝臓と腎臓を探す．白く光る横隔膜の頭側にEFSがある場合，胸水，尾側にEFSがある場合，腹水があると判断する．図は横隔膜頭側に高輝度の胸椎表面が見えていないため，胸水貯留はない．
EFS：echo free space．
異常画像A：肝腎境界の出血．
異常画像B：胸腔内の出血．

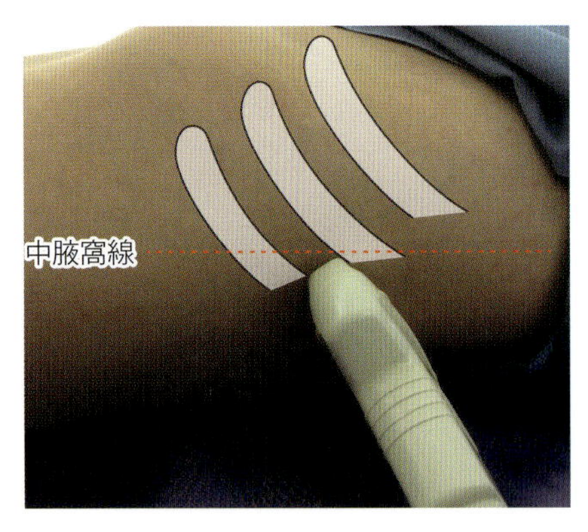

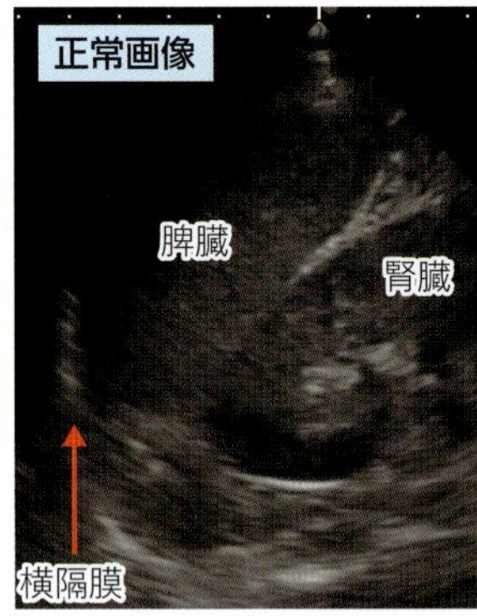

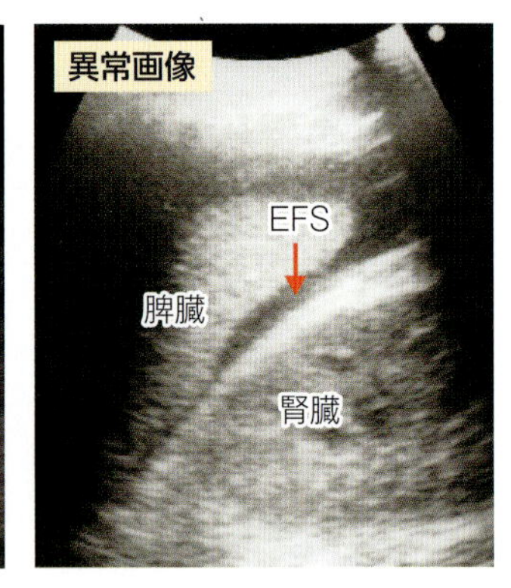

図6 脾腎境界
肝腎境界と同様に背側に液体は貯留しやすい．中腋窩線より背側から天井を見上げるようにプローブを当てる．また，肋骨とプローブが交差すると音響陰影で視野不良となるので注意が必要．
異常画像：脾腎境界の出血．

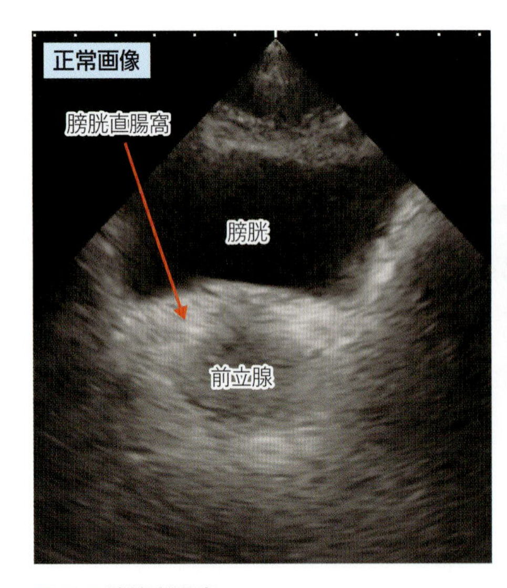

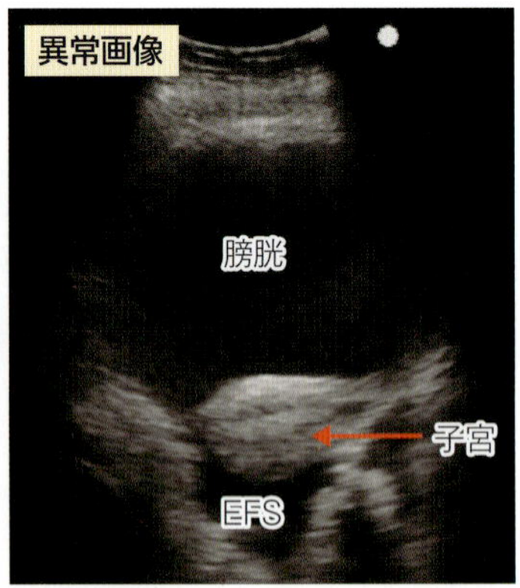

図7 膀胱直腸窩
膀胱の下にある膀胱直腸窩（女性は膀胱と子宮の間，または子宮の下にあるDouglas窩）を観察する．
異常画像：Douglas窩の出血．

4) 膀胱直腸窩（図3④）

恥骨の直上にプローブを当てて長軸像と単軸像を観察します．膀胱と前立腺の間にある膀胱直腸窩（女性では膀胱，子宮後面の膀胱子宮窩）にEFSがないか確認します．生殖年齢の女性では排卵をEFSと間違わないよう注意が必要です（図7）．

5) 左右の胸腔内出血の観察（図5）

肝腎境界または脾周囲からプローブを頭側に1～2肋間動かします．高輝度の横隔膜を境として尾側にあるEFSが腹腔内出血または腹水です．胸腔内に液体貯留がある場合，肺と実質臓器（肝臓，脾臓）が交互に入れ替わるCurtain Signを認めず，胸腔内に脊柱が描出されるSpine signを認めます．

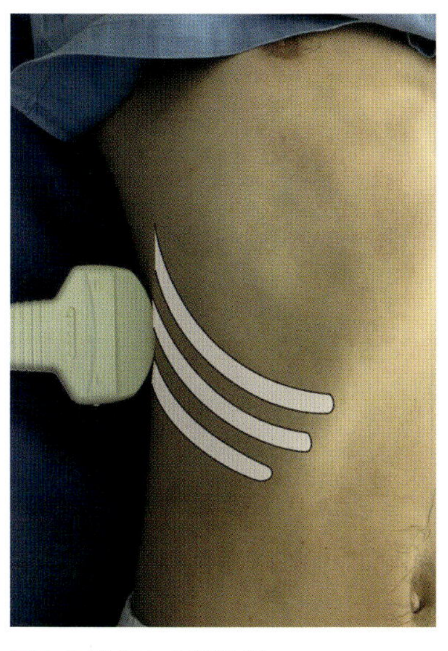

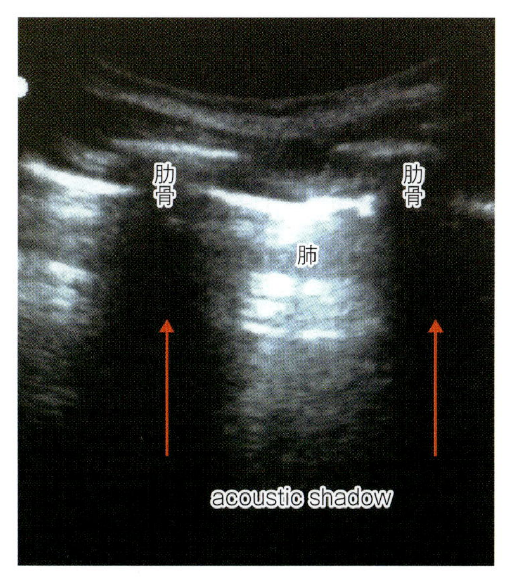

図8 肋骨の音響陰影
プローブから出る超音波が肋骨と交差すると，肋骨の音響陰影（acoustic shadow）により観察不良となる．

4 描出のコツ

FAST施行時の意識として，解剖をイメージしながらプローブを当てることが大事です．

まず目標部位に隣接する実質臓器（肝臓，脾臓），下大静脈などを描出してから見たい部位に近づいていくのがお勧めです．以下に各部位の描出のコツを紹介します．

1）心窩部

心臓は胸腔の深い位置にあります．患者に両膝立てと深呼吸をさせると心臓が画像上浅くなります．プローブは角度を立てて少し押しつけ気味に当てます．

これらの工夫をしても，胃の内容物またはガスがあって描出が困難の場合は心窩部に固執せず，セクター型プローブで傍胸骨左縁または心尖部で四腔像を描出するのも心嚢内の液体貯留検索に有効です．

ここがポイント

心窩部の観察は，胃内容物とガスに注意！

2）肝腎境界，脾周囲と胸腔内

肋骨による音響陰影（acoustic shadow）が妨げとなるため（図8），肋骨と平行にプローブを当てて扇状に傾けながら観察します．

腎臓，脾臓は腹腔の背側にあるため，プローブがベッドに当たるくらいの高さで少し天井を覗くように扇状に傾けます．胸腔内の観察はベッドと並行に近い角度がお勧めです．

なお，脾周囲と左胸腔内の観察（と前述の傍胸骨左縁での四腔像描出，図3）のみプローブマーカーがCTルールに合わないので，注意してください．

ここがポイント

プローブは肋骨と平行に！

3）膀胱直腸窩

膀胱をまず見つけてから，前立腺，子宮を確認します．恥骨の裏側を覗き込むようにすると膀胱が見えてきます．膀胱内に尿の貯留がない場合，観察困難となりますので，尿道カテーテルが入っていれば，一時的に生理食塩水を膀胱内に注入してもよいでしょう．

各部位の観察所見において，胃内のガス，嚢胞性疾患（腎嚢胞，肝嚢胞），卵巣嚢腫，排卵などはEFSと間違えやすいため，問診で最終の飲食時間，既往歴の聴取をしっかり行いましょう．

FASTは1回だけでなく，数回くり返して経時的変化を追うと所見の見落としチェック，急変時の迅速な対処につながります．得られた所見は複数名でチェックしましょう．

ここがポイント

複数回のFASTで経時的変化を追う！

5 おわりに

以上，FASTについて紹介しましたが，実臨床の場で行うために知識とともに大事なことがあります．

勉強で知識を蓄えることは大事ですが，生きた技術の習得には日頃から機会を見つけて練習し，自分なりに慣れることが最重要です．本項を読んだら，上司に監督してもらいながら，実際にFASTをしてみましょう！ また，同僚とのエコーの当てあい，検査技師に習いながらの腹部エコーなどもよい練習となります．

ここがポイント

たくさん練習して身につけよう！

最後になりますが，近年，超音波診断装置の性能向上が目覚ましく，小型の装置でもFAST，心エコーの画像所見は以前より鮮明になっています．例えば，電話が固定電話器1家庭1台から多機能なスマホ1人1台となったように，1病院または1部門1台であった超音波診断装置を1人1台所有する時代が来るかもしれません．今後は超音波診断装置を聴診器くらい手軽に使う時代が来るかもしれません．次の時代の潮流に乗るべく，研修医時代から各分野の超音波診断を習得していってください！

文献

1）Kimura A & Otsuka T：Emergency center ultrasonography in the evaluation of hemoperitoneum: a prospective study. J Trauma, 31：20-23, 1991

▲ 国内初のFASTについての論文．外傷患者における腹部超音波の重要性を世界に発信した先見性の高さに感服です．

2）「あてて見るだけ！劇的！救急エコー塾」（鈴木昭広／編），pp14-21, 羊土社, 2014

▲ FASTのみならず，全身のエコーについてわかりやすくまとめている必読の書！ これを読めば，エコーの名人になれるかも！

2 肺超音波

丹保亜希仁

- 肺超音波の理解には，どこに空気があるのかを考える！
- まずは「胸膜ライン」を見極める！ 見慣れるまではbat signを利用しよう！！
- 肺超音波も基本は一般所見から！ 臓側胸膜に由来するlung slidingなどをまず理解しよう！！
- 目的に合わせて使用するプローブ，観察部位を決めよう！

はじめに

肺超音波では，**空気がどこにあるのか**を考えると理解しやすくなります．超音波は空気に弱いわけではありません（コウモリが困ります）．体表から肺に向けて超音波を当てると，肺胞と肺胞内の空気の「境目」まで到達します．しかし，体の組織と空気の**音響インピーダンス**が全然違うために，この「境目」で超音波がほぼ100％反射します．ですから，ほとんどの場合において，肺超音波で**肺胞壁まで描出できる**ことになります．

肺超音波は1990年頃より行われていますが，超音波機器の性能向上により，今ではポイントオブケア超音波としても広く普及しています[1)～3)]．研修医の必須手技として，必ず身につけてほしい肺超音波の所見について説明していきます．

1 手技の基本手順

肺超音波を行うときには，何らかの目的があるはずです．気胸の検索かもしれないし，胸水や肺水腫，肺挫傷の評価かもしれません．肺超音波で検査をする対象に応じて，使用するプローブ，そしてプローブを当てる部位を選択しましょう．例えば仰臥位の患者では，気胸は前胸部，胸水は後～側胸部で見ることになります（空気は上，水は下にたまる）．スキャンする箇所については患者がとれる体位にもよりますが，仰臥位では6～8カ所とする方法が提唱されています．

1）プローブの選択

- **リニア型**：血管穿刺でよく使用するプローブです．高周波なので浅い部位，肺超音波では後述する胸膜ラインの描出に優れていますが，深部の観察には向きません．肺超音波をはじめようという人は，まずはリニア型プローブで胸膜の動きを観察してください．
- **コンベックス型**：FAST（**第4章-1**参照）や腹部超音波で使用する，深部の観察に適したプローブです．FASTに気胸検索を含めたextended-FAST（**EFAST**）も普及しており，設定を変えずに胸膜ラインも十分観察できます．コンベックス型を小さくしたマイクロコンベックス型は肋間操作もしやすく，使い勝手がよいです！
- **セクター型**：心臓超音波で使用するプローブです．肺超音波ではコンベックス型と同様に，深い部位の観察に適しています．胸膜ラインの観察も可能ですが，適しているとは言えません．

2）モードの選択

超音波画像は，プローブから発信された超音波がさまざまな構造物により反射し，その反射波をプローブで受信して画像化したものです．以下の2つのモードで肺超音波の基本画像は十分に得られます．

● Bモード

プローブで受信した反射波の強さを，輝度（brightness）に変換して画面に表示したものです．二次元断面として表示され，心臓や腹部などの検査でよく目にするモードです．

● Mモード

Bモードの二次元断面の，ある一直線上における経時的な動き（motion）について，縦軸を距離，横軸を時間として記録したものです．肺超音波では，気胸の有無の診断に有用です．

2 肺超音波の基本的な所見

肺超音波の基本は，**胸膜ライン**（pleural line）を捉えることです．胸膜ラインは，本来，壁側胸膜，胸膜間の生理的胸水，臓側胸膜，臓側胸膜直下の肺胞壁の複合体で形成され，**胸膜エコーコンプレックス**ともよばれます[2]．どこまで超音波が届くのかによって胸膜ラインの構成が変わることを理解しましょう．気胸や胸膜の癒着など一部の病態を除き，臓側胸膜が呼吸で動くことで**lung sliding**や**seashore sign**が観察できます．

1）胸膜ラインとlung sliding（Bモード）：胸膜ラインの動きを捉える

胸膜ラインは，超音波が強く反射する部位に高輝度の線として描出されます．プローブを肋骨と直行するように当てて**bat sign**を描出すると見つけやすいです（図1A）．肋骨の表面は高輝度で，その下は音響陰影となり無エコー域となります．肋骨下縁の高さに見える高輝度線が**胸膜ライン**となります．通常は呼吸に合わせて臓側胸膜が動くため，左右にスライドする**lung sliding**（**pleural sliding**）が観察できます．胸膜ラインから**短く**伸びる**lung comet**は正常でも見られ，lung slidingを観察する際の目印になります．また，心拍に同期した細かい胸膜ラインの動きは**lung pulse**とよばれます．

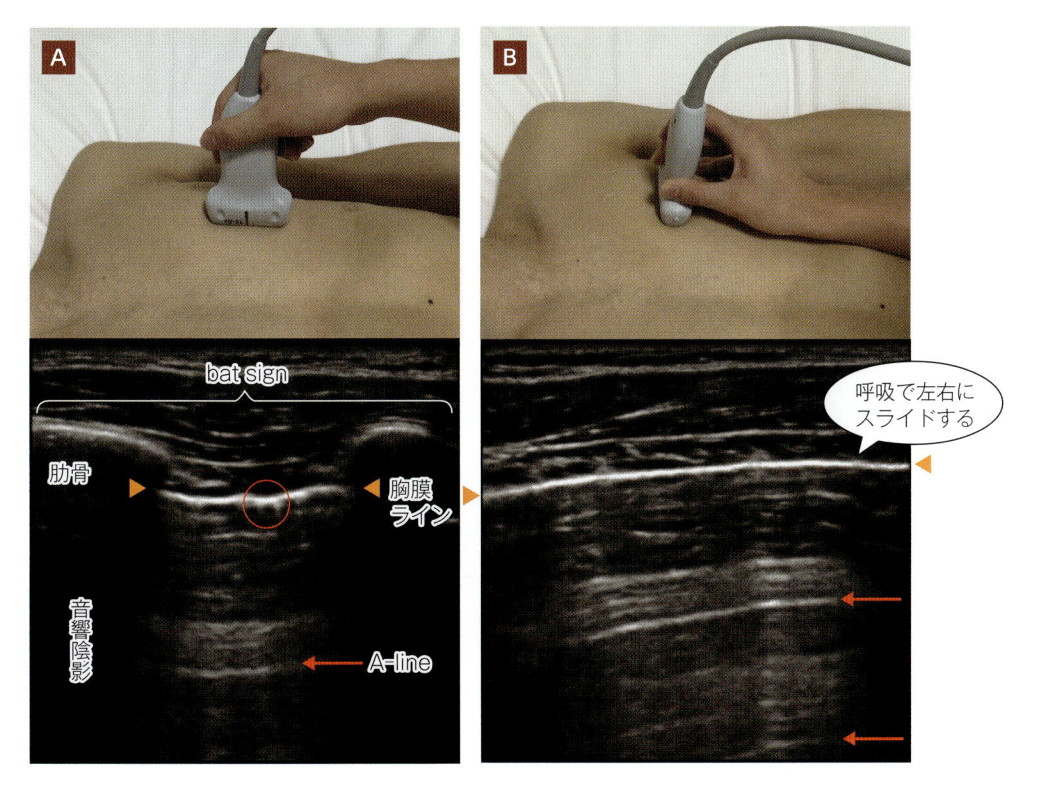

図1 lung sliding

A：肋骨と直交するようにプローブを当てる．2本の肋骨の間に肋間筋群があり，その下の高輝度の線が胸膜ライン（▶）である．高輝度の線をたどると，羽を広げたコウモリのように見えるためbat signとよばれる．胸膜ラインから出る短い高輝度線はlung comet（〇）である．胸膜ラインの多重反射であるA-line（➡）も見られる．
B：肋骨と平行にプローブを当てると広い範囲でlung slidingを観察できる．

胸膜ラインがわかったら，プローブを回転させて肋骨と平行に走査すると広い範囲を観察できます（図1B）．胸膜ラインを見ているつもりが肋骨で，lung slidingがない！なんてことがないように，見慣れるまではbat signで胸膜ラインの深さを確認してから平行走査をするのがおすすめです．

2）A-lineとB-line（Bモード）：多重反射と端まで伸びる高輝度の線

A，Bと並んでいますが，全く関連はありません．**A-line**は，胸膜ラインの**多重反射**による高輝度線です．プローブと空気の間を超音波が行き来するため，体表から胸膜ラインまでと同じ距離にくり返し描出されます（図1A，B）．気胸では，胸膜ライン（壁側胸膜）が通常よりも高輝度となるため，A-lineもはっきりと観察できます．

B-lineは，胸膜ラインから画面の端まで伸びる高輝度の長い線で，lung slidingと同調して動きます．正常の肺でも見られますが，1つの肋間から3本以上見られる場合には異常所見と判断します（**multiple B-lines**）．B-lineが増加する病態には，肺水腫，肺炎，肺挫傷などいろいろなものがあります（後述）．

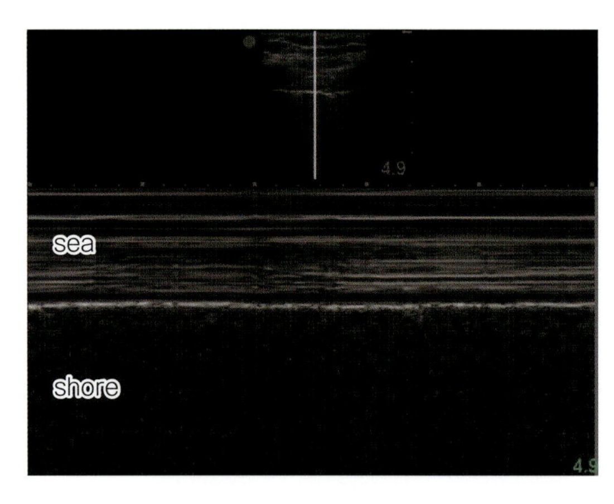

図2 seashore sign
胸膜ラインを中心としてMモードで肺を観察する．時間が経つにつれ，胸膜ラインを境にした海と砂浜ができあがる．

> **ここがポイント　画像だけに集中しないこと！**
>
> 超音波機器を用いた検査や手技では，画面だけに集中してしまっている状況をよく見かけます．手元も見ないと，観察したい部位からプローブがずれていたり，変な角度になっていたりすることもあります！ プローブを持つ自分の手を安定させること，画面と手元の両方を見ることが慣れるまでは大切です．

3）seashore sign（Mモード）：臓側胸膜の動きによって砂浜ができる

正常の肺をMモードで観察すると，海と砂浜のように描出されseashore signとよばれています（図2）．皮膚から胸膜までの構造が線状で波のように，その下の胸膜ラインを境にざらざらとした砂浜のように見えます．この砂浜はlung slidingによるノイズによりできるため，気胸やブラ（嚢胞）などのlung slidingが見られない病態では砂浜ができません．Lung slidingがわかりにくい症例でも，Mモードでseashore signが得られ，臓側胸膜の動きを確認できることがあります．

4）curtain sign（Bモード）：胸腔内を観察しよう

側胸部～後側胸部からは横隔膜レベルの観察ができます．中～後腋窩線からコンベックス型かセクター型プローブで観察します．仰臥位では患者の手を挙げるなどして，プローブを操作するスペースを確保します．呼気時に見られる肝臓や脾臓が，吸気時には胸膜からのアーチファクトによって覆われるcurtain signが観察できます（図3）．胸水や無気肺があると，肺の膨張が妨げられるためにカーテンがかからなくなります．

3 肺超音波で診断できる病態

呼吸苦や，呼吸不全はさまざまな原因で起こります．肺超音波では気胸，胸水，肺水腫，肺炎などで異常所見が観察できます．しかし，身体所見と肺超音波所見の組み合わせで診断することが重要であることを忘れてはいけません！

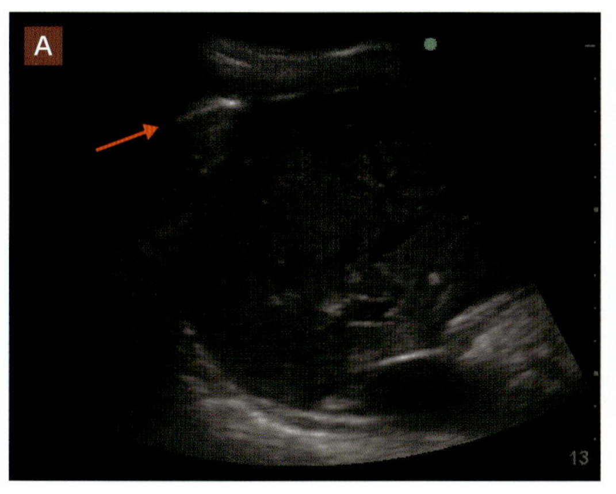

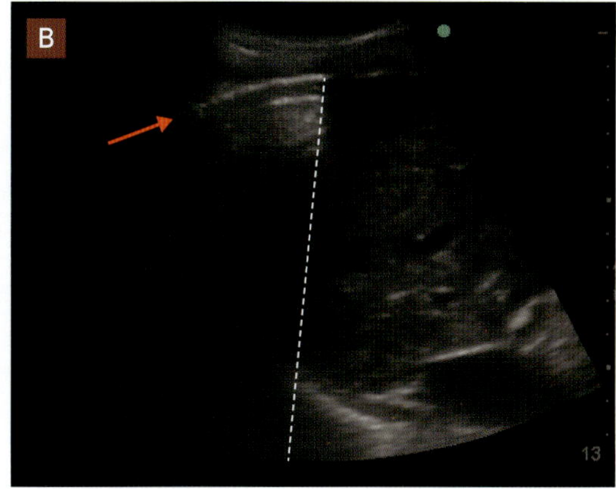

図3 curtain sign
A：呼気時，B：吸気時．
吸気時に肺が膨張することで胸膜ライン（→）が肝臓の前面までせり出すため，カーテンで覆われたような所見（----）となる．

1）気胸

気胸では，臓側胸膜に由来する所見であるlung sliding, lung pulse，lung cometがすべて見られません．これは壁側胸膜と，その下の空気との境目で超音波がすべて反射するためで，皮膚から壁側胸膜までの画像が**虚像**としてくり返し画面上に映し出されます．この壁側胸膜から成る胸膜ラインは通常より高輝度のため，A-lineも目立ちます．気胸をMモードで観察すると，すべて線状の**stratosphere（成層圏）sign**とよばれる画像が得られます（図4A）．

また，肺超音波では気胸の境目である**lung point**（図4B）を確認できることがあります．吸気と呼気で壁側胸膜と臓側胸膜が接したり離れたりする部位をlung slidingの有無で観察します．仰臥位では前胸部から側胸部へプローブをスライドしながら検索しますが，肺の虚脱が大きいときには観察できません．筆者は，lung pointの位置を継時的に記録して気胸の評価を行っています．Mモードでlung pointを観察すると，砂浜と成層圏が交互に出現する画像が得られます[4)]（図4C）．

ここがピットフォール　肺超音波の天敵：皮下気腫（図5）

前述のように，空気との境目で超音波は跳ね返ります．皮下気腫でも超音波は反射してしまうため，そこより深部の観察は不可能となります．皮下気腫から伸びる線は，emphysemaのEからE-lineとよばれます．

2）胸水，血胸，無気肺

胸腔内の液体貯留は，curtain signの項（2-4)参照）で説明したように仰臥位で後腋窩線あたりから腹側を見上げるようにプローブ（コンベックス型もしくはセクター型）を当てます．胸水や血胸は超音波検査で胸腔内，横隔膜上の**エコーフリースペース**として観察できます（図6A）．無気肺は**tissue-like sign**，jellyfish signと表現される特徴的な画像となります（図6A）．筆者は胸腔穿刺の際に，コンベックス型プローブでの全体像の観察

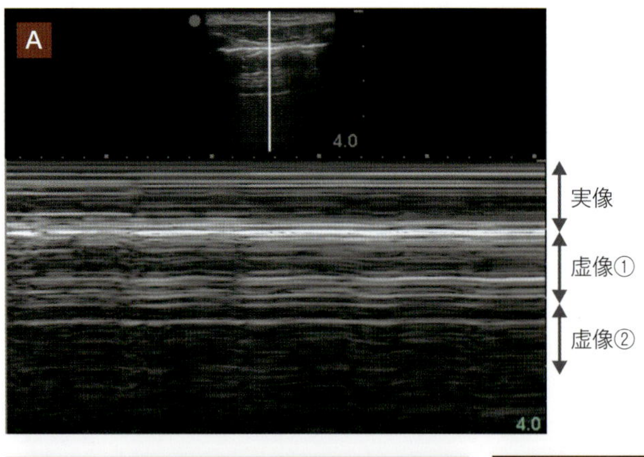

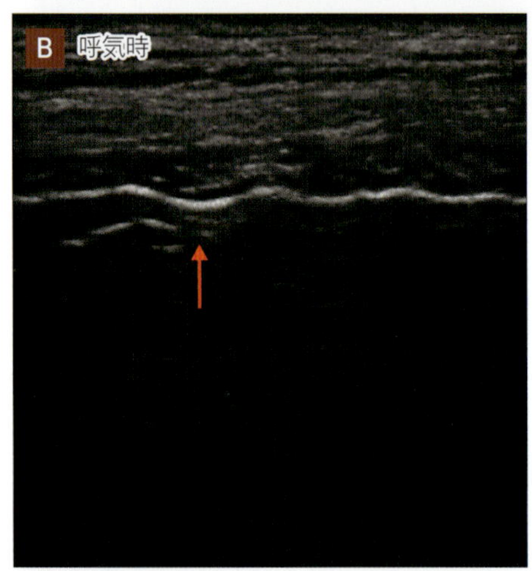

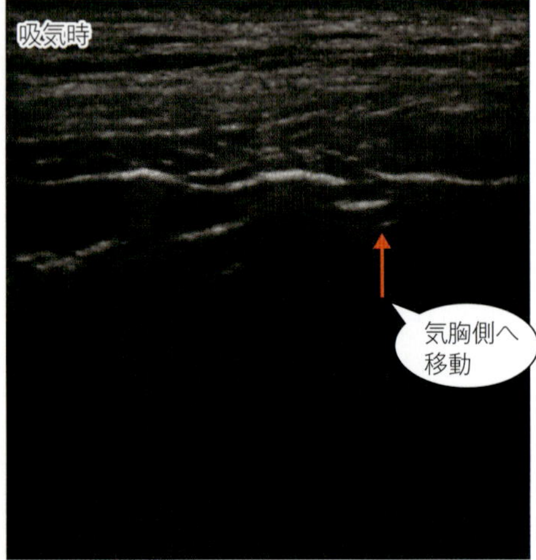

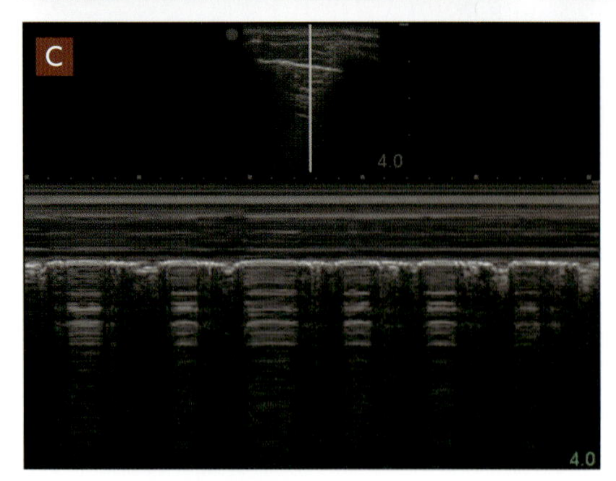

図4 気胸の超音波画像

A：stratosphere sign．壁側胸膜と空気の境目で超音波が反射する．壁側胸膜以深の画像は，壁側胸膜までの像のくり返し（虚像）である．
B：lung point（Bモード）．気胸の境目であるlung point（➡）が吸気時に気胸側へスライドする．
C：lung point（Mモード）．lung pointをMモードで観察すると，seashore signとstratosphere signが交互に出現する．

に加えて，リニア型プローブによる穿刺部位付近のプレスキャンおよび超音波ガイド下穿刺を行っています（図6B）．

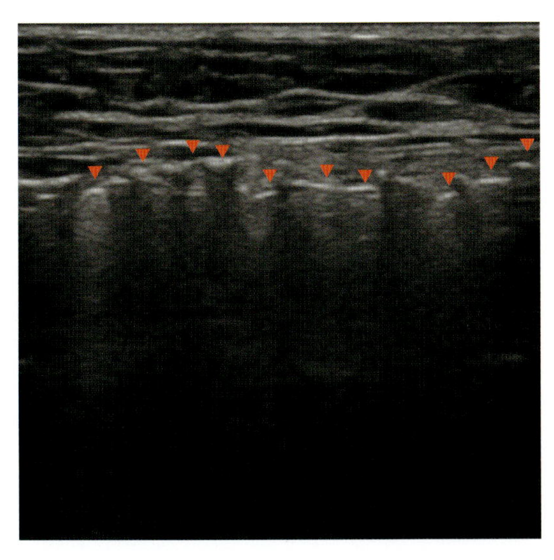

図5 皮下気腫の超音波画像
E-lineは皮下からはじまることから，胸膜ラインからはじまるlung cometやB-line（図7）と見分けることができる．

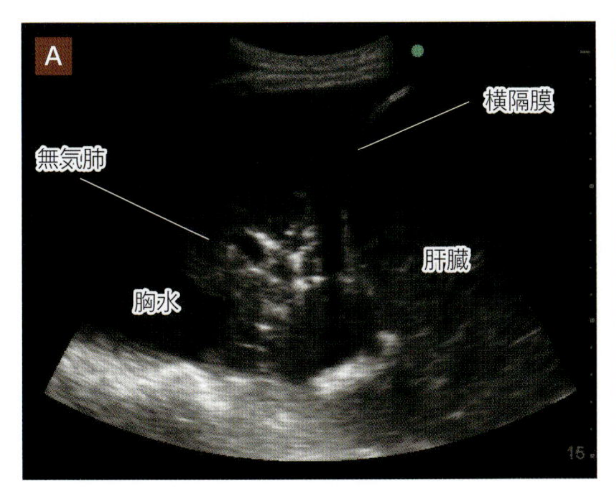

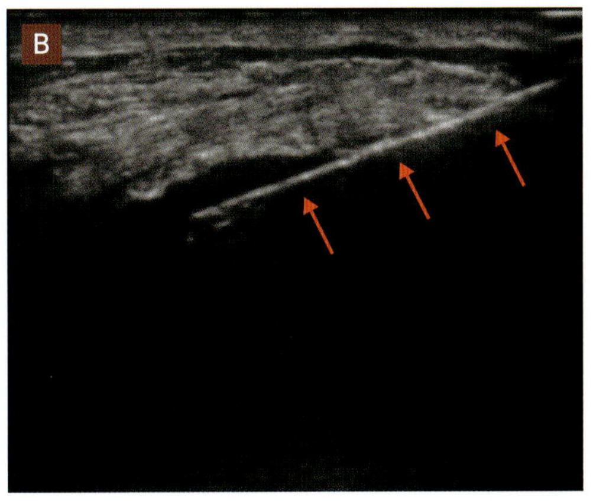

図6 胸水，無気肺の超音波画像
A：コンベックス型プローブで右胸腔を観察．胸腔内，横隔膜上にエコーフリースペース（胸水）が見られる．無気肺は実質臓器のように描出される（tissue-like sign）．
B：肋骨上縁での平行法による超音波ガイド下胸腔穿刺．リニア型は解像度もよく穿刺針（→）の描出にも適している．

3）sonographic interstitial syndrome

肺水腫，肺炎，肺挫傷，ARDSなどが含まれる疾患の総称を指します．これらの疾患では，bat signを描出したときに1つの肋間から3本以上のB-lineが観察される**multiple B-lines**を呈します（図7）．さまざまな病態でmultiple B-linesは見られるため，分布や臓側胸膜の性状，consolidationの有無などから鑑別を行います．

4 さらに進んだワザ

肺超音波を含む有名なプロトコルに，急性呼吸不全に対する「bedside lung ultrasound in emergency（**BLUE**）**-protocol**」と，ショックの鑑別の「fluid administration limited

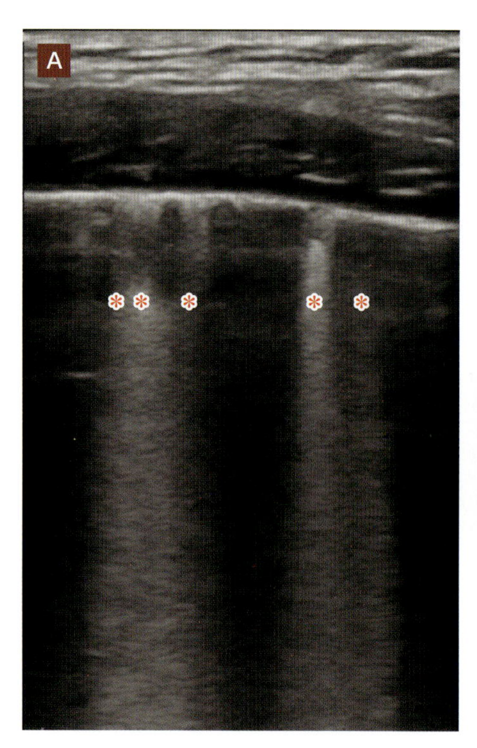

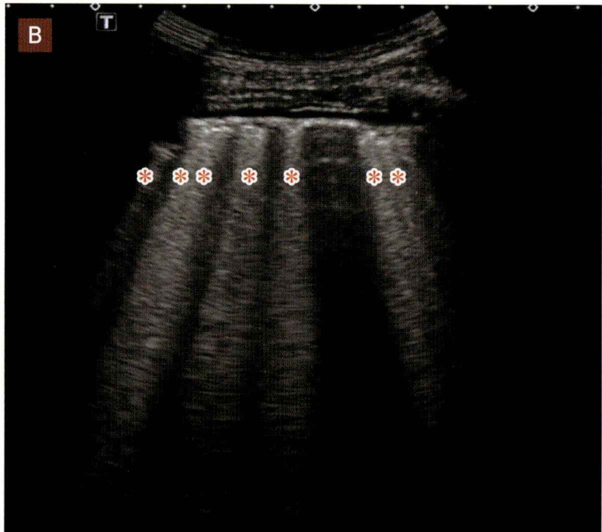

図7 B-line

A：リニア型プローブ．B：コンベックス型プローブ．
複数のB-line（✻）が観察でき，一部は融合している．胸膜ラインから減衰することなく画面の端まで伸びている．肺水腫や肺挫傷では，改善とともにB-lineの数が減少していくため継時的変化も観察できる．

by lung sonography（FALLS）-protocol」があります[5)]．本項での肺超音波に加えて，簡易な心臓超音波の知識を合わせることで活用できますので，ぜひ読んでみてください！

文献

1）丹保亜希仁，鈴木昭広：Point-of-care 肺超音波．臨麻，42：1447-1458，2018
2）「肺エコーの ABC」（鈴木昭広／編著），日本医事新報社，2018
3）「救急超音波テキスト」（亀田 徹，木村昭夫／編），中外医学社，2018
4）泉原里美，他：肺エコーで診断した外傷性気胸の2例．名寄市病誌，24：51-54, 2016
5）Lichtenstein DA：BLUE-protocol and FALLS-protocol: two applications of lung ultrasound in the critically ill. Chest, 147：1659-1670, 2015

3 胸腔穿刺，胸腔ドレナージ

南方孝夫

- 胸壁，特に肋骨周囲の解剖を把握する
- 十分に皮膚～肋間～壁側胸膜の麻酔をする
- 皮膚切開創から出血しても冷静に圧迫する
- ドレナージ後，呼吸状態と胸部X線写真を確認する

はじめに

胸腔穿刺やドレナージは，気胸，血胸，胸水貯留（膿を含む）に対して，穿刺針やカテーテル（ドレナージチューブ）を胸腔内に挿入し，貯留した空気や血液，液体（胸水や膿性胸水，乳糜など）を体外に排出して診断・治療，ならびに呼吸機能を回復させる目的で行います．他部位のドレナージと異なり，液体だけでなく空気も対象になるため，ドレナージチューブの挿入方向やドレーン先端を留置する位置が初期治療の効果に大きく影響します．

1 手技の基本手順

1）体位

胸腔穿刺

気胸の場合は坐位，半坐位で行います．胸水の場合はまず超音波検査で胸水を評価し，肺を損傷しない穿刺部位を決定します．患者に深呼吸をしてもらうことにより肺，胸水，肝臓の位置がわかりやすくなります．この際，体位変化により胸水の動きがあることを考慮しましょう．超音波検査を行った同じ体位で行います．多くは**前傾坐位**で行います（図1）．

図1 前傾坐位

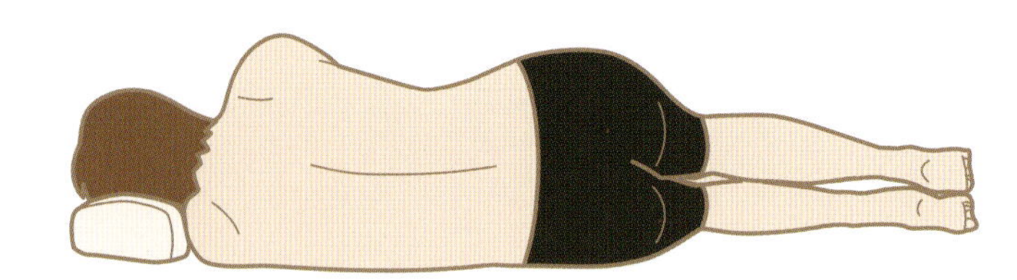

図2 側臥位

胸腔ドレナージ

ベッド上で**仰臥位**，**側臥位**（図2），もしくは**前傾坐位**（図1）で行います．胸水の場合は体位をとった後に超音波で評価します．

側臥位は手技を施行しやすい体位ですが，呼吸困難が強く坐位で行わなければならない場合もあります．

2) 処置をするにあたってのポイント

ドレナージチューブの留置位置

気胸

空気は上方に移動するため前胸壁の方向へ留置すると効果的にドレナージできます（図3）．

刺入位置は第2肋間鎖骨中線上と記載されている教科書が多いのですが，大胸筋穿刺による痛みが強いうえ，手術になった際のトロッカー孔として使用困難なため，**第4肋間〜第6肋間前〜中腋窩線が推奨**されます（図3）．左側の場合，心のうがあるため注意が必要です．挿入する肋間が低ければ，胸腔ドレーンが上中葉間に入りやすくなり，ドレナージ効果が低くなります．

胸水貯留

液体は下方に移動するためドレーン先端が背側になるように留置すると効果的にドレナージできます．

刺入位置は第7〜9肋骨中〜後腋窩線上が推奨（図3）されますが，横隔膜損傷の可能性があるので，必ず超音波で吸気，呼気ともに穿刺スペースがあるかどうかを確認します．

トロッカーカテーテルの留置のコツ

トロッカーカテーテルを胸腔内へ留置する場合，胸壁を抜けた後，できるだけ胸壁に平行となるように傾けましょう（胸壁に対して直角に挿入すると肺損傷の可能性があります，図4）．ドレーンが正しく胸腔内に到達していることは，ドレナージバッグの呼吸性変動やチューブ内が呼気時に白く曇ること，排液があることで確認することができます．

ドレナージチューブ径の選択

気胸：8〜20 Fr

肺炎随伴性胸水，膿胸：20 Fr以上

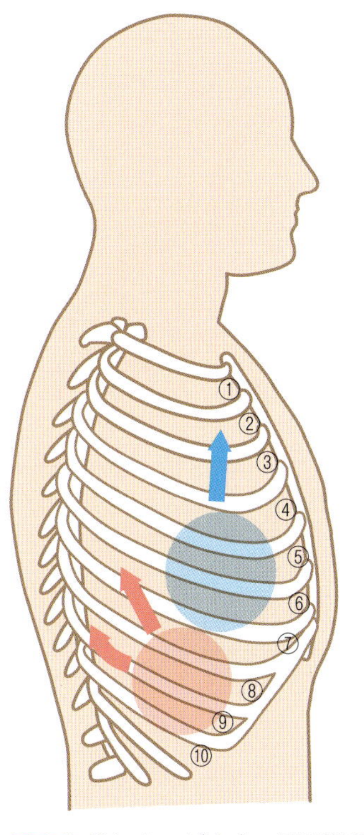

図3 ドレナージ方向・穿刺位置
気胸：第4～6肋間（●）
胸水：第7～9肋間（●）

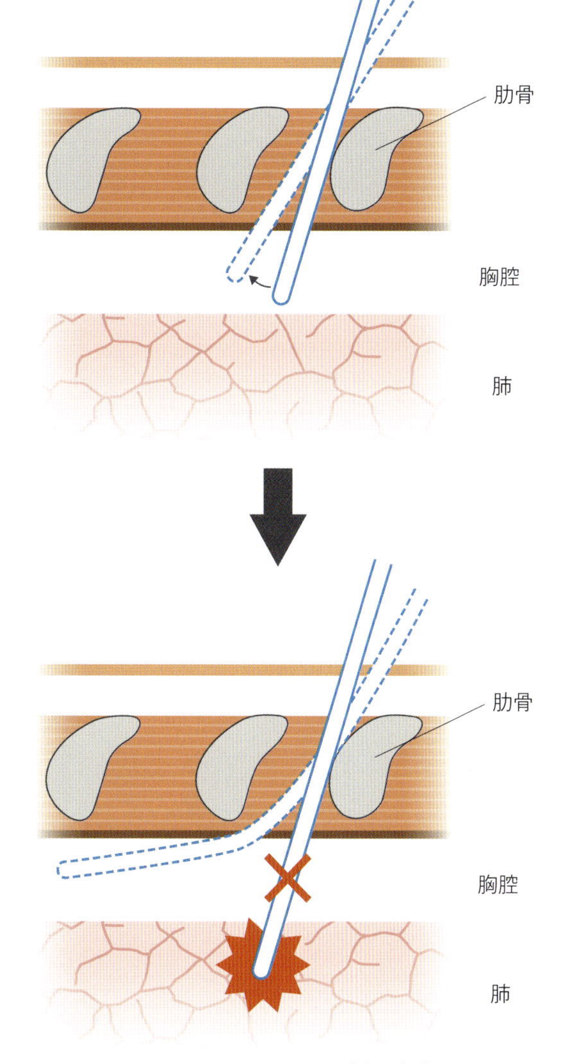

図4 トロッカーカテーテルの挿入方向

胸腔内にフィブリンが析出することによりドレナージチューブが閉塞することが多く，原則として径が太いものが望まれます．しかし，径が太いと離床の妨げや痛みを伴うため，気胸の場合や，患者のADLを考慮すべき場合，細いチューブを使用してもかまいません．

チューブの大きさは使用する道具によって変わります．アスピレーションキットは6～12 Fr（図5）が，太いチューブはトロッカーカテーテルの8～32 Fr（図6）が呼吸器領域で多く使用されています．

ダブルルーメンチューブは側管から薬剤を投与できます．胸膜癒着療法や洗浄に使用します．

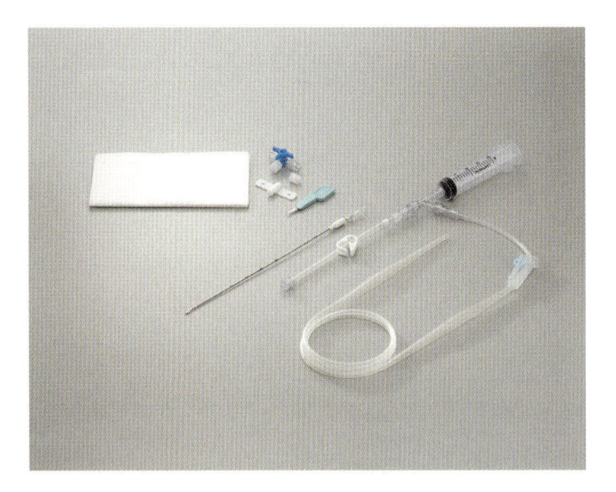

図5 Argyle™ トロッカーアスピレーションキット
写真提供：日本コヴィディエン株式会社

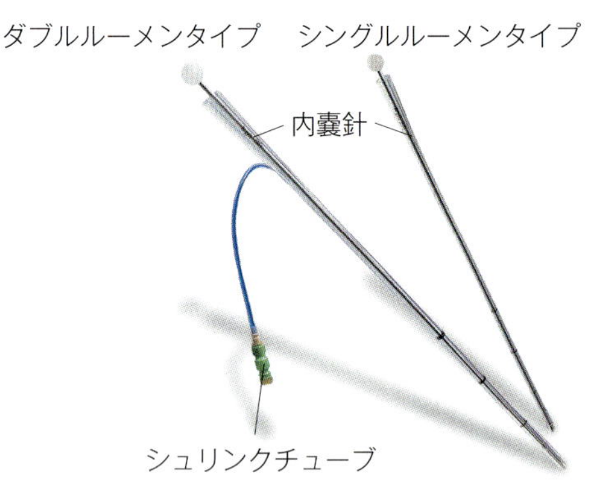

図6 Argyle™ トロッカー カテーテル
写真提供：日本コヴィディエン株式会社

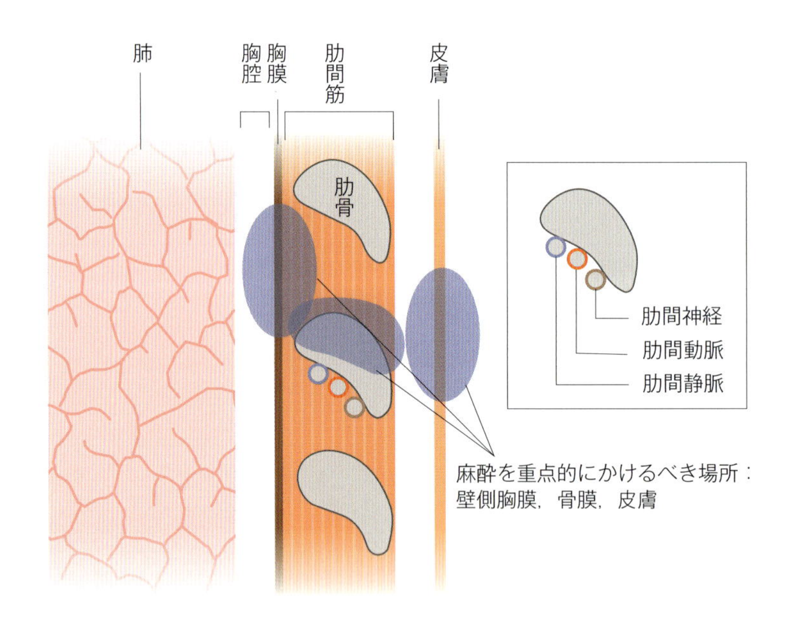

図7 麻酔を重点的にかけるべき場所

● 局所麻酔

必ず麻酔薬の注入直前に陰圧をかけ，針先が血管内でないことを確認しましょう（局所麻酔薬中毒予防のため）．壁側胸膜や肋骨骨膜に対して十分麻酔することで良好な除痛が得られます（図7）．麻酔が不足すると患者にも術者にも大きなストレスとなります．

◆ 穿刺，ドレナージの手順

❶ 体位をとる

慣れていない場合はあらかじめマジックで刺入点に印をつけるとドレープがかかっても位置を見失わずにすみます．

肋間は体の向き，腕の位置を変えるだけで皮膚と位置がずれることも注意しましょう．

❷刺入目標部位を中心に消毒する

手技の状況によっては位置を変える可能性もあるため，ある程度広い範囲を消毒しましょう．

❸局所麻酔を行う

リドカイン（1％）を23 Gで5～10 mLで局所麻酔を行います．胸壁が厚い患者の場合，カテラン針など長い針に変えましょう．

穿刺する際には最初に局所麻酔を皮下に注射した後に，陰圧をかけながら少しずつ胸腔内に向けて針を進めて試験穿刺します．がん性胸水，膿胸の場合は病変を広げないため，局所麻酔用のシリンジと試験穿刺のシリンジを別に用意しましょう．壁側胸膜を針が貫く際には少々痛みを伴います．シリンジ内に空気もしくは胸水を確認した後に針を数mmずつ浅くします．空気，胸水が引けなくなった位置が壁側胸膜であるため，ここに十分（2 mL以上）に麻酔薬を注入しましょう．局所麻酔を行った後は効果が十分に出るまで1～2分待ちましょう．その間に身辺の整理をします．

❹皮膚割線に沿ってメスで皮膚切開（皮切）を行う

皮切は使用するチューブより数mm程度大きくします．皮切が大きすぎると挿入したドレーンの脇から空気を吸い込み皮下気腫や肺虚脱，わき漏れの原因となります．小さすぎるとドレナージチューブ挿入の難易度が上がります．

❺トンネリングを行う

無鈎直（直ペアン），無鈎曲（曲ペアン）で肋骨上縁に沿って皮下組織，筋層を剥離して胸腔内へ到達します．必ずペアンで肋骨の位置（上縁に沿っていること）を確認し，肋骨下縁の血管損傷を予防しましょう．

❻ドレナージチューブを挿入，留置する

位置，工夫は次ページ 2 -2）参照．

❼挿入したドレーンをドレーンバッグへつなぐ

❽ドレナージチューブを皮膚に固定する

❾チューブの位置を胸部X線写真で確認する

ドレナージ後はドレーン先端が葉間（上中葉，上下葉など）に入っていないかを確認するために胸部X線（正面と側面）撮影を行います．

2 よくあるトラブルと対処法

1）穿刺時，ドレナージ時合併症

● 気胸：胸水穿刺目的の胸腔穿刺時に空気が引けた！

穿刺針が浅くなっていないか，穿刺針とシリンジのコネクトが緩くないかなどを確認しましょう．違っていれば肺を穿刺している可能性があり，処置後X線で気胸が生じていないか確認します．自然気胸と異なり，鋭利な細い針で起きた気胸は治癒が速く，経過観察で改善することもあります．ドレナージチューブを留置する場合は胸腔内圧の正常化を兼ねるのですみやかにドレナージを完遂しましょう．

● 血管穿刺：局所麻酔で血液が引けた．

まず穿刺位置が肋骨下縁に向かっていないか確認しましょう．針を抜いた後，創部より拍動性の出血があり，皮下血腫が増大するようであれば，まずは圧迫します．改善を認めない場合は外科医もしくはIVR専門医にコンサルトしましょう．肋間動静脈を損傷した場合，肋骨の裏側に存在するためIVR手術でなければ止血が困難なことがあります．

また，がん性胸水は血性であることもあります．必ず上級医師に報告・相談して確認しましょう．

2) ドレナージ管理

● ドレーンの呼吸性変動がない

- ドレーンの閉塞，折れ曲がり
- ドレーンの先が胸壁内に迷入している
- 肺の完全な拡張（呼吸性変動を示すフリースペースがゼロ）

X線写真でチューブの走行，位置を確認しましょう．ドレーン先が肺，縦隔に先当たりしている場合はチューブを浅く引き抜くことも考慮しましょう．

● 呼吸性変動が強い

- 無気肺による肺の拡張不全（フリースペースが大きい）．
- 肺が固い（間質性肺炎合併など）．

離床や排痰を促しましょう．

3) 再膨張性肺水腫

ドレナージ後の急激な酸素化の低下（SpO_2の低下），胸痛，泡沫状の水様痰・血痰などの増加を認めた場合，注意が必要となります．肺内の血流が増加，血管透過性亢進を引き起こし，肺水腫になるとされており，肺の虚脱期間が長いほどリスクが高くなります．ドレナージ後48時間以内に起きることが多いとされています．多くの場合は利尿薬とステロイドで症状の改善を認めます．場合によっては人工呼吸管理が必要となります．

予防のために，ドレナージ後24～48時間は陰圧をかけず水封で管理しましょう．胸水の1日の排液量は，1,000 mLまでが目安となります．

脱気による再膨張性肺水腫

10日前より胸部違和感を認めた患者．胸部X線写真で右気胸の診断となり入院となった．胸腔ドレナージを行い，仰臥位に戻った際に2分ほど強い咳嗽を認め，ドレナージバックで多量の空気の漏出を確認した．急激な脱気が危惧された．その5分後急激な胸痛，心拍数：160回/分，SpO_2：80％台への低下を認めた．この段階で再膨張性肺水腫を疑った．救急外来で医師1人，看護師も介助につけない状況であったため，フロセミド2A投与してから挿管の準備，X線撮影などの手配を行った．直後より導尿し，10分で尿が一気に2,000 mL流出し，肺うっ血，痛みの改善を認めた．再膨張性肺水腫であった．この方は幸い挿管せずにことなきを得たが，病歴聴取（気胸発症の時期など），処置後の脱気状態を観察することが重要と感じさせられた症例であった．

4) 膿胸

気胸発症からドレナージまで数日経過していた場合，膿胸発症のリスクがあります．口腔を通過した空気が胸腔内に入り，口腔内常在菌が繁殖するためです．ドレーンの挿入期間が長い場合や，再手術を行ったような場合も，逆行性感染のリスクが高くなります．

5) 皮下気腫

胸壁剥離に難渋するとドレーンが皮下へ迷入しフリースペースをつくってしまいます．また，胸腔よりあふれ出た空気が皮下へ拡がるために皮下気腫が起こります．対処法は刺入部を追加縫合して締める，離床させドレナージを有効にする，持続吸引するなどです．ただし，処置翌日の皮下気腫はあまり問題ではなく，ドレナージ後数日たっても皮下気腫が増えるようであれば追加処置を考慮します．

3 先輩医師のコツ

- **局所麻酔**を行った後は，麻酔をしっかりと効かせるため**1分ほど時間を置きましょう**．
- **ドレーン抜去後の閉創用糸をドレーン挿入時にあらかじめマットレス縫合**（第1章-11参照）しておけば患者への負担，医師の手間が少なくなります．膿胸など長期管理が予想される場合，創部感染のリスクが高くなるため**包交・観察は入念に行いましょう**．
- **ドレナージを効果的に行うには離床が一番です**．先述したように空気，胸水は可動性があり，離床が進むことにより深呼吸，肺の拡張を得られ，空気，胸水が押し出されドレナージが有効となるためです．その際，ドレーンの自然抜去にも注意が必要であり，医師のチューブ固定方法や挿入部の管理も非常に重要となります．
- 肺炎随伴性胸水，膿胸の場合，処置時にできるだけ空気を胸腔内に吸い込ませないようにしましょう．胸水がフィブリン化してドレナージ不良となるためです．
- 患者さんへの声かけを細かく行いましょう．会話があるだけでも安心できます．

4 電気的除細動(電気ショック)

趙 崇至

- 日常から除細動器の設置場所や使い方を知っておく
- 安全確認を確実に実行する
- 慣れてきたら充電完了まで胸骨圧迫を続行
- 一歩進んで経皮ペーシングもマスターしておく

はじめに

心室細動（ventricular fibrillation：Vf）に陥った患者さんに対して，医師が「クリア！」と言いながらパドルを両手に電気ショックを行うというシーンは映画やテレビドラマでよくみられます．皆さんはドラマの主人公のように正しく安全に電気的除細動（電気ショック）を行うことができますか？ 電気ショックを行う場面は突然やってきます．本項では，電気ショックと体外ペーシングを安全にできることを目標に解説します．

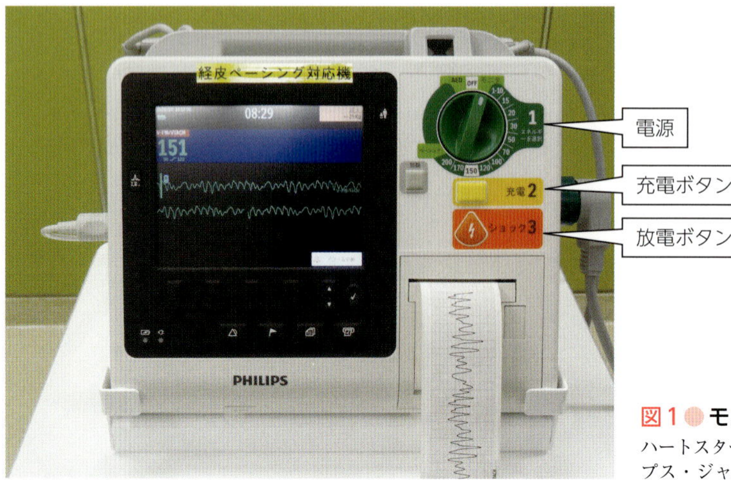

図1 モニター付き除細動器
ハートスタートXL＋（株式会社フィリップス・ジャパン）．

1 手技の基本手順

◆ 電気ショックの基本手順

❶準備

本番は突然やってきます．慌てなくてすむように除細動器の設置場所と操作方法や推奨エネルギーを知っておきましょう．

❷除細動器の電源を入れる（図1）

除細動器は電源が入ってから使用可能になるまで10～20秒程度かかるので，まず電源を入れましょう．

❸リード線を装着して心電図波型を確認する

除細動器の心電図モニターはパドル誘導で立ち上がる機種が多いので，波形が見やすいⅡ誘導に設定して心電図波形を確認しましょう．Vf（図2）か無脈性心室頻拍症（無脈性VT：pulseless ventricular tachycardia）であれば，非同期電気ショックを行います．

❹エネルギーレベルを設定する

除細動器が二相性であれば150～200 J（ジュール），単相性であれば360 J，小児では2～4 J/kgとします[1) 2)]．

❺パドルを当てる，またはパッドを貼る（図3）

パドルを使用する場合は接着面に導電剤を塗って，患者の右前胸部（鎖骨の下あたり）

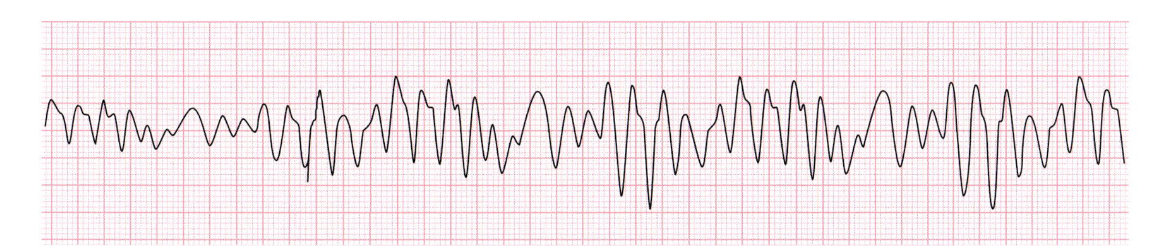

図2 心室細動（Vf）の心電図

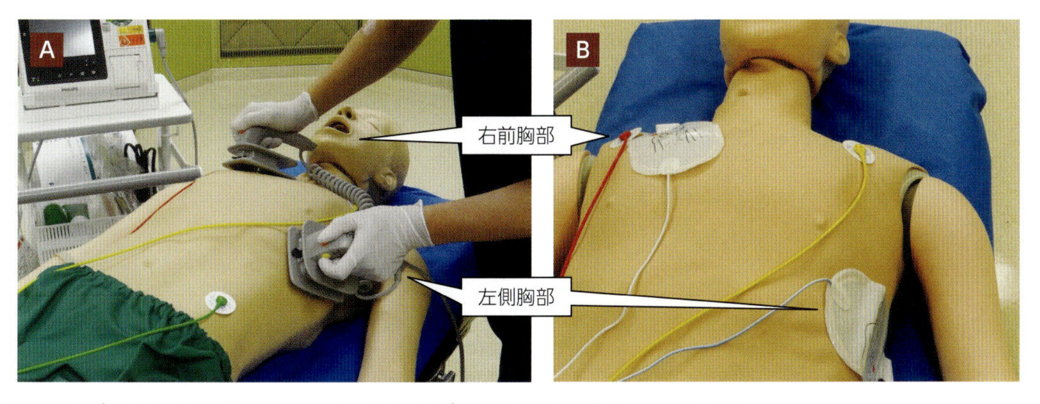

図3 パドルによる電気ショック（A）とパッドによる電気ショック（B）

第4章 救急

と左側胸部（腋窩乳頭の外側あたり）に当てます．パッドを使用する場合も同じ部位に貼りましょう．

❻充電と安全確認「充電します，離れて！」

処置にあたっている人全員を患者から離れさせて充電ボタンを押します．パドルを使う場合はパドルについている充電ボタンを，パッドを使う場合は除細動器本体のボタンを使います．充電をしながら安全確認を行い，全員が患者から離れていることと，高流量の酸素が患者に向かって流されていないことを確認します．

❼放電「ショックします！」

充電が完了したら，誰も患者に触れていないことを確認しながらパドルまたは本体の放電ボタンを押します．

❽胸骨圧迫を再開する

Vfや無脈性VTに対する電気ショックでは胸骨圧迫中断時間を最小にすることで除細動成功率が高まります．したがって，ショック終了後直ちに胸骨圧迫を開始しなければなりません．

単相性電気ショックと二相性電気ショック

除細動器には単相性ショックを行うものと二相性ショックを行うものがあります．エネルギーがパドルからパドルの一方向に流れるタイプが単相性で，パドル間を往復するように流れるのが二相性です．心室細動の停止において，二相性は単相性よりも低いエネルギーで実施でき，有効で安全であるとされており，最近では二相性の除細動器が増えています．皆さんはご自分の施設にある除細動器がいずれのタイプか知っていますか？ 最も簡単な見分け方は，ショックのエネルギー量を決めるダイヤル周囲の数字を見ることです．単相性ではこの数字が360 J（ジュール）であるのに対して，二相性では200～270Jまでとなっています．一度確認しておきましょう．

2 よくあるトラブルと解決法

1) 心電図が表示されない

電源と，すべてのリード線や電極の接続を確認しましょう．

2) 充電できない，またはショック（放電）できない

パドルやパッドの接着状況を確認しましょう．不完全な接着では充電や放電がされないことがあります．

3) ペースメーカー，またはICD (implantable cardioverter defibrillator：埋め込み型除細動器）がある

これらの機器の真上から電気ショックを行うと，十分なエネルギーを通電できません．また，機器を壊してしまう可能性もあります．このときはパドルやパッドを機器に直接当たらないように離して使いましょう[3)]．

4) 患者が火傷した！

患者の胸部に火傷ができた場合には，心拍再開が得られた後にステロイド軟膏などの抗炎症作用がある外用薬を塗布しましょう．

3 さらに進んだワザ

1) 充電中も胸骨圧迫を

Vfや無脈性VTによる心停止における治療のポイントは良質な胸骨圧迫と適時の電気ショックです．日本蘇生協議会（Japan Resuscitation Council：JRC）の「JRC蘇生ガイドライン2020」では，心肺蘇生中は胸骨圧迫の中断時間を最小限にするべきとされているので[1]，電気ショックも可能な限り短時間で行うべきです．「1 手技の基本手順」では，患者から全員離れてから充電すると説明しましたが，熟練者のチームでパッドを使用している状況では充電が終わるまで胸骨圧迫を継続することも有用です[2]．

◆ 充電が終わるまで胸骨圧迫を継続する場合

❶ 胸骨圧迫者以外に離れてもらい充電を開始

❷ 充電中も胸骨圧迫を継続させて，充電が完了した時点で，胸骨圧迫者を離れさせてショックを行う

こうすることで，胸骨圧迫の中断時間はかなり短くすることができます．電気ショックにおける胸骨圧迫中断時間は，充電開始前に胸骨圧迫を中断した場合で約7秒，充電完了時まで胸骨圧迫を継続した場合は約3秒となります．米国心臓協会のガイドラインでは，手動式除細動器の充電中も胸骨圧迫を続行することが有用であるとされていますが[2]，この方法では，その施設で心肺蘇生にかかわるすべてのスタッフ全員が習熟していなければかえって危険が増すこともあります．皆さんも日常的に心肺蘇生の講習会などに参加して胸骨圧迫の中断時間を最小限にしながら安全に電気ショックを行えるようにしておきましょう．

2) 経皮ペーシング

救急外来や集中治療室で使われているモニター付き除細動器には経皮ペーシング（transcutaneous pacing：TCP）の機能をもっているものがあります．電気ショックができるようになったら，もう少し頑張って経皮ペーシングもマスターしておきましょう．経皮ペーシングが適応となる病態は，**治療を要する徐脈においてアトロピンによって改善がみられないもの**です．では治療を要する徐脈とはどのようなものでしょうか？ それは，心拍数が60/分未満の徐脈で，徐脈によって意識状態の悪化や呼吸困難などの症状や，血圧低下やショックの徴候が認められるものです．アトロピンの投与によって改善しない徐脈に対しては，アドレナリンまたはドパミンの持続投与か経皮ペーシングのいずれかの治療が推奨されています[4]．**3度房室ブロック**（図4）の患者を担当したときには対処できるようになっておきましょう．

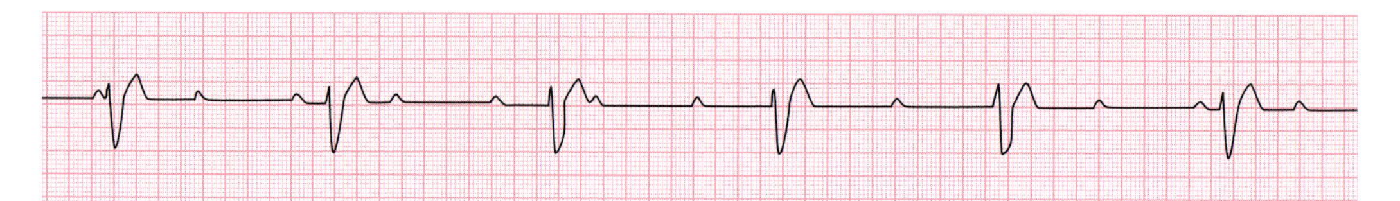

図4 3度房室ブロックによる徐脈の心電図

経皮ペーシングの基本手順

❶準備

患者の意識がない場合を除いて鎮痛薬〔例：フェンタニル（フェンタニル），ブプレノルフィン（レペタン®）〕または鎮静薬〔例：プロポフォール（プロポフォール，ディプリバン®），チオペンタールナトリウム（ラボナール®）〕の投与を行います．

❷除細動器の電源を入れてペーシングモードにする

❸ペーシングパッドを取扱説明書に従って貼る

取扱説明書やペーシングパッドにイラストがあればこれに従います．電気ショックのときと同じように，患者の右前胸部と左側胸部（または背部）に貼ります（図3）．

❹心拍数を60~80/分に設定する

❺出力レベルを設定する

最小から開始します．

❻ペーシング開始ボタンを押す

❼心拍の捕捉を確認

ペーシングが有効になれば，心電図モニター上で幅の広い大きなR波が確認できます．しかし本当に有効かどうかは，脈拍を触知して確認します．この際，ペーシングパッドに近い頸動脈や中静脈ではペーシングによる筋収縮と脈拍の鑑別が困難なことが多いので，大腿動脈を触知することが推奨されます．

❽最適出力の設定

脈を捕捉できる最低出力よりも2～5 mA高い値とします．

感電しました

私は日常的に手術室での麻酔と集中治療室での患者管理の業務にあたっています．電気ショックを行うこともありますし，週末には救急蘇生の講習会でインストラクターとして受講生の皆さんに，安全に電気ショックすることなどを指導しています．そんな立場の私ですが，恥ずかしながら除細動器を使用していて感電したことがあります．

徐脈性心停止になりかけたという設定で経皮ペーシングをしていたときのことでした．患者の状態が落ち着いて経皮ペーシングの必要がなくなったので，ペーシングパッドを剥がすことになりました．私が両方のパッドを剥がそうとして貼付面に同時に触れたとたんに，「ビリッ！」と両手に痛みが走りました．周囲のスタッフに慣れているところを見せようとして慌てていたのでしょうか．ペーシング機能を切るのを忘れていたのです．痛かったのですが，恥ずかしさのあまり声も出さずに堪えました．そして何事もなかったかのように，ペーシング機能を切るようにスタッフに伝えました．除細動器を使用する際は，使いはじめてから使い終わるまで安全に使用するよう心がけましょう．

用語は正しく使いましょう

医療業界ではいろいろな用語が略語として使われています．脳卒中（apoplexy）になる→アポる，カテーテル→カテ，硬膜外麻酔→硬麻，などです．元の用語を知りながら使うべきなのですが，仕事をしているとどんどん略語が出てくるので一つひとつ確認している時間はありません．

電気ショックに関してよく聞かれるのが「DCしまーす」とか，「DC持ってきてー」という言葉です．「DC shock」のことを「DC」と言っているのですが，「DC」は direct current で，直流のことなので，「直流ショック」とか「直流除細動」という意味で「DC」を使っているわけです．しかしこれでは「直流しまーす」とか「直流持ってきてー」と言っていることになります．意味がわかっていて言うのならいいのですが，わからずに「DCしよう」と言っている医師もたくさんいます．正しい言葉を知らないまま略語を使っているとちょっと恥ずかしいことになってしまうので，用語はできるだけ正しく理解して使うようにしましょう．この場合は「電気ショックします」でいいのです．

第4章 救急

文献

1）「JRC蘇生ガイドライン 2020」（日本蘇生協議会／監），医学書院，2021
▲ 海外のガイドラインとほぼ同じ内容ですが，日本語なので読みやすくなっています．研修医の皆さんにはぜひご一読を勧めます．

2）「AHA 心肺蘇生と救急心血管治療のためのガイドライン 2020（AHA ガイドライン 2020 準拠）」（American heart association／著），シナジー，2021

3）「BLSプロバイダーマニュアル AHA ガイドライン 2020 準拠」（American heart association／著），シナジー，2021
▲ BLSにおける重要な概念や具体的な手技についてわかりやすく解説しています．

4）「ACLSプロバイダーマニュアル AHA ガイドライン 2020 準拠」（American heart association／著），シナジー，2021
▲ 2020年版ガイドラインに基づいた二次救命処置用のマニュアルで，各アルゴリズムなど具体的な記述が多くて有用です．

5 胃管挿入

古谷健太

- 胃管挿入は基本的には容易な手技であるが，困難な場合に備え，手技の引き出しを増やそう
- 経管栄養や胃洗浄に用いる際には，必ず胃内留置を確認しよう
- 胃管の挿入手技は多岐にわたるため，さまざまな方法に触れるようにしよう

はじめに

胃管は，胃内容物のドレナージや胃内の減圧，あるいは経管栄養を目的として挿入されます．前者には長時間の全身麻酔，ICUでの鎮静，意識障害などの胃内容物が貯留しやすい場合や，フルストマック（イレウスや幽門狭窄など）の場合が該当します．

胃管挿入は，気管挿管や中心静脈穿刺に比べると，優先順位が低い手技かもしれません．しかし，どうしても胃管を入れなくてはならない状況は存在するのに対し，胃管が入らないときに，それを解決する確実な方法がありません．興味がない方でも，引き出しを増やす意味で，本項を眺めてもらえれば幸いです．

1 手技の基本手順

成人に対しては，12～16 Frの太さの胃管を用いることが多いですが，経管栄養を主たる目的とする場合は，より細径のチューブが用いられます．まず，体液汚染を予防するため，ディスポーザブル手袋を着用しましょう．胃管を袋から出し，先端（好みによっては全体）に潤滑剤（リドカインゼリーや水溶性の潤滑剤など）をなじませます（図1A）．意識下で挿入する場合には，嘔吐に備えて，ガーグルベースンや吸引器を準備しておきましょう．全身麻酔下で挿入する場合は，喉頭鏡とマギール鉗子を忘れないようにしましょう（図1B）．

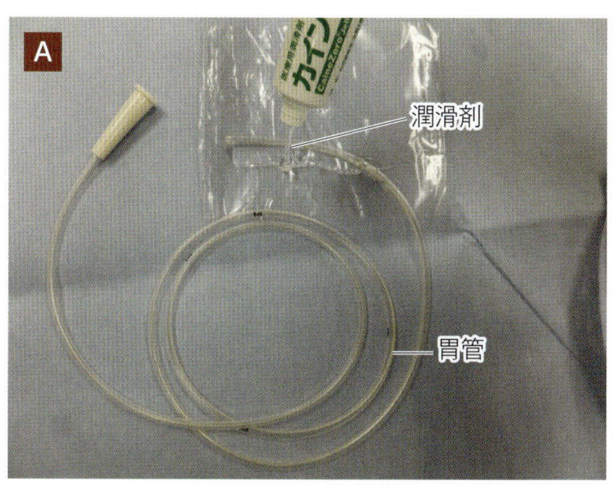

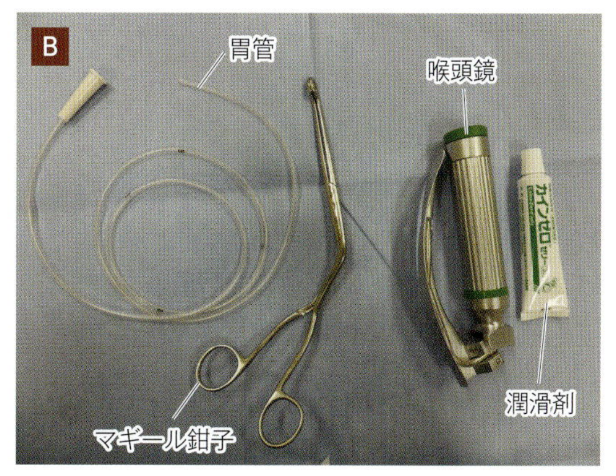

図1 胃管挿入の準備
A：潤滑剤を塗る位置.
B：全身麻酔時に用いる器具一式.

患者の意識がある場合

意識がある場合，嚥下を利用して胃管を挿入できるので，可能ならば坐位で胃管を挿入します（坐位の方が嚥下しやすいため）.

❶いずれかの鼻孔から潤滑剤をなじませた胃管を咽頭まで（10～15 cmほど）挿入する

経鼻胃管は，患者の咽頭後壁に対し垂直な方向（背側向き，仰臥位であれば床に垂直な方向）に向けて進めます.

❷患者自身に嚥下を促し（ゴックンしてください，など），嚥下のタイミングに合わせて胃管を進める

反射が強い場合は，リドカイン（ビスカスやスプレー）で咽頭粘膜に表面麻酔を追加します．最終的には，外鼻孔に55 cmのマーカーがくるあたりまで進めます.

ここがポイント 意識下では，坐位で，嚥下を利用する

胃管挿入後の確認手順

❶開口してもらい，口腔内にループを形成していないことを確認する

❷腹部単純X線撮影もしくは胃内容物のpH測定（<5.5）により，胃内留置を確認する

空気を注入し心窩部で気泡音を聴取する方法は簡便ですが，必ずしも胃内留置を保証しませんので，注意が必要です.

❸経管栄養を行う場合は，まず50～100 mLの水を投与し，異常がないことを確認した後，栄養剤を開始する

万が一に備え，初回投与は日中に開始するようにしましょう.

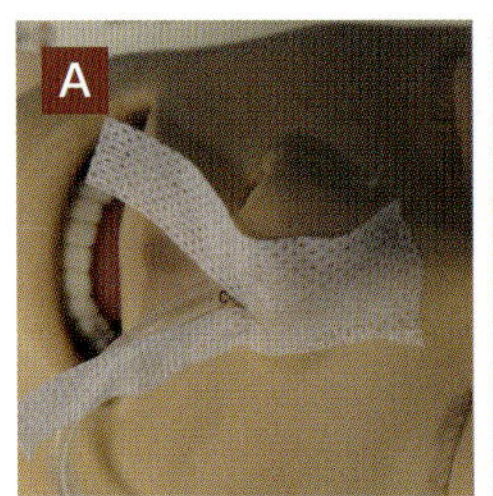

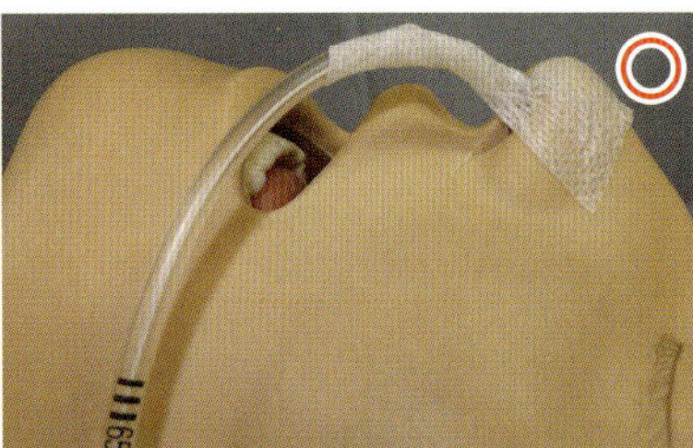

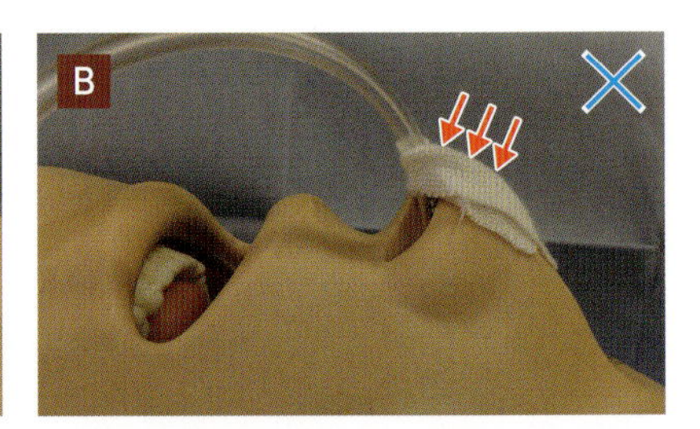

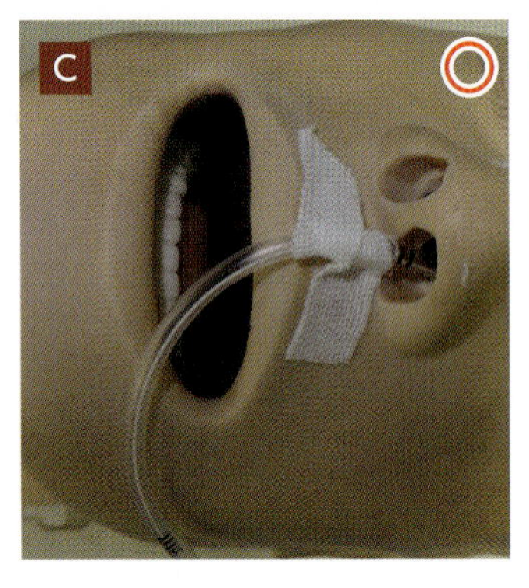

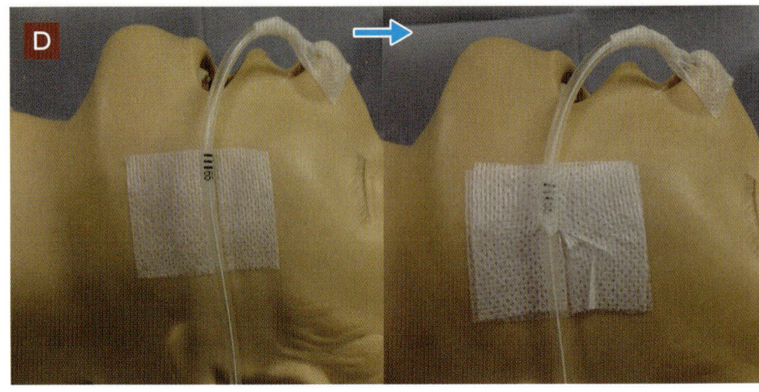

図2 胃管の固定方法
A：切り込みを入れたテープを用いて，確実に固定しつつ鼻翼に接触しないようにします．
B：鼻翼に胃管が接触し続けるような固定はダメです．
C：上口唇と鼻孔の間に固定してもよいでしょう．
D：固定をより強固にするために，頬部では胃管の下にテープを貼り，さらに上からはさみこむようにして固定しましょう．

ここがポイント　経管栄養，胃洗浄は，胃内留置を確認後に！

◆固定の手順

❶全長の半分くらいまで縦に切れ込みを入れたテープの，幅の広い方を鼻に，切れ込みを入れた方をそれぞれ胃管に巻きつけて固定する（図2A）

その際，**鼻翼に胃管が接触した状態が続くと，潰瘍を形成することがあるので注意が必要です**（図2B）．

上口唇と鼻孔の間にテープで固定する方法もあります（図2C）．

❷事故抜去を防止したければ，頬にもテープで固定しましょう（図2D）

ここがピットフォール　気管内迷入に気をつけて！

意識下で挿入した場合でも，防御反射が減弱していると，気管内迷入しても咳反射などが起こらず，気づかないことがあります．また，気管挿管されていても，気管内迷入が起こり得ます．人工呼吸中に，換気量の減少，リーク音の発生，胃管からの周期的な空気もれ，揮発性麻酔薬の臭気などがあったら，胃管の気管内迷入を疑うようにしてください．

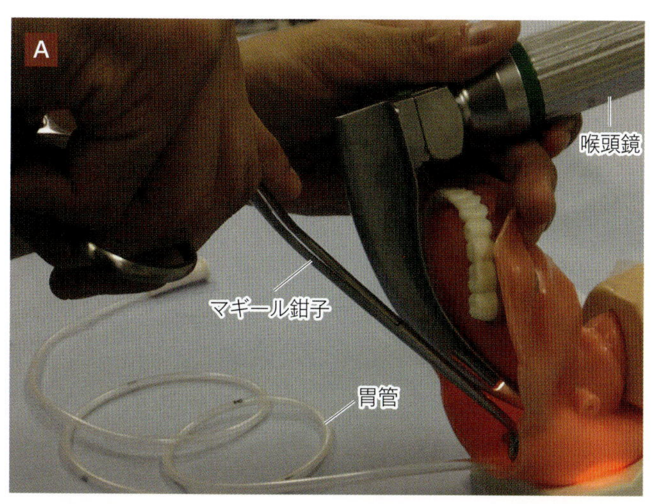

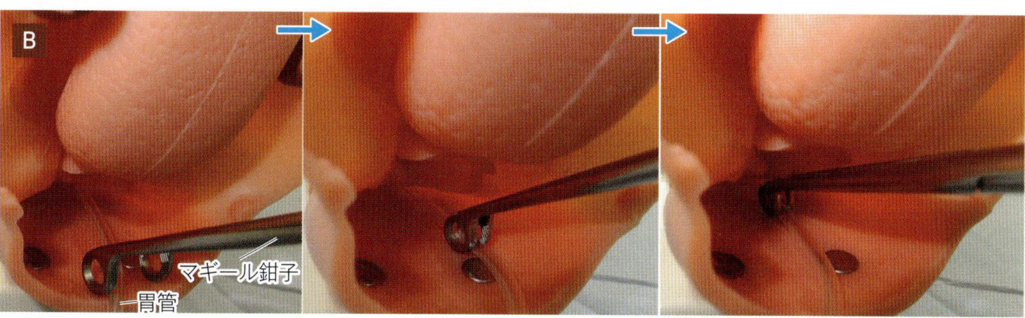

図3 咽頭で引っかかる場合
A：喉頭鏡とマギール鉗子の持ち方.
B：マギール鉗子で胃管を掴み，披裂部背側へ進め，少しずつ食道に押し込みます.

第4章 救急

◆ 患者の意識がない場合（全身麻酔，鎮静，意識障害など）

マッキントッシュ型喉頭鏡とマギール鉗子を用いた挿入方法（図3）を紹介します.

❶ 鼻孔から胃管を15 cm前後挿入し，喉頭鏡を用いて喉頭展開する

❷ 披裂部が確認できること，胃管の先端が咽頭に存在することを確認し，胃管先端をマギール鉗子で把持する

❸ 把持した胃管を披裂部の背側，食道入口部に向かって少しずつ押し込む操作をくり返す

右でも左でも真ん中でもよいので，胃管がよく進む場所を探して進めましょう.

❹ 外鼻孔に55 cmのマーカーがくるくらいの深さまで挿入する

確認方法は，意識がある場合と同様です.

ここがピットフォール　胃管挿入にも禁忌がある！

頭部外傷，特に頭蓋底骨折が疑われる場合には頭蓋内迷入の可能性があるため，鼻腔からの挿入は避けましょう．鼻粘膜，咽頭，喉頭に病変がある場合や，出血リスクのある食道胃静脈瘤を有している場合には，胃管挿入の利点，欠点を十分に吟味して挿入の可否を決めましょう.

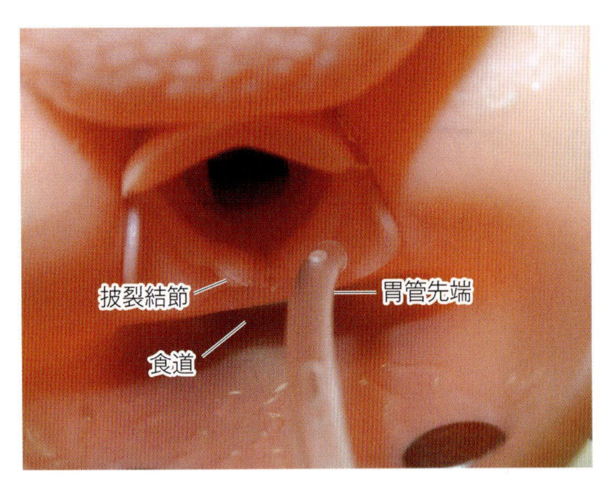

図4 咽頭で引っかかる場合
胃管先端が披裂結節付近に衝突し，食道方向に進んでくれない．

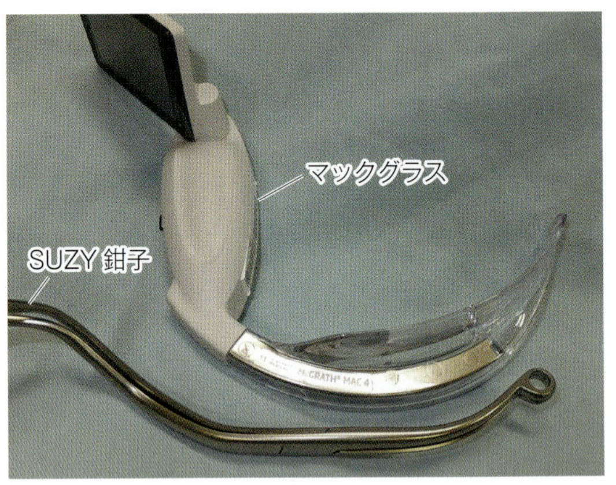

図5 マックグラスとSUZY鉗子

タイミングは，挿管前？挿管後？

胃管挿入前に気管挿管されていると，気道管理上の懸念はありません．しかし操作スペースが狭くなり，チューブ自体が障害物となること，チューブおよびチューブカフによって食道が圧迫されることから，胃管自体が観察しづらく，かつ挿入操作も困難となります．一方で，気管挿管前は視野や操作を妨げる物体がないため手技が容易であるものの，挿入中の気道管理が不確実になり低換気や誤嚥のリスクが発生します．どちらのタイミングが好ましいかは状況に応じて変化します．

2 よくあるトラブルと解決法

1) 咽頭で引っかかる

およそ20 cm前後から胃管が進まない状況です．胃管先端が披裂結節（図4）に衝突していることが多く，胃管先端が食道に向かわないため，うまく誘導できません．加えて喉頭の観察が難しいと，対処のしようがありません．このような場合，McGRATH MAC（マックグラス）やエアウェイスコープなどのビデオ喉頭鏡を用いることで咽頭および食道入口部を容易に観察することができ，スタッフと視野の共有もできるので，胃管挿入が容易になることがあります．喉頭鏡およびマギール鉗子を用いた胃管挿入は，やや熟練を要する面がありますが，マックグラスには専用の異物除去鉗子（**SUZY鉗子**，図5）があり，胃管およびSUZY鉗子先端を容易に描出できます．これによって，円滑な胃管挿入が可能です[1]．またエアウェイスコープは小児用イントロックを使用すると，気管チューブガイドに成人用の胃管がちょうどよくフィットするため，食道を描出し，口から胃管を誘導することができます[2]（ただしこの方法で経鼻胃管を挿入したい場合には，鼻腔から挿入した胃管をいったん口腔内に引き出す必要があります）．

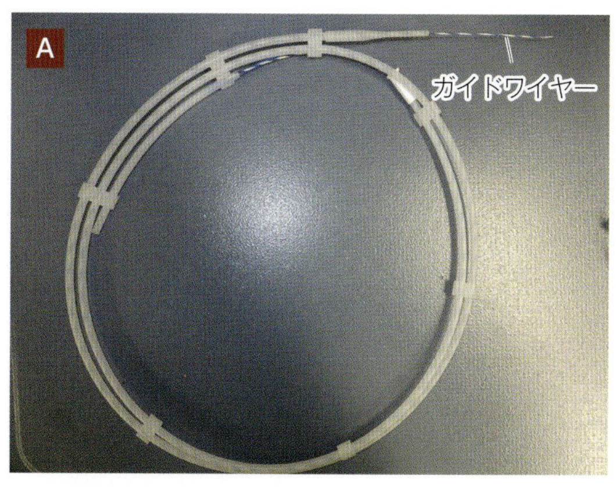

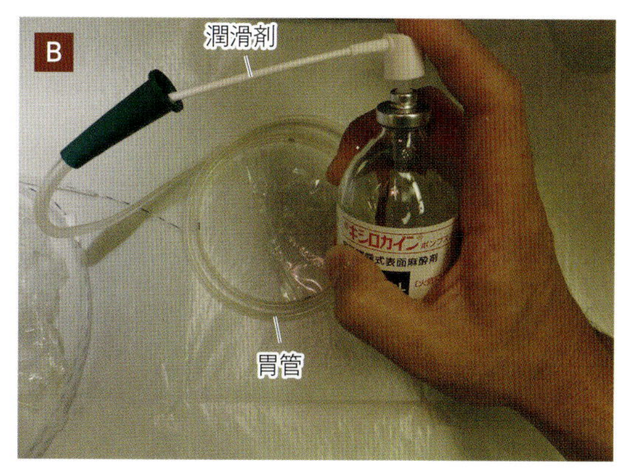

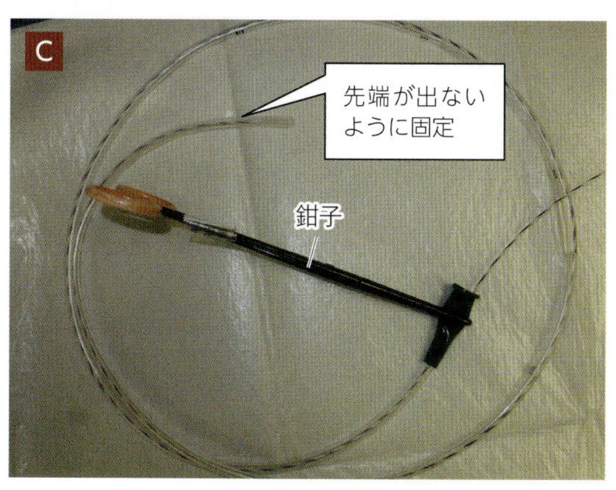

図6 ウロロジカルガイドワイヤーを用いた胃管挿入

A：ガイドワイヤー.
B：胃管の中を十分に潤滑剤をなじませてからガイドワイヤーを通します.
C：ガイドワイヤーが胃管の先端や側孔から出ないように挿入し，鉗子やテープでガイドワイヤーと胃管を固定します.

2）食道胃接合部で引っかかる

40～50 cmより進まない，あるいは心窩部で気泡音が聞こえるものの胃内容物が吸引できない状況です．食道胃接合部で引っかかり進まない場合，解決策はほとんどありません．開腹手術であれば，術野から引っ張ってもらうという方法が確実です．

● 胃管のコシを強くする方法

また，胃管のコシを強くすれば，胃内に挿入できる可能性は高くなります．コシを強くする一例として，ウロロジカルガイドワイヤー（図6A）を用いる方法を紹介します（ただし，適用外使用である点に注意）．

◆ ガイドワイヤーを用いた胃管の挿入方法

❶ 胃管の中に潤滑剤（リドカインスプレーなど）を十分に通し（図6B），ガイドワイヤーを挿入する

この際，ガイドワイヤー先端が胃管の側孔も含めた部分から出ないように気をつけます．

❷ 胃管とガイドワイヤー遠位端を，ガイドワイヤーの位置が動かないように鉗子やテープなどで固定する（図6C）

胃管挿入自体は，どの方法で行ってもかまいません．

❸ 挿入後，胃管とガイドワイヤーの固定を外し，ガイドワイヤーのみを抜去する

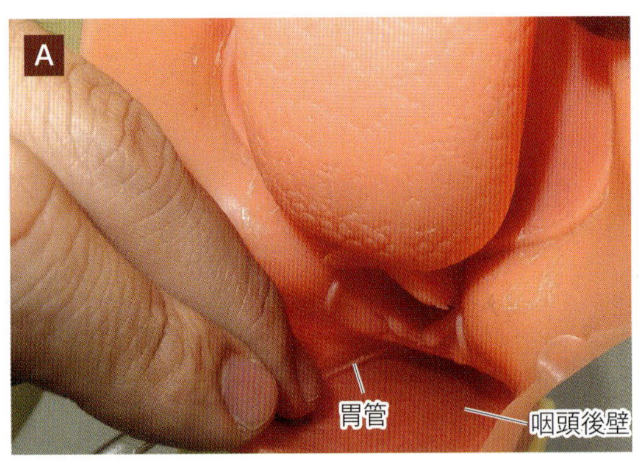

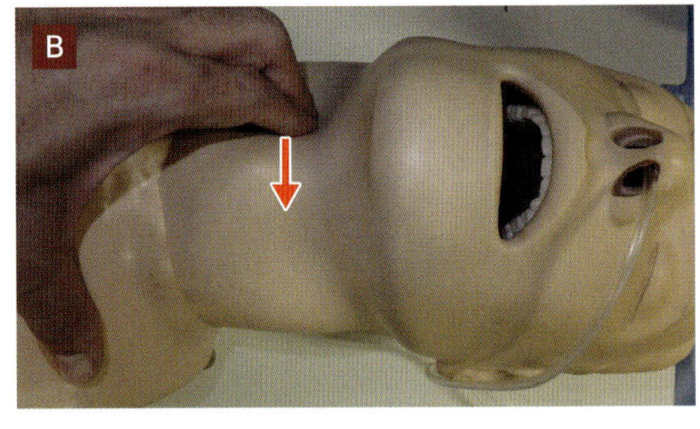

図7 盲目的挿入
A：示指と中指を使って，胃管を咽頭後壁に押しつけ，梨状陥凹～食道入口部に誘導します．
B：頸部を体外から左右いずれかの方向へ圧迫するとうまくいくことがあります．

ガイドワイヤーの潤滑化を怠ると，この操作に大変難渋します．

コシを強くすると挿入は容易になりますが，粘膜損傷や食道穿孔を起こすリスクが高くなる点には注意しましょう．ガイドワイヤーを使った場合，胃外留置を除外するため，確認のX線撮影時に造影剤を用いることを推奨します．

3 さらに進んだワザ

多くの場合，胃管は容易に挿入可能です．しかし，ひとたび胃管挿入困難が発生すると，これといった解決策がありません．状況によっては，気管挿管や中心静脈穿刺よりも厄介な手技です．そのようなとき，使えるワザは多い方が好ましいですね．以下にいくつかを紹介します．

1) 盲目的に挿入する

喉頭鏡を用いた胃管挿入は，歯牙損傷やバイタルサインの変化など，好ましくない結果がついてきます．盲目的挿入は特別な器具が不要であり，低侵襲で最も簡便なため，第一選択とする医師も多いです．しかし，ただやみくもに進めても，約50％は失敗するとされます．

筆者は，口腔内に左手の示指，中指を挿入し，胃管を咽頭後壁に押しつけながら，左右いずれかの梨状陥凹に誘導する方法で胃管を挿入しています（図7A）．左手の示指，中指を頭尾側方向に動かしながら，胃管を食道方向に誘導することもできます．また，喉頭の左右いずれかを体外から圧迫しつつ（図7B），頭部を前屈させる（枕を高くする，誰かに持ち上げてもらうなど）ことによって，成功率が向上します[3)]．

2) 胃管を凍らせる[4)]

胃管にあらかじめ水を通し，冷凍庫で凍らせておくことで，コシを強くすることが可能です．ガイドワイヤーを用いた場合ほどコシはありませんが，低侵襲になります．胃管の種類によっては，水を通さなくても冷凍庫に入れておくだけでコシが出る材質のものもあります．簡便な方法ですが，挿入に時間がかかると，体温で温められてコシがなくなっていくという欠点もあります．

4 経験したトラブル

◆鼻から胃管が出てきた

鼻から胃管を入れたのに，咽頭で胃管を触知しない…なぜだろう？ と考えていたところ，同じ鼻の穴から胃管が出てきたことがあります．反対の鼻の穴から出てきたこともあります．こりゃイカン！

◆口蓋垂をつかんだ

マギール鉗子で胃管と一緒に口蓋垂を引っ張ってしまうことがあります．軟口蓋や口蓋垂は，簡単に傷つくため，気をつけましょう．

第4章 救急

文献

1) Furutani K, et al：SUZYTM forceps facilitate nasogastric tube insertion under McGRATHTM MAC videolaryngoscopic guidance：A randomized, controlled trial. Medicine (Baltimore), 99：e22545, 2020
▲ マックグラスとその専用異物除去鉗子のSUZY鉗子を使った胃管挿入に関する臨床研究です．個人的にはおススメの方法です．

2) Kitagawa H, et al：Pediatric airway scope is available for gastric tube insertion in adult patients. J Cardiothorac Vasc Anesth, 26：e52, 2012
▲ エアウェイスコープの小児用イントロックを用いて胃管を入れる方法が紹介されています．

3) Appukutty J & Shroff PP：Nasogastric tube insertion using different techniques in anesthetized patients: a prospective, randomized study. Anesth Analg, 109：832-835, 2009
▲ 盲目的な挿入方法，ガイドワイヤーを用いた方法，頸部前屈＋体外からの頸部圧迫法などを成功率から比較しています．

4) Chun DH, et al：A randomized, clinical trial of frozen versus standard nasogastric tube placement. World J Surg, 33：1789-1792, 2009
▲ 水を通した胃管を凍らせると，挿入が容易になることを述べています．

6 導尿，尿道カテーテル留置

大見千英高

- 導尿，尿道カテーテル留置は誰もが習得すべき手技
- 処置にあたりしっかりと体位をとることが成功のコツ
- 基本的な手技でうまくいかないときは無理せず指導医や泌尿器科医に相談することも大切

はじめに

導尿や尿道カテーテル留置の処置は救急の場面のみならず日常診療でも頻回に行われる手技になります．そのため誰もが習得すべき手技になりますが基本的な手技に慣れていないと合併症をきたすこともあります．本項では導尿，尿道カテーテル留置の目的，基本的手技，起こり得るトラブルについて説明します．

1 手技の基本手順

1）導尿，尿道カテーテル留置の目的，適応

尿閉状態の解除や検体としての尿の採取の場合は導尿の適応となり，体動困難時，安静が必要な場合の排尿管理や厳密に尿量の測定が必要な場合は尿道カテーテル留置の適応となります．

2）尿閉などの排尿障害のある患者では事前に排尿障害の原因を探る

導尿，尿道カテーテル留置の処置に先立ち，排尿障害のある患者はその原因を推定することで処置にあたっての注意点が見えてくる場合があります（表1）．特に尿道狭窄の恐れのある尿道外傷の既往や外陰部の奇形がある場合は慎重な対応が必要になります．

3）導尿，尿道カテーテル留置に必要な物品の準備

処置をはじめる前に，その必要性や方法を患者に説明し必要物品の準備をしっかり整え

表1 排尿障害のある患者のチェック項目

現病歴	いつから，どの程度の排尿障害が認められたのか確認
既往歴	脳血管障害，糖尿病，骨盤内臓器の手術歴，前立腺肥大症，尿道損傷，泌尿器科手術歴などの有無の確認
内服薬	排尿障害をきたしうる内服薬の確認（抗コリン作用や抗ヒスタミン作用のある薬剤は排尿障害をきたす恐れがある）
身体初見	外陰部の奇形や外傷の確認，下肢の拘縮の有無の確認

文献1を参考に作成.

表2 導尿，尿道カテーテル留置に必要な物品

①消毒器具（消毒液，綿球，ピンセット）
②手袋
③清潔ガーゼ
④防水シーツ
⑤潤滑剤
⑥尿を受ける検尿カップや尿器
⑦目的に応じたカテーテル（図1）
⑧留置の場合はバルーン拡張用の蒸留水

文献1より引用.

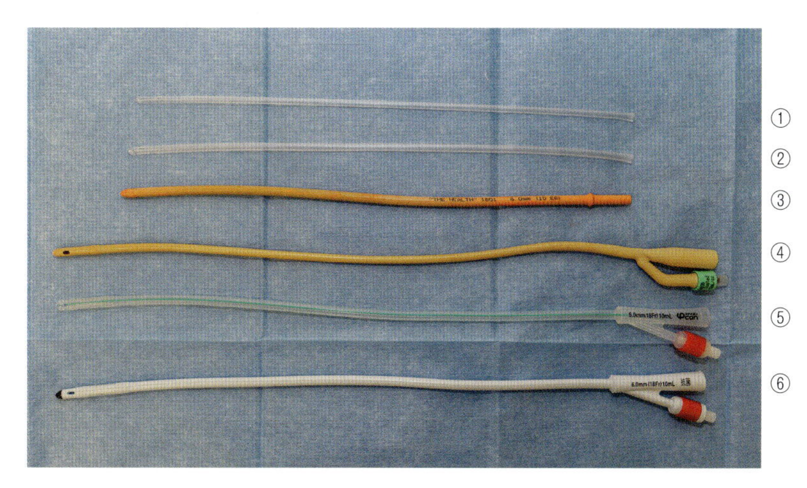

図1 導尿，尿道留置に用いられるカテーテル

①：12 Fr ポリ塩化ビニル製のネラトンカテーテル
②：14 Fr ポリ塩化ビニル製のネラトンカテーテル
③：18 Fr（10号）ラテックス製のネラトンカテーテル
④：14 Fr 2way ラテックス製バルーンカテーテル
⑤：16 Fr 2way シリコン製バルーンカテーテル
⑥：16 Fr 抗菌タイプの2way シリコン製バルーンカテーテル

てから処置を開始するようにします（表2）. 通常，成人の導尿には10～14 Fr程度のネラトンカテーテルが使用され，留置の場合は14～16 Fr程度の2way バルーンカテーテルを用います（図1，図2）.

ここがポイント

意識のある患者にとっては羞恥心や不安のある処置なので物品の準備をしっかりしてから処置を開始し，短時間でスムーズに処置を終えるように心がけよう.

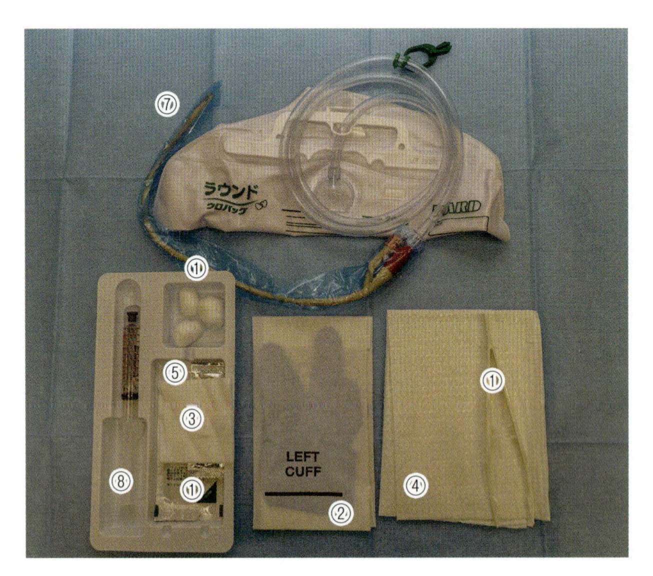

図2 必要物品がセットになった尿道留置カテーテルキット
番号：表2参照．尿道留置カテーテルキットはカテーテルのほか，消毒や潤滑剤，バルーン拡張用の蒸留水などがセットになっていて便利．

4）実際の手順

❶体位

術者が右利きの場合は患者の右側に立つと処置が行いやすくなります．

（男性の場合）

仰臥位で膝を伸ばした体位とし，左手の第1指と第2指で亀頭部を保持し第3指と第4指で陰茎を支えしっかり持ち上げた形で保持します．

（女性の場合）

仰臥位で膝を曲げた状態で開脚する体位をとり，左手で陰唇を開いて外尿道口を確認します．外尿道口が確認しづらい場合は腰の下にマットを入れて腰を高くしたり照明を準備するなどの工夫を行います．

❷消毒

塩化ベンザルコニウムやポビドンヨード液で外尿道口部を消毒します．

❸カテーテル挿入（図3）

カテーテルには先端だけではなく広範囲にしっかりと潤滑剤を塗布します．最初に作った体位を保持するように気をつけながら右手でゆっくりとカテーテルを挿入していきます．患者が力むと挿入に際し抵抗が強くなったり痛みも強くなったりするため深呼吸や口を開けてゆっくり口呼吸してもらうと力みにくくなります．

カテーテルは根本付近までしっかり挿入し尿の流出を確認します．留置の場合にはインフレーションファネル（後出：図9参照）からバルーンに規定量の蒸留水を注入しバルーンを膨らませた後にバルーンが膀胱頸部で固定されるところまでゆっくりと引いていきます．

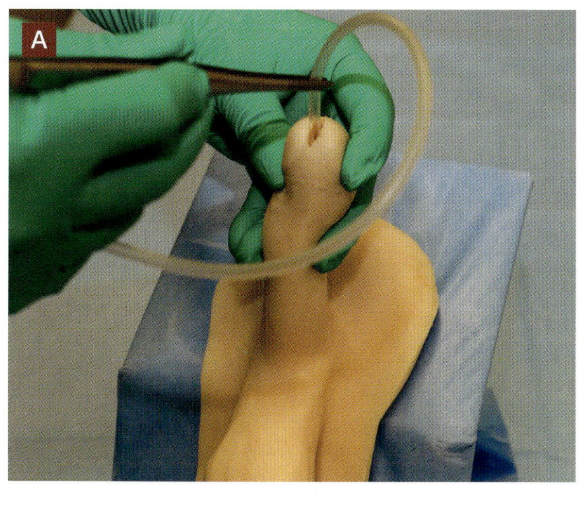

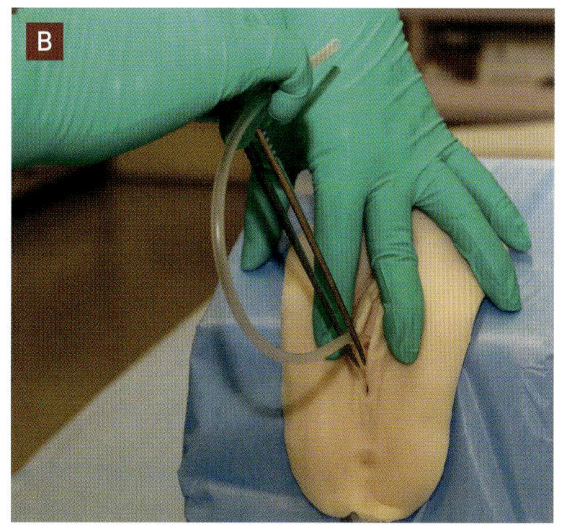

図3 カテーテルの挿入
A：男性の場合.
B：女性の場合.

❹ カテーテルの抜去ないしは固定

導尿の場合は尿の排出や採取が終了したらゆっくりとカテーテルを抜去します．留置の場合は男性の場合は腹側ないしは腸骨稜方向にカテーテルを固定し，女性の場合は大腿部に固定するようにします．

ここがポイント

カテーテルを挿入する右手も大事だが，体位を保持する左手がおろそかにならないことがもっと大切！

2 よくあるトラブルと解決法

1）男性で真性包茎や亀頭包皮炎による包皮の癒着で外尿道口が見えない場合

包皮と亀頭部の癒着が強くなければモスキートペアン鉗子などで包皮部のみを軽く開くように拡張してみます．包皮が完全に翻転できなくても外尿道口の一部が確認できるようになれば細めのカテーテル（10～14 Fr）を挿入することができます．包皮と亀頭部の癒着が強く炎症を伴っている場合や小児の場合には無理をせず泌尿器科へ処置を依頼しましょう．

2）男性で途中まではカテーテル挿入できるが途中から抵抗があり挿入ができなくなる場合

まず，挿入に抵抗を感じカテーテルが進まなくなった場合には無理をせずにいったんカテーテルを抜去し陰茎を患者の体の前方に持ち上げるようにしっかり保持できているか（図4）など基本的な手技がしっかりとできているか再確認し患者にリラックスしてもらう

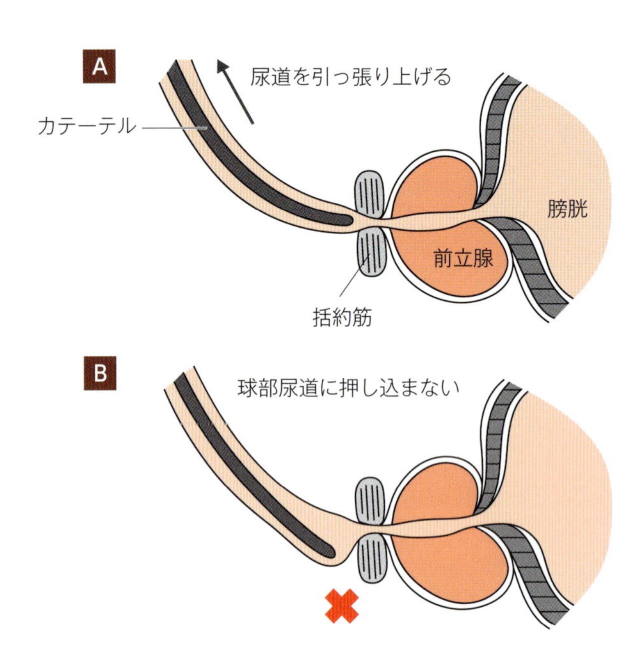

図4 カテーテル挿入のコツ（男性の場合）
陰茎を体の前方に引き上げるように持つことで、尿道を可及的に直線上にすることによりカテーテルの挿入は容易になる．球部尿道が挿入するカテーテルでたわまないようにするイメージで牽引する．
文献2より引用．

ように声をかけながら再度トライしてみます．体位がしっかりととれただけでうまく挿入できることはよくあります．それでもうまくいかない場合は以下の方法を試してみてください．

うまくいかない場合

❶ 泌尿器科で行われる尿道麻酔に準じてリドカイン（キシロカイン®）ゼリーを10～20 mL程度注射器で外尿道口から尿道内に注入し，直後にカテーテル挿入を試みる

❷ カテーテルの太さを変更してみる

細いカテーテルの方が入りやすいとは限りません．少し太いカテーテルにした方がこしが強くなり入りやすいこともあります．

❸ チーマンタイプのカテーテル（図5②）があれば曲がった先が正面から見て尿道の12時方向になるように挿入してみる

これらの方法を行っても同じような挿入距離でくり返し抵抗を感じ，それ以上挿入困難な場合は同部に尿道狭窄（図6）などがある可能性もあるのでそれ以上無理をせずに泌尿器科に処置を依頼しましょう．

泌尿器科ではスタイレットを挿入したカテーテルを使用したり，透視下や内視鏡下にガイドワイヤーを挿入した後に先穴タイプのカテーテルを挿入したりします（図5）．

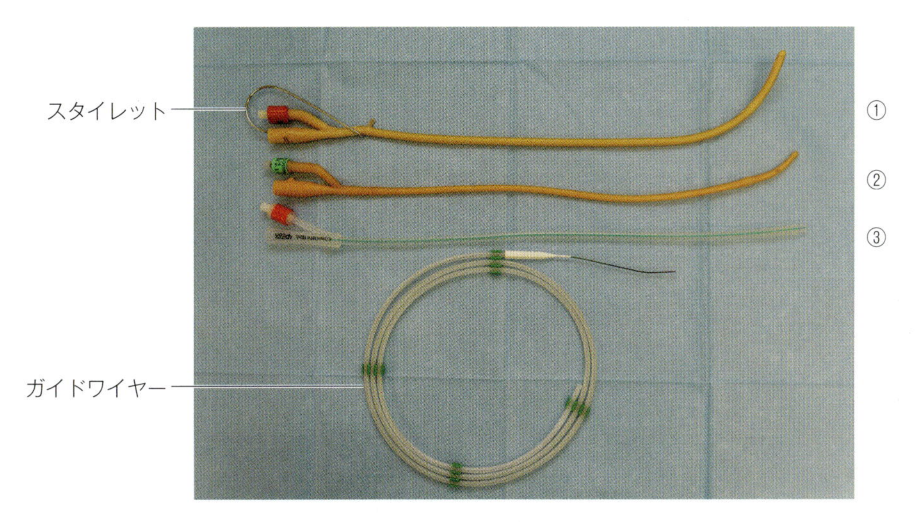

図5 尿道カテーテル挿入困難時に用いられる器具
①：スタイレットを挿入した2wayカテーテル
②：先端が彎曲しこしが強くなっているチーマンカテーテル
③：ガイドワイヤーと先穴タイプの2wayカテーテル

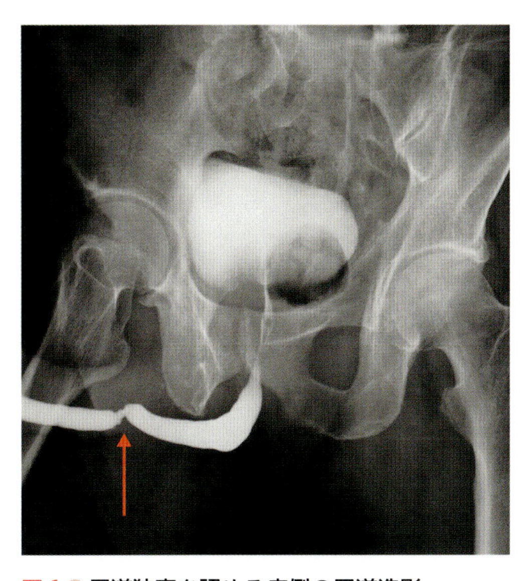

図6 尿道狭窄を認める症例の尿道造影
矢印（→）の振子部尿道に狭窄を認める．強い狭窄の場合は基本手順のみでは尿道カテーテルの処置は困難な場合が多い．
文献1より転載．

3）尿道損傷が疑われる場合

尿道損傷は騎乗型の会陰部外傷や骨盤骨折に伴うもの，医原性のものがあります．会陰部に強い衝撃を受けていたり，骨盤骨折がある患者で外尿道口から出血がみられたり自尿が出せない患者は尿道損傷の存在が疑われます．

尿道損傷が疑われる場合には導尿や尿道カテーテル留置処置は泌尿器科に依頼しましょう．**不用意にカテーテル処置を行い損傷部位の状態を悪化させないようにする**ことが大切

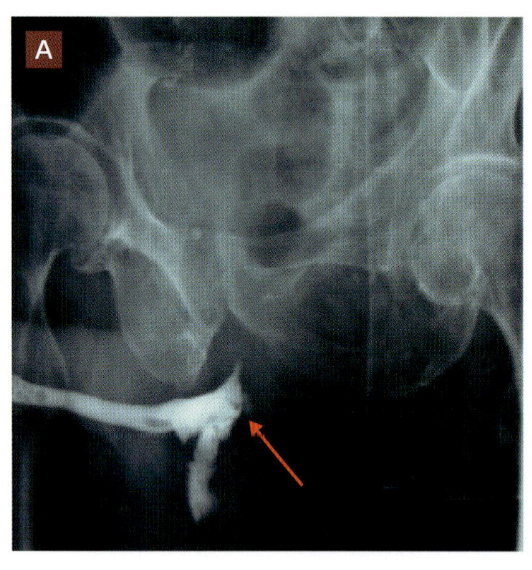

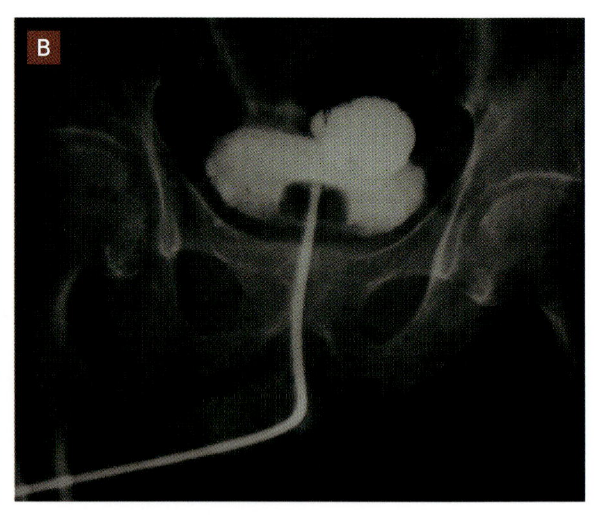

図7 不適切な尿道カテーテル留置で出血を認め泌尿器科に紹介された医原性尿道損傷の２例

A：尿道の途中で尿道留置カテーテルのバルーンを膨らませたことによる医原性の尿道損傷で，尿道造影では矢印（→）の部位から造影剤の尿道外への溢流を認める．

B：この症例の場合，尿道の連続性は保たれていたため透視下にガイドワイヤーを膀胱内に挿入し，先穴タイプの尿道留置カテーテルを挿入した．

文献1より転載．

です．

泌尿器科では尿道損傷を認めた場合，尿道造影で尿道断裂を認めた場合には経尿道的にカテーテルを留置することは困難ですので膀胱瘻を造設します．尿道の連続性が保たれている場合には透視下や内視鏡下にガイドワイヤーを膀胱まで挿入し慎重に先穴タイプの尿道留置カテーテルを挿入する場合もあります（図7）．

4）女性の患者で尿道カテーテル挿入困難

女性の患者で導尿，尿道カテーテル留置の処置で困る場合のほとんどは外尿道口の確認が困難な場合になります．原因としては高齢の患者で膣の萎縮や陰唇の癒着で外尿道口が膣前壁側に落ち込むような感じになり確認できない場合がほとんどです（図8）．また，下肢の拘縮があり開脚ができない場合なども外尿道口の確認が困難になる場合があります．

このような場合には次のような方法を試してみてください．

◆ 女性で外尿道口が確認できないとき

❶ 膣の前壁側がよく確認できるように体位や照明を工夫してみる．下肢の拘縮などで体位の保持が困難な場合には体位保持の補助を頼む

❷ 膣の後壁側を細めの鈎などで押し下げると外尿道口が確認できる場合がある

❸ 外尿道口に通常のカテーテルが挿入しにくい場合はチーマンタイプのカテーテルを使用してみる

❹ どうしても外尿道口が確認できない場合はチーマンタイプのカテーテルで先端の屈曲したこしのある部位を膣前壁側に押し当てながら滑らせるように挿入してみると挿入できることがある

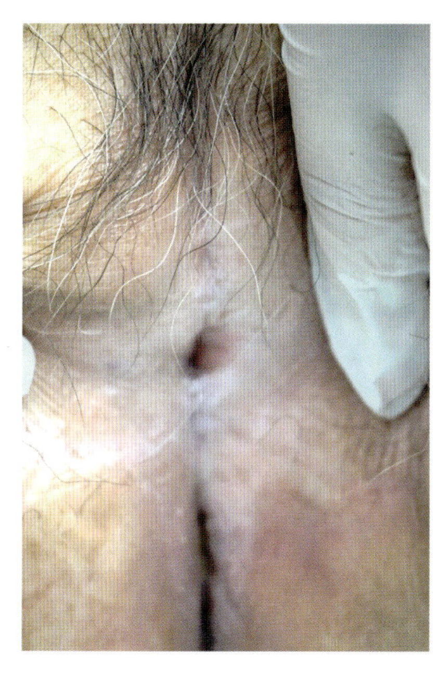

図8 高齢女性で外尿道口が確認できない症例
この症例は左右の陰唇の癒着を認め外尿道口の確認が困難でスタイレットを挿入したカテーテルを用いて留置を行った．
文献1より転載．

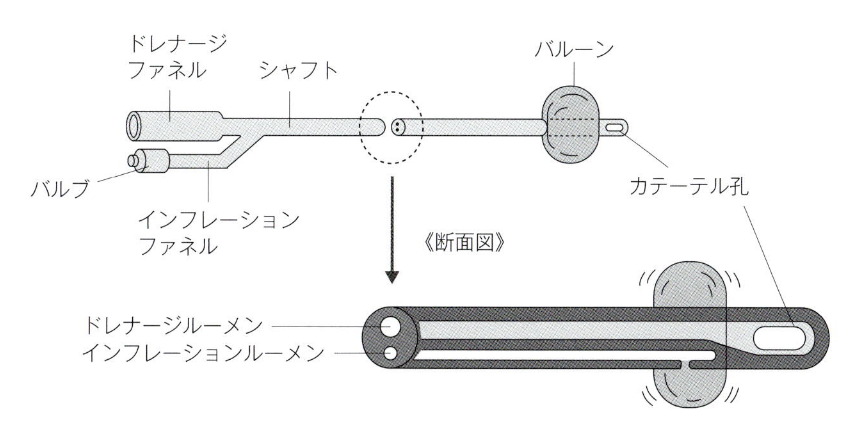

図9 2wayバルーンカテーテルの構造
文献3を参考に作成．

5）尿道留置カテーテルが抜けない（バルーン水が抜けてこない）

尿道留置カテーテルを抜去する際にバルーン水が抜けないといったことがまれにあります．そういった場合には，尿道留置カテーテルの構造（図9）を理解したうえで以下の方法を試してみてください．

◆ バルーン水が抜けないとき

❶ バルーンが拡張したままか，バルーンの位置は膀胱内にあるかを，超音波検査や場合によってはCT検査で確認する

❷ バルーンに蒸留水を追加注入してみて蒸留水が回収できるようになるか試してみる

❸ **インフレーションファネルを切断してみる**

❹ **カテーテルのシャフト部を切断してみる**

❺ **インフレーションルーメンに細いガイドワイヤーや鋼線を挿入してみる**

❻ **以上の方法でバルーン水が抜けない場合は経皮的に超音波ガイド下にバルーンを穿刺し破裂させる**

ここがポイント

基本的手順をしっかり実践すれば導尿，尿道カテーテル留置の処置で困ることはそこまで多くはありませんが，ときとして処置に困る場合もあります．大事なことは無理をして医原性の尿道損傷などを起こさないようにすることです．そのため，どこまで自分で処置を行い，どこから指導医や泌尿器科医に相談するか判断できるようになることが大切です．

尿道カテーテル操作時に注意すべきアレルギー反応

尿道カテーテル操作における注意すべきアレルギー反応としては尿道麻酔やカテーテルの潤滑剤として使用されるゼリー製剤に含まれるリドカインなどの局所麻酔薬に対するアレルギーがあります．頻度は高くはありませんがアナフィラキシーショックとなる可能性もあるため注意が必要です．カテーテルの潤滑剤としてのみ使用する際は麻酔薬の成分を含まないカインゼロ® ゼリーなどの利用をおすすめします．

もう1つ注意すべきアレルギーとしてラテックスアレルギーがあります．天然ゴム製品に接触することで発症する即時型アレルギー反応です．ゴム製品に触れることの多い医療従事者にも多いとされています．また，アボカド，バナナ，クリ，キウイフルーツなどには交差抗原性がありこれらの食物アレルギーをもっている患者はラテックスアレルギーももっている可能性があるため注意が必要です．ラテックスアレルギーが疑われる患者にはシリコン製のカテーテルを使用するようにしましょう．

文献

1）「導尿、尿道カテーテル留置のコツ～Dr.大見の臨床メモ」（森本康裕／監，大見千英高／著）日本医事新報社，2019
https://www.jmedj.co.jp/premium/ucat/

2）伊藤英明：尿路系カテーテルのすべて．「レジデントノート増刊　Vol.16 No.11　知らないままでいいですか？眼・耳鼻のど・皮膚・泌尿器疾患の診かた」（岩田充永／編），pp188-194，羊土社，2014

3）バード®I.C. フォーリートレイB添付文書

索 引

数 字

欧 文

A

B

C

D

E

F

G

I

J

L

M

N

P

R

S

V

X

和 文

あ

い

え

か

き

く

け

こ

さ

し

す

せ

そ

た

ち

て

と

に

の

は

ひ

ふ

へ

ほ

ま

み

む

め

ゆ

よ

ら

り

■編者プロフィール

森本康裕（もりもと　やすひろ）

宇部興産中央病院麻酔科　診療科長

1988年山口大学医学部卒業，大学院からテキサス大学ガスベストン校へ留学，山口大学医学部麻酔・蘇生学教室講師を経て2007年より現職．

日本区域麻酔学会評議員，日本静脈麻酔学会理事，日本臨床麻酔学会教育インストラクター（DAM,神経ブロック），日本医学シミュレーション学会CVC世話人．第24回日本静脈麻酔学会会長．自称電脳麻酔の伝道師として電脳麻酔ブログ（http://eanesth.exblog.jp/）を運営．専門は超音波ガイド下末梢神経ブロックと静脈麻酔．著書に「はじめての麻酔科学（克誠堂出版）」「はじめての末梢神経ブロック（克誠堂出版）」がある．

読者へのメッセージ：初期研修医の皆さん，麻酔科の研修は単に麻酔の方法を学ぶだけではありません．本書に書かれているほとんどの手技に加えて，呼吸・循環管理の基礎を身につけることができます．ぜひ麻酔科研修を活用して，医師としての基礎を固めてください．

本書はレジデントノート誌2014年4月号特集「知っているようで知らない！注射・採血・穿刺のコツ」を全面的に刷新し，さらに新規項目を加えたものです．

研修医になったら必ずこの手技を身につけてください。改訂版

消毒、注射、穿刺、小外科、気道管理、鎮静、エコーなどの方法を解剖とあわせて教えます

2017年4月15日　第1版 第1刷発行
2019年3月1日　第1版 第2刷発行
2022年4月1日　第2版 第1刷発行

編　集　森本康裕
発行人　一戸裕子
発行所　株式会社　羊　土　社
〒101-0052
東京都千代田区神田小川町2-5-1
TEL　03（5282）1211
FAX　03（5282）1212
E-mail　eigyo@yodosha.co.jp
URL　www.yodosha.co.jp/
装　幀　ペドロ山下
印刷所　三美印刷株式会社

ISBN978-4-7581-2389-1